REVIEW TEXT IN
FRENCH THREE YEARS

By ELI BLUME

Chairman of the Foreign Language Department,
Forest Hills High School,
New York City

Dedicated to Serving Our Nation's Youth

AMSCO SCHOOL PUBLICATIONS, Inc.
315 Hudson Street   New York, N.Y. 10013

PREFACE

This carefully planned *Review Text in French Three Years* is designed to give the student a thorough understanding and review of the elements of the French language and the highlights of the culture of France. The multiplicity and variety of exercises will assist both student and teacher in evaluating mastery of each phase of the work.

For logical study and for reference purposes, the Review Text is divided into units, such as Verbs, Grammar, Idioms, Composition, Civilization, and Reading Comprehension. Each lesson in these units deals fully with one significant aspect. Thus, the comprehensive treatment of each topic is presented as an integrated whole, rather than in the fragmentary fashion generally found in textbooks.

Much of the material is in French to help the student think in the foreign language. The chapters on civilization and the exercises based on them, as well as the cultural vignettes interspersed throughout the book, are entirely in French. Each passage in the section on Reading Comprehension is tested through the use of multiple-choice exercises in French.

An attempt is made to set a standard for the student in the writing of a guided composition. In the exercises, several types of compositions have been suggested to provide for a variety of tastes.

Review Quizzes and Mastery Structure Drills give ample opportunity for the testing of broader aspects of language and culture. Finally, there is included a guide for those students who intend to take the College Board Achievement Test in French.

It is hoped that this Review Text, with its clear explanations, varied and attractive drills, significant vocabulary, and comprehensive reviews, will aid the student in his acquisition of the communication skills as well as give him insights into the culture of a foreign people.

The author wishes to express his earnest appreciation to the French Embassy Press & Information Division for their kind cooperation in furnishing the pictures from which most of the cultural vignettes were drawn by our artists.

—E. B.

CONTENTS

Part I—Verbs

Part II—Grammar

Part III—Idioms

Part IV

Part V—Civilization

v

Part VI

Appendix

Regents Examinations

Part I—*Verbs*

1. THE PRESENT INDICATIVE AND IMPERATIVE OF REGULAR VERBS

PRESENT INDICATIVE

FIRST CONJUGATION: VERBS IN *-er*

travaill**er**, to work

AFFIRMATIVE	INTERROGATIVE
I work, I am working, I do work	*am I working? do I work?*

je travaill**e**	**est-ce que** je travaille?
tu travaill**es**	travailles-tu?
il (elle) travaill**e**	travaille-*t*-il (elle)?
nous travaill**ons**	travaillons-nous?
vous travaill**ez**	travaillez-vous?
ils (elles) travaill**ent**	travaillent-ils (elles)?

SECOND CONJUGATION: VERBS IN *-ir*

fin**ir**, to finish

AFFIRMATIVE	NEGATIVE
I finish, I am finishing, I do finish	*I am not finishing, I do not finish*

je fin**is**	je **ne** finis **pas**
tu fin**is**	tu **ne** finis **pas**
il (elle) fin**it**	il (elle) **ne** finit **pas**
nous fin**issons**	nous **ne** finissons **pas**
vous fin**issez**	vous **ne** finissez **pas**
ils (elles) fin**issent**	ils (elles) **ne** finissent **pas**

Third Conjugation: Verbs in *-re*

attend*re,* to wait

AFFIRMATIVE	NEGATIVE INTERROGATIVE
I wait, I am waiting, I do wait	*am I not waiting? do I not wait?*

j' attend**s**	est-ce que je *n'*attends **pas?**
tu attend**s**	*n'*attends-tu **pas?**
il (elle) attend	*n'*attend-il (elle) **pas?**
nous attend**ons**	*n'*attendons-nous **pas?**
vous attend**ez**	*n'*attendez-vous **pas?**
ils (elles) attend**ent**	*n'*attendent-ils (elles) **pas?**

Note

1. The present tense (**le présent**) of the indicative of regular verbs can be found by dropping the infinitive ending and adding the personal endings:

   for **-er** verbs: -e, -es, -e, -ons, -ez, -ent
   for **-ir** verbs: -is, -is, -it, -issons, -issez, -issent
   for **-re** verbs: -s, -s, -, -ons, -ez, -ent

   However, the third person singular of **rompre** and **interrompre** ends in -t: il **rompt**, il **interrompt**.

2. **Est-ce que,** regularly used with the pronoun **je,** may also be used before any other subject to change a statement into a question.

Est-ce que ses amis nous accompagnent?	Are his friends accompanying us?
Est-ce que vous ne m'entendez pas?	Don't you hear me?

3. If the verb ends with a vowel in the third person singular, a -t- is inserted before **il, elle,** and **on** in the inverted question form.

Pleure-*t*-elle souvent?	Does she cry often?
Pourquoi me blâme-*t*-on?	Why do they blame me?

4. In a question with a noun as subject, the noun precedes the inverted verb and pronoun.

Où *le fermier* travaille-t-il?	Where is the farmer working?
Vos cousines patinent-elles bien?	Do your cousins skate well?

2

5. The negative is formed by placing **ne (n')** before the verb and **pas** after the verb or, in the inverted question form, after the pronoun.

IMPERATIVE

	FAMILIAR	POLITE	
travaill**er**	travaill**e,** work	travaill**ez,** work	travaill**ons,** let us work
fin**ir**	fin**is,** finish	fin**issez,** finish	fin**issons,** let us finish
attend**re**	attend**s,** wait	attend**ez,** wait	attend**ons,** let us wait

Note

1. The forms of the imperative (**l'impératif**) of regular verbs are the same as the corresponding forms of the present indicative except for the omission of the subject pronouns **tu, vous,** and **nous.**

2. The exception is the familiar form of **-er** verbs, which drops the final **s:** sonne.

VOCABULAIRE: VERBES RÉGULIERS

PREMIÈRE CONJUGAISON

accompagner, to accompany
aider, to help
aimer, to like, love
ajouter, to add
allumer, to light, turn on
apporter, to bring
arracher, to pull out
arrêter, to stop, arrest
attraper, to catch
baigner, to bathe
baisser, to lower
bavarder, to chatter
blâmer, to blame
blesser, to wound, hurt
briller, to shine
briser, to break, smash
brosser, to brush
brûler, to burn
cacher, to hide
casser, to break

causer, to chat
cesser, to stop
chanter, to sing
chasser, to hunt, chase
chauffer, to warm, heat
chercher, to look for
commander, to command, order
compter, to count, intend
conseiller, to advise
couper, to cut
coûter, to cost
crier, to shout
danser, to dance
déchirer, to tear
déjeuner, to breakfast, lunch
demander, to ask (for)
demeurer, to live
dépenser, to spend (money)
désirer, to wish, want
dessiner, to draw

3

dîner, to dine
diviser, to divide
donner, to give
douter, to doubt
durer, to last
échouer, to fail
éclater, to burst
écouter, to listen (to)
embrasser, to kiss
empêcher, to prevent
emprunter, to borrow
enchanter, to delight
enseigner, to teach
entourer, to surround
entrer, to enter
envelopper, to wrap
épouser, to marry
éternuer, to sneeze
étonner, to astonish
étudier, to study
éveiller, to wake (up)
éviter, to avoid
expliquer, to explain
exprimer, to express
fabriquer, to manufacture
fatiguer, to tire
féliciter, to congratulate
fermer, to close
frapper, to strike, knock
frotter, to rub
fumer, to smoke
gagner, to earn, win
garder, to keep
gaspiller, to waste
gâter, to spoil
glisser, to slip, slide
goûter, to taste
gronder, to scold
habiter, to live in
hésiter, to hesitate
ignorer, not to know, be unaware of
intéresser, to interest
jouer, to play
jurer, to swear

laisser, to leave, let
laver, to wash
louer, to praise, hire, rent
manquer, to lack, miss
marcher, to walk, go
mêler, to mix
mériter, to deserve
monter, to go (come) up
montrer, to show
nommer, to name
ordonner, to order
oser, to dare
ôter, to remove, take off
oublier, to forget
pardonner, to forgive
parler, to speak, talk
passer, to pass, spend (time)
patiner, to skate
peigner, to comb
penser, to think
pleurer, to cry
porter, to carry, wear
poser, to put, place
pousser, to push, grow, utter
présenter, to introduce
prêter, to lend
prier, to pray, beg
prouver, to prove
quitter, to leave
raconter, to relate, tell
ramasser, to pick up, collect
regarder, to look (at)
regretter, to be sorry
remarquer, to notice
remercier, to thank
rencontrer, to meet
rentrer, to go in again, return (home)
repasser, to review, iron
rester, to remain, stay
retourner, to go back, return
retrouver, to find (again)
réveiller, to wake (up)
rêver, to dream
saluer, to greet

sauter, to jump	terminer, to end, finish
sauver, to save	tirer, to pull
sembler, to seem	tomber, to fall
siffler, to whistle	tourner, to turn
signifier, to mean	tousser, to cough
soigner, to take care of	travailler, to work
sonner, to ring	traverser, to cross
souhaiter, to wish	tremper, to soak, dip
souligner, to underline	tromper, to deceive
stationner, to park	trouver, to find
tâcher, to try	tuer, to kill
téléphoner, to telephone	voler, to fly, steal, rob

DEUXIÈME CONJUGAISON

accomplir, to accomplish	jouir (de), to enjoy
agir, to act	nourrir, to nourish, feed
applaudir, to applaud	obéir (à), to obey
bâtir, to build	punir, to punish
bénir, to bless	ravir, to delight
choisir, to choose	réfléchir, to think, reflect
désobéir (à), to disobey	remplir, to fill
établir, to establish	réussir, to succeed
finir, to finish	rougir, to blush
grandir, to grow	saisir, to seize
guérir, to cure, heal	trahir, to betray

TROISIÈME CONJUGAISON

attendre, to wait (for)	perdre, to lose
défendre, to defend, forbid	rendre, to give back, return
descendre, to go (come) down	répondre (à), to answer
entendre, to hear	rompre, to break
interrompre, to interrupt	vendre, to sell

EXERCICES

A. Remplacer l'infinitif par la forme convenable du présent:

1. Nous (allumer) la lampe à sept heures.
2. Les Américains (nourrir) bien leurs enfants.
3. Je (compter) cent personnes dans la foule.
4. Il ne (perdre) jamais courage.
5. Qu'est-ce que tu (emprunter)?
6. Je (réfléchir) avant de donner mon opinion.
7. Ces hommes ne (fumer) pas.

8. Pourquoi (punir)-vous cet enfant?
9. Sa sœur (interrompre) souvent notre conversation.
10. Que (signifier) ce mot?
11. Vous (répondre) toujours bien à ses questions.
12. Où l'oiseau (voler)-il?
13. Nous ne (trahir) pas nos amis!
14. Je (rendre) visite à mon oncle.
15. Que (bâtir)-on là-bas?

B. Traduire en français:

1. He forgets. *Il oublit*
2. Am I forgetting? *Est-ce que j'oublie*
3. Do not forget (fam.). *N'oublies tu pas*
4. Let us forget. *oublions-nous*
5. Aren't they forgetting? *Est-ce que je*
6. I do not disobey.
7. Do we disobey?
8. Who disobeys? *qui diso*

9. Do Paul and Henry disobey?
10. Do not disobey.
11. Doesn't Anne hear? *Anne n'entend-el*
12. They hear. *Ils Entendent*
13. Do you (fam.) hear?
14. I hear. *j'entend*
15. Don't you hear? *vous n'entendez pas?*

C. Compléter la phrase avec la forme convenable du verbe:

1. Qui demeure dans cette maison?   M. et Mme Durand y *demeure*
2. Est-ce que je réussis?   Oui, vous *réussissez*
3. Que cachez-vous?   Je ne *cache* rien.
4. Qui désire me parler?   Georges et moi, nous *désirons vous* parler.
5. Où est-ce que je vous attends?   *attendez*-moi ici.
6. Qui soigne le malade?   Sa femme le _____.
7. Combien de billets est-ce que je garde?   Tu *gardes* trois billets.
8. Que vendez-vous?   Je *vends* ma machine à écrire.
9. Quand finissez-vous vos devoirs?   Nous les *finissons* vers dix heures.
10. Qui joue au tennis?   Mes cousins *jouent* au tennis.

D. Traduire en français les mots en italique:

1. *Do not blame* le garçon qui rit.
2. A quelle heure *does she come down*?
3. *Let us obey* aux lois du pays. *obéissons-nous*
4. *Am I choosing* des légumes frais? *Est-ce que je*
5. *Is the doctor entering* dans la salle d'opération? *Est ... le docteur entre*
6. *Fill* votre verre et le mien.
7. *Doesn't Louise like* les disques de danse?
8. *They spend* cinq heures à l'école. *Ils passent*
9. *Close* la porte, Joseph. *Fermez*
10. *Is he acting* en homme d'honneur? *Est-ce que*

E. Répondre à chaque question par une phrase complète en français:

1. Enseignez-vous le français?
2. Qui frappe à la porte?
3. Est-ce que je danse bien?
4. Jouissez-vous d'une bonne santé?
5. Quand applaudit-on au théâtre?
6. Qui attends-tu?
7. Où vos amis dînent-ils?
8. Est-ce que je rougis facilement?
9. Qu'est-ce que nous entendons?
10. Les petites écoutent-elles quand vous parlez?

6

2. THE PRESENT INDICATIVE AND IMPERATIVE OF IRREGULAR VERBS

PRESENT INDICATIVE

aller, to go:

> je vais, tu vas, il va, nous allons, vous allez, ils vont

s'asseoir, to sit (down):

> je m'assieds, tu t'assieds, il s'assied, nous nous asseyons, vous vous asseyez, ils s'asseyent

avoir, to have:

> j'ai, tu as, il a, nous avons, vous avez, ils ont

battre, to beat:

> je bats, tu bats, il bat, nous battons, vous battez, ils battent
> Like battre: **se battre,** to fight

boire, to drink:

> je bois, tu bois, il boit, nous buvons, vous buvez, ils boivent

conduire, to lead, drive:

> je conduis, tu conduis, il conduit, nous conduisons, vous conduisez, ils conduisent
> Like conduire: **construire,** to construct; **produire,** to produce; **traduire,** to translate

connaître, to know, be acquainted with:

> je connais, tu connais, il connaît, nous connaissons, vous connaissez, ils connaissent
> Like connaître: **reconnaître,** to recognize; **paraître,** to appear; **disparaître,** to disappear

courir, to run:

> je cours, tu cours, il court, nous courons, vous courez, ils courent

craindre, to fear:

> je crains, tu crains, il craint, nous craignons, vous craignez, ils craignent
> Like craindre: **plaindre,** to pity
> **atteindre,** to reach, attain
> **éteindre,** to extinguish, turn off
> **peindre,** to paint
> **joindre,** to join

7

croire, to believe:

je crois, tu crois, il croit, nous croyons, vous croyez, ils croient

devoir, to owe, have to, be (supposed) to:

je dois, tu dois, il doit, nous devons, vous devez, ils doivent

dire, to say, tell:

je dis, tu dis, il dit, nous disons, vous dites, ils disent

dormir, to sleep:

je dors, tu dors, il dort, nous dormons, vous dormez, ils dorment

Like dormir: **s'endormir,** to fall asleep   **sentir,** to feel, smell
            mentir, to lie   **servir,** to serve
            partir, to go away, leave   **sortir,** to go out, leave

écrire, to write:

j'écris, tu écris, il écrit, nous écrivons, vous écrivez, ils écrivent

Like écrire: **décrire,** to describe

envoyer, to send:

j'envoie, tu envoies, il envoie, nous envoyons, vous envoyez, ils envoient

être, to be:

je suis, tu es, il est, nous sommes, vous êtes, ils sont

faire, to do, make:

je fais, tu fais, il fait, nous faisons, vous faites, ils font

falloir, to be necessary:

il faut

lire, to read:

je lis, tu lis, il lit, nous lisons, vous lisez, ils lisent

mettre, to put, put on:

je mets, tu mets, il met, nous mettons, vous mettez, ils mettent

Like mettre: **permettre,** to permit
            promettre, to promise
            remettre, to put back, postpone, deliver

mourir, to die:

je meurs, tu meurs, il meurt, nous mourons, vous mourez, ils meurent

ouvrir, to open:

j'ouvre, tu ouvres, il ouvre, nous ouvrons, vous ouvrez, ils ouvrent
Like ouvrir: **couvrir,** to cover   **offrir,** to offer
         découvrir, to discover, uncover   **souffrir,** to suffer

plaire, to please:

je plais, tu plais, il plaît, nous plaisons, vous plaisez, ils plaisent

pleuvoir, to rain:

il pleut

pouvoir, to be able:

je peux (puis), tu peux, il peut, nous pouvons, vous pouvez, ils peuvent

prendre, to take:

je prends, tu prends, il prend, nous prenons, vous prenez, ils prennent
Like prendre: **apprendre,** to learn, teach
           comprendre, to understand, include
           reprendre, to take back
           surprendre, to surprise

recevoir, to receive:

je reçois, tu reçois, il reçoit, nous recevons, vous recevez, ils reçoivent

rire, to laugh:

je ris, tu ris, il rit, nous rions, vous riez, ils rient
Like rire: **sourire,** to smile

savoir, to know:

je sais, tu sais, il sait, nous savons, vous savez, ils savent

suivre, to follow:

je suis, tu suis, il suit, nous suivons, vous suivez, ils suivent

se taire, to be silent, keep quiet:

je me tais, tu te tais, il se tait, nous nous taisons, vous vous taisez, ils se
taisent

tenir, to hold:

je tiens, tu tiens, il tient, nous tenons, vous tenez, ils tiennent
Like tenir: **appartenir à,** to belong to   **retenir,** to hold back
           devenir, to become   **revenir,** to come back
           obtenir, to obtain   **venir,** to come

valoir, to be worth:

je vaux, tu vaux, il vaut, nous valons, vous valez, ils valent

vivre, to live, be alive:

je vis, tu vis, il vit, nous vivons, vous vivez, ils vivent

voir, to see:

je vois, tu vois, il voit, nous voyons, vous voyez, ils voient
Like voir: **revoir,** to see again

vouloir, to wish, want:

je veux, tu veux, il veut, nous voulons, vous voulez, ils veulent

Note

1. The first person plural of irregular verbs ends in **-ons,** except: **nous sommes.**

2. The second person plural ends in **-ez,** except: **vous dites, vous êtes, vous faites.**

3. The third person plural ends in **-ent,** except: **ils vont, ils ont, ils sont, ils font.**

4. The two forms for the first person singular of **pouvoir** are interchangeable, except that:

   a. the negative is **je ne peux pas** or **je ne puis.**
   b. the inverted question form is **puis-je?**

IMPERATIVE

The imperative of irregular verbs generally follows the same pattern as regular verbs.

aller: va, allez, allons   **ouvrir:** ouvre, ouvrez, ouvrons
dire: dis, dites, disons   **recevoir:** reçois, recevez, recevons

Note

1. Irregular **-er** verbs, and verbs conjugated like **-er** verbs in the present indicative, drop the final **s** in the familiar imperative. However, when linked to the pronouns **y** and **en,** all verbs, regular and irregular, retain the **s.**

Manges-en la moitié.   Eat half of it.
Vas-y vite.   Go there quickly.

2. The verbs **avoir, être,** and **savoir** have exceptional imperatives.

> **avoir:** aie, ayez, ayons
> **être:** sois, soyez, soyons
> **savoir:** sache, sachez, sachons

3. The pronoun object of a reflexive verb follows the verb in the affirmative imperative but precedes it in the negative imperative.

s'asseoir

AFFIRMATIVE IMPERATIVE	NEGATIVE IMPERATIVE
assieds-toi	ne t'assieds pas
asseyez-vous	ne vous asseyez pas
asseyons-nous	ne nous asseyons pas

EXERCICES

A. Donner la forme correcte du présent:

1. *écrire:* nous *écrivons*
2. *paraître:* il *paraît*
3. *aller:* *va-t*-elle?
4. *lire:* elles *lisent*
5. *battre:* je *bats*
6. *vouloir:* tu *veux*
7. *plaindre:* on *plaint*
8. *valoir:* il *vaut*
9. *suivre:* qui *suit*?
10. *courir:* je *cours*
11. *s'asseoir:* elle *s'assieds*
12. *partir:* *pars*-tu?
13. *mourir:* ils *meurent*

14. *craindre:* nous *craignons*
15. *savoir:* il *sait*
16. *envoyer:* elle *envoie*
17. *mettre:* je *mets*
18. *boire:* vous *buvez*
19. *recevoir:* *reçoit*-il?
20. *dire:* elles *disent*
21. *se taire:* vous *vous taisez*
22. *vivre:* je *vis*
23. *avoir:* ils *ont*
24. *ouvrir:* tu *ouvres*
25. *pouvoir:* *peuvent*-elles?

B. Donner la forme convenable du présent ou de l'impératif:

1. (faire) Ils **font** deux choses à la fois.
2. (courir) Il **court** par la pluie.
3. (boire) Nous **buvons** du jus de tomate.
4. (apprendre) **Apprenez** à faire face à vos difficultés avec courage!
5. (servir) On **sert** le dîner.
6. (sortir) Elles **sortent** malgré le mauvais temps.
7. (mourir) Cette plante **meurt** sans eau.
8. (être) Nous **sommes** en bonne santé.
9. (tenir) Elle **tient** une rose entre les dents.
10. (aller) Mes sœurs **vont** au concert.
11. (conduire) Le guide les **conduit** à travers les salles du palais.
12. (voir) Tout le monde **voit** la faute.
13. (prendre) **Prennent**-ils le bateau?
14. (construire) Qu'est-ce que vous **construisez**?
15. (vivre) C'est un animal qui **vit** aux plus basses températures.

C. Mettre au pluriel les mots en italique:

1. *Elle veut* acheter des meubles. *elles veulent*
2. *J'envoie* ces lettres par avîon. *nous envoyons*
3. *Ne sois pas* si paresseux! *ne*
4. *Assieds-toi* près de nous.
5. *Je connais* le chemin de Chamonix. *nous connaissons*

6. *Aie* la bonté d'éteindre la lumière.
7. *Elle reçoit* beaucoup de bonnes notes en français. *Elles reçoivent*
8. *Ne vois-tu pas* toutes les étoiles? *ne voyez vous*
9. *Il peint* des portraits. *Il peint*
10. *Il prend* un repas léger. *Ils prennent*

D. Compléter la phrase avec la forme convenable du verbe:

1. Où allez-vous? — Je *vais* au supermarché.
2. Qui sait l'alphabet? — Tous les élèves le _____.
3. Est-ce que je la connais? — Non, vous ne la _____ pas.
4. Que voulez-vous? — Je ne _____ rien.
5. Est-ce que je lis bien? — Oui, mais _____ plus haut, s'il vous plaît.
6. Qui comprend l'espagnol? — Nos cousines le _____.
7. Quelle voiture conduisez-vous? — Je _____ une Citroën.
8. Que faites-vous? — Nous _____ les exercices.
9. Suivez-vous mon exemple? — Oui, je le _____.
10. Qui traduit le paragraphe? — Paul et Alain le _____.

E. Traduire en français les mots en italique:

1. Pourquoi *are they laughing?*
2. *Let us take* le temps de vivre.
3. Le bébé *is falling asleep* dans son lit.
4. *It is necessary* étudier pour réussir.
5. *They are not coming* au bal.
6. *Know*, messieurs, que je n'ai pas l'habitude de répéter mes questions!
7. Est-ce que le cadeau lui *pleases?*
8. Combien d'argent vous *do they owe?*
9. *Do not sit down* à table avant de vous laver les mains.
10. *He knows* plusieurs avocats.

F. Répondre à chaque question par une phrase complète en français:

1. Combien de verres de lait buvez-vous par jour?
2. Puis-je t'accompagner ce soir?
3. Est-ce qu'on doit mentir?
4. Prenez-vous des photos en couleurs?
5. Où ces enfants courent-ils?
6. Que craignez-vous?
7. Que fait le poète?
8. Vous taisez-vous quand vous dormez?
9. En quel mois pleut-il souvent?
10. Croyez-vous ce que je vous dis?

3. THE *PASSÉ COMPOSÉ*

VERBS CONJUGATED WITH *AVOIR*

travailler	finir	attendre
I worked, *I have worked,* *I did work*	*I finished,* *I have finished,* *I did finish*	*I waited,* *I have waited,* *I did wait*
j'*ai* travaill*é* tu *as* travaill*é* il (elle) *a* travaill*é*	j'*ai* fin*i* tu *as* fin*i* il (elle) *a* fin*i*	j'*ai* attend*u* tu *as* attend*u* il (elle) *a* attend*u*
nous *avons* travaillé vous *avez* travaillé ils (elles) *ont* travaillé	nous *avons* fini vous *avez* fini ils (elles) *ont* fini	nous *avons* attendu vous *avez* attendu ils (elles) *ont* attendu

Note

1. The **passé composé** (past indefinite) of most verbs is formed by combining the present tense of **avoir** and the past participle of the verb.

2. The endings of past participles of regular verbs are **é** (for **-er** verbs), **i** (for **-ir** verbs), and **u** (for **-re** verbs).

3. The following irregular verbs, and the verbs conjugated like them (See Verb Lesson 2), have irregular past participles:

asseoir, *assis*	devoir, *dû* (*f. due*)	mettre, *mis*	savoir, *su*
avoir, *eu*	(*pl. dus, dues*)	ouvrir, *ouvert*	suivre, *suivi*
boire, *bu*	dire, *dit*	plaire, *plu*	taire, *tu*
conduire, *conduit*	écrire, *écrit*	pleuvoir, *plu*	tenir, *tenu*
connaître, *connu*	être, *été*	pouvoir, *pu*	valoir, *valu*
courir, *couru*	faire, *fait*	prendre, *pris*	vivre, *vécu*
craindre, *craint*	falloir, *fallu*	recevoir, *reçu*	voir, *vu*
croire, *cru*	lire, *lu*	rire, *ri*	vouloir, *voulu*

VERBS CONJUGATED WITH *ÊTRE*

partir, to leave

I left, I have left, I did leave

MASCULINE SUBJECTS	FEMININE SUBJECTS
je **suis** parti	je **suis** partie
tu **es** parti	tu **es** partie
il **est** parti	elle **est** partie
nous **sommes** partis	nous **sommes** parties
vous **êtes** parti(s)	vous **êtes** partie(s)
ils **sont** partis	elles **sont** parties

Note

1. Sixteen common verbs are conjugated with **être** in the **passé composé**:

INFINITIVE	PAST PARTICIPLE
aller, to go	*allé*
venir, to come	*venu*
arriver, to arrive	*arrivé*
partir, to leave, go away	*parti*
entrer, to go (come) in, enter	*entré*
sortir, to go out, leave	*sorti*
monter, to go (come) up	*monté*
descendre, to go (come) down	*descendu*
revenir, to come back, return	*revenu*
retourner, to go back, return	*retourné*
rentrer, to go in again, return (home)	*rentré*
tomber, to fall	*tombé*
rester, to remain, stay	*resté*
devenir, to become	*devenu*
naître, to be born	*né*
mourir, to die	*mort*

14

2. Like adjectives, past participles conjugated with **être** agree in gender and number with the *subject*.

Quand sont-ils *sortis?*   When did they leave?
Sa femme est *née* en Afrique.   His wife was born in Africa.

3. In the **passé composé,** the present of **avoir** or **être** is treated as the main verb, and the past participle is added to it. Thus,

a. in the *negative,* the present tense of the auxiliary verb is made negative.

Elles *ne sont pas* descendues.

b. in the *interrogative,* the present tense of the auxiliary is changed to the interrogative.

A-t-il plu?

EXERCICES

A. Compléter chaque phrase avec la forme convenable du participe passé:

1. (laisser)   Son grand-père lui a _____ une fortune.
2. (dormir)   J'ai _____ pendant huit heures.
3. (venir)   Elle est _____ me voir.
4. (savoir)   Nous n'avons pas _____ le faire.
5. (ravir)   Cela m'a _____.
6. (asseoir)   Il s'est _____ devant la classe.
7. (pouvoir)   N'ont-ils pas _____ y arriver à l'heure?
8. (défendre)   L'armée a-t-elle _____ la forteresse?
9. (retourner)   Les voyageurs sont _____ au Mexique.
10. (taire)   En voyant sa femme, le mari s'est _____.

B. Mettre les phrases au passé composé:

1. Je dois rire.
2. Épouse-t-il une belle dame?
3. Nous saisissons l'occasion.
4. Connaissez-vous sa nouvelle adresse?
5. Elle monte jusqu'au deuxième étage de la tour.
6. Que craignez-vous?
7. Il faut partir tout de suite.
8. Croit-on ses mensonges?
9. Bien entendu, nous arrivons de bonne heure.
10. Cette ville vaut une visite.
11. Les vaches malades ne meurent pas.
12. A quelle heure rentrez-vous, Bernard?
13. Le médecin découvre une nouvelle technique d'inoculation.
14. Elles font un voyage en Afrique.
15. La mère conduit son fils à l'école.

C. Compléter les phrases en anglais:

1. J'en ai eu assez.   I _____ enough.
2. Le géant a rompu les branches.   The giant _____ the branches.
3. Elle est devenue infirmière.   She _____ a nurse.
4. As-tu apporté ta raquette?   _____ your tennis racket?
5. Nous sommes restés dans la salle d'attente.   We _____ in the waiting room.
6. La cuisine lui a plu.   The cooking _____ him.
7. Ne sont-ils pas revenus du musée?   _____ from the museum?

8. Il n'a pas voulu entrer.

He _____ come in.

9. Le paysan a vécu longtemps.

The peasant _____ a long time.

10. N'a-t-il pas plu hier soir?

_____ last night?

D. Traduire en français:

1. Where did she go?
2. I put it on the desk.
3. Which book did you (*fam.*) take?
4. We opened the drawer.
5. How much have they read?
6. I held his books.
7. Who came in?
8. They have not been to Paris.
9. How did he do it?
10. Why didn't you run?
11. What did she say?
12. At what time did he go out?
13. We didn't see the garden.
14. Whom did he bless?
15. When did they go down?

E. Répondre à chaque question par une phrase complète en français:

1. Qu'est-ce que vous avez bu ce matin?
2. Est-ce que la nuit est déjà tombée?
3. Quand ont-ils reçu le télégramme?
4. As-tu suivi cette année un cours de musique?
5. Qui a écrit les phrases au tableau noir?
6. Est-ce que j'ai gagné le prix?
7. Dans quel pays êtes-vous né(e)?
8. A quelle heure sont-ils partis?
9. A-t-on ri quand Claire a chanté?
10. Avez-vous couvert votre livre de français?

La Madeleine

L'église parisienne de la Madeleine, construite de **1764** à **1842**, présente l'aspect d'un temple grec. La majestueuse colonnade de **52** piliers autour de l'église supporte une frise richement sculptée. Les cérémonies religieuses de la Madeleine sont très élégantes.

4. THE IMPERFECT INDICATIVE

FORMS OF THE IMPERFECT

travailler	finir	attendre
I was working, *I used to work,* *I worked*	*I was finishing,* *I used to finish,* *I finished*	*I was waiting,* *I used to wait,* *I waited*
je travaill*ais* tu travaill*ais* il (elle) travaill*ait*	je finiss*ais* tu finiss*ais* il (elle) finiss*ait*	j'attend*ais* tu attend*ais* il (elle) attend*ait*
nous travaill*ions* vous travaill*iez* ils (elles) travaill*aient*	nous finiss*ions* vous finiss*iez* ils (elles) finiss*aient*	nous attend*ions* vous attend*iez* ils (elles) attend*aient*

Note

1. The imperfect (**l'imparfait**) indicative of regular verbs can be found by dropping the **-ons** from the "**nous**" form of the present tense and adding the personal endings: **-ais, -ais, -ait, -ions, -iez, -aient.**

2. The imperfect of irregular verbs, with few exceptions, can be found in the same way. For example:

INFINITIVE	"nous" FORM OF PRESENT	IMPERFECT
boire	buvons	je *buvais*
craindre	craignons	je *craignais*
faire	faisons	je *faisais*
voir	voyons	je *voyais*

3. The forms of **être** and the impersonal verbs are as follows:

être: j'*étais*   falloir: il *fallait*   pleuvoir: il *pleuvait*

4. Verbs that end in **-ions** in the present indicative have forms ending in **-iions** and **-iiez** in the imperfect: **nous étudiions, vous étudiiez; nous riions, vous riiez.**

17

USES OF THE IMPERFECT

The imperfect tense is used for two kinds of past action: *continuous* and *repeated*. Thus, the signs of this tense in English are usually the words *was . . .-ing, were . . .-ing, used to.*

Philippe *écoutait* quand vous *lisiez.*	Philip was listening when you were reading.
Il me *rendait* visite tous les jours.	He used to visit me every day.

The form *I worked* is translated by **je travaillais** only if we can substitute *I was working* or *I used to work* for *I worked.*

Elle préparait le repas pendant que je *travaillais.*	She was preparing the meal while I worked (= was working).
Je *travaillais* toujours dans ma chambre.	I always worked (= used to work) in my room.

If the word *would* means *used to*, it is translated by the imperfect.

Le matin nous *faisions* une longue promenade.	In the morning we would (= used to) take a long walk.

The imperfect of **avoir** is generally translated by *had*, and the imperfect of **être** by *was* or *were*; the imperfect of **pouvoir** is often translated by *could.*

j'avais = I had
vous étiez = you were
ils pouvaient = they could (were able)

While the **passé composé** expresses the completion of an action, the imperfect stresses the *continuity* of an action.

Quand elle y *est arrivée,* il *pleuvait.*	When she arrived there, it was raining.
Nous *dînions* lorsque vous *avez téléphoné.*	We were having dinner when you telephoned.

Since it stresses continuity, the imperfect is the tense for *description* in the past.

Il *faisait* du vent et la neige *couvrait* la terre.	It was windy and the snow covered the earth.

EXERCICES

A. Donner la forme convenable de l'imparfait:

1. *battre:* ils _battaient_
2. *craindre:* je _craignais_
3. *hésiter:* tu _hésitais_
4. *grandir:* il _grandissait_
5. *ouvrir:* nous _ouvrions_
6. *valoir:* cela _valait_
7. *mourir:* elles _mouraient_
8. *mentir:* vous _mentiez_
9. *vivre:* il _vivait_
10. *plaire:* elle _plaisait_

18

B. Traduire en français:

1. they were waiting
2. was she reading?
3. you used to owe
4. we used to laugh
5. who used to send?
6. we were choosing
7. you (*fam.*) used to see
8. he was not translating
9. weren't they learning?
10. I was not succeeding

C. Mettre à l'imparfait:

1. Il met le timbre sur l'enveloppe.
2. Nous recevons nos amis dans le salon.
3. Étudiez-vous seulement le commencement de la leçon?
4. L'eau devient de la glace.
5. N'a-t-il pas une voiture européenne?
6. Qu'est-ce que je dois faire?
7. Je le tiens par la main.
8. Ils boivent du cidre normand.
9. Le professeur lit distinctement quand il nous donne une dictée.
10. Ne connais-tu pas cette actrice?

D. Compléter les phrases en anglais:

1. C'était une nuit sans lune.
2. Je ne pouvais pas retenir mes larmes.
3. Nous suivions toujours ses conseils.
4. Fallait-il tuer le pauvre cheval?
5. Ils avaient un beau magnétophone.
6. Ne pensiez-vous pas lorsque vous l'avez dit?
7. Qui voulait faire ma connaissance?
8. Ce pays produisait beaucoup de blé.
9. Nous causions quand nous avons entendu le bruit.
10. Il perdait souvent son portefeuille.

It was a moonless night.
I couldn't hold back my tears.
We always *followed* his advice.
Was it necessary to kill the poor horse?
They had a beautiful tape recorder.
Weren't you thinking when *you said* it?
Who *wanted to* meet me?
That country *produced* much wheat.
We were ... anything when *we heard* the noise.
He often *lost* his wallet.

E. Traduire en français les mots en italique:

1. *You used to help* votre mari.
2. Tout le monde *knew* qu'ils étaient fiancés.
3. A l'âge de quinze ans, *she would blush* fréquemment.
4. *It was not raining* quand nous sommes revenus.
5. Le matin *they used to run* à l'école.
6. Quelle heure *was it?*
7. Chaque nuit *one could* voir les étoiles dans le ciel
8. *We believed* qu'elle avait raison.
9. A qui *were you writing?*
10. *They were accomplishing* beaucoup.

F. Répondre à chaque question par une phrase complète en français:

1. Où étais-tu quand le téléphone a sonné?
2. Quelle chanson chantaient-ils?
3. Quand vous étiez jeune, obéissiez-vous à votre mère?
4. Y avait-il beaucoup de gens dans le théâtre?
5. Où alliez-vous, toi et Eugène, quand il est tombé?
6. Que faisaient-ils pendant que nous travaillions?
7. Pouvait-on comprendre tout ce que vous disiez?
8. Qu'est-ce que je faisais quand vous m'avez vu dans le musée?
9. Pourquoi l'enfant pleurait-il?
10. Quel temps faisait-il ce matin lorsque vous avez quitté la maison?

5. THE FUTURE AND THE CONDITIONAL

THE FUTURE

travail**er**	fin**ir**	attend**re**
I shall (will) work	*I shall (will) finish*	*I shall (will) wait*
je travailler**ai**	je finir**ai**	j'attendr**ai**
tu travailler**as**	tu finir**as**	tu attendr**as**
il (elle) travailler**a**	il (elle) finir**a**	il (elle) attendr**a**
nous travailler**ons**	nous finir**ons**	nous attendr**ons**
vous travailler**ez**	vous finir**ez**	vous attendr**ez**
ils (elles) travailler**ont**	ils (elles) finir**ont**	ils (elles) attendr**ont**

THE CONDITIONAL

travail**er**	fin**ir**	attend**re**
I would work	*I would finish*	*I would wait*
je travailler**ais**	je finir**ais**	j'attendr**ais**
tu travailler**ais**	tu finir**ais**	tu attendr**ais**
il (elle) travailler**ait**	il (elle) finir**ait**	il (elle) attendr**ait**
nous travailler**ions**	nous finir**ions**	nous attendr**ions**
vous travailler**iez**	vous finir**iez**	vous attendr**iez**
ils (elles) travailler**aient**	ils (elles) finir**aient**	ils (elles) attendr**aient**

Note

1. The future (**le futur**) and the conditional (**le conditionnel**) are formed by adding the personal endings to the infinitive. In **-re** verbs, the final **e** is dropped before the endings are added.

20

2. *a.* The endings for all verbs in the future are related to the present tense of avoir:

-ai, -as, -a, -ons, -ez, -ont.

   b. The endings of the conditional are the same as those of the imperfect indicative:

-ais, -ais, -ait, -ions, -iez, -aient.

3. Some verbs have an irregular stem in the future and conditional:

INFINITIVE	FUTURE	CONDITIONAL
aller	j'*irai*	j'*irais*
s'asseoir	{ je m'*assiérai* { je m'*assoirai*	{ je m'*assiérais* { je m'*assoirais*
avoir	j'*aurai*	j'*aurais*
courir	je *courrai*	je *courrais*
devoir	je *devrai*	je *devrais*
envoyer	j'*enverrai*	j'*enverrais*
être	je *serai*	je *serais*
faire	je *ferai*	je *ferais*
falloir	il *faudra*	il *faudrait*
mourir	je *mourrai*	je *mourrais*
pleuvoir	il *pleuvra*	il *pleuvrait*
pouvoir	je *pourrai*	je *pourrais*
recevoir	je *recevrai*	je *recevrais*
savoir	je *saurai*	je *saurais*
tenir	je *tiendrai*	je *tiendrais*
valoir	je *vaudrai*	je *vaudrais*
venir	je *viendrai*	je *viendrais*
voir	je *verrai*	je *verrais*
vouloir	je *voudrai*	je *voudrais*

4. Although the sign of the conditional in English is generally *would*, it may also be *should* in the sense of *would*.

Je le *reconnaîtrais* si je le voyais.   I should (would) recognize him if
I saw him.

5. In addition to the usual translation, certain conditional forms have other frequent translations.

je devrais = I ought, I should (in the sense of obligation)
je pourrais = I could
je voudrais = I would like

EXERCICES

A. Mettre au temps indiqué:

AU FUTUR:

1. Porte-t-elle les chemises à la blanchisserie?
2. Ils veulent visiter le palais.
3. Les voyez-vous souvent?
4. Il faut partir à midi.
5. Nous arrivons au Havre et de là nous allons à Paris.

AU CONDITIONNEL:

6. Tu dois éviter le danger.
7. Vaut-il mieux attendre?
8. Je tiens à payer mes dettes.
9. Au lieu de gâteau, nous prenons un morceau de fromage.
10. Sait-elle le faire?

B. Compléter les phrases en anglais:

1. Nous croyions qu'il pleuvrait. We thought that _____.
2. Le médecin a dit qu'elle ne mourrait pas. The doctor said that _____.
3. Nous ne vendrons pas la peau d'ours. _____ the bear skin.
4. Elle était certaine que nous pourrions attraper le train. She was certain that _____ catch the train.
5. Je devrai mettre de l'huile dans la machine. _____ put oil in the machine.
6. La dactylo lui enverra une lettre. The typist _____ him a letter.
7. Nous voudrions demeurer dans cet immeuble. _____ to live in that apartment house.
8. Iront-elles chez le couturier cet après-midi? _____ to the dressmaker's this afternoon?
9. Vous ne le guérirez pas de sa peur. _____ him of his fear.
10. Je croyais qu'ils ne me verraient jamais. I thought that _____ me.

C. Remplacer l'infinitif par la forme convenable du verbe:

1. (conditionnel) Ils (être) ravis de faire votre connaissance.
2. (conditionnel) Nous ne (courir) pas même s'il était tard.
3. (futur) J'espère que tu (faire) de ton mieux.
4. (conditionnel) Il (falloir) partir à midi précis.
5. (conditionnel) On (dire) qu'il va pleuvoir.
6. (futur) Les petites filles (embrasser) leur père.
7. (futur) Je (tenir) mes promesses.
8. (conditionnel) Lui (envoyer)-vous le colis?
9. (conditionnel) Il a dit qu'il (aller) à un hôtel.
10. (futur) Quand (avoir)-vous le temps de me parler?

D. Traduire en français les mots en italique:

1. Je ne sais pas ce que le concierge *will do.*
2. *You should not* me tromper.
3. Qui *will choose* la reine de la fête?
4. Après la promenade, *we shall sit* dans le parc.
5. Elle a promis que Catherine *could* y rester.

22

6. *Will you be* à Paris au printemps?
7. *Would I punish* un garçon malade?
8. *They will come* avec nous à la banque.
9. Combien d'argent *would you (fam.) spend?*
10. *I shall not answer* à vos questions.

E. Répondre à chaque question par une phrase complète en français:

1. Pourrez-vous m'aider demain matin?
2. A-t-il d t qu'il accepterait le cadeau ou qu'il le refuserait?
3. Voudriez-vous aller en France l'été prochain?
4. Qui viendra avec nous au magasin?
5. Quand est-ce que je recevrai votre réponse?

6. Y aurait-il assez de place dans la salle pour un piano?
7. Combien de temps passeront-ils à la campagne?
8. Que ferions-nous samedi s'il pleuvait?
9. Est-ce que le dentiste devra arracher la dent?
10. Quelle viande commanderas-tu si nous allons au restaurant?

La place Stanislas à Nancy

Stanislas Ier, ancien roi de Pologne, beau-père de Louis XV, et souverain de la Lorraine, a donné son nom à cette belle place. Les élégantes grilles de la place Stanislas sont l'œuvre de Jean Lamour, serrurier d'art de Nancy du XVIIIe siècle.

23

6. THE *PASSÉ SIMPLE*

REGULAR VERBS

travailler	finir	attendre
I worked	*I finished*	*I waited*
je travaillai	je finis	j'attendis
tu travaillas	tu finis	tu attendis
il (elle) travailla	il (elle) finit	il (elle) attendit
nous travaillâmes	nous finîmes	nous attendîmes
vous travaillâtes	vous finîtes	vous attendîtes
ils (elles) travaillèrent	ils (elles) finirent	ils (elles) attendirent

Note

The forms of the **passé simple** (past definite) are found by dropping the ending of the infinitive and adding the following personal endings:

a. for all **-er** verbs: -ai, -as, -a, -âmes, -âtes, -èrent.
b. for regular **-ir** and **-re** verbs: -is, -is, -it, -îmes, -îtes, -irent.

IRREGULAR VERBS

Verbs with irregular stems in the **passé simple** have the endings: -s, -s, -t, -ˆmes, -ˆtes, -rent. The stems generally end in i or u. For example:

faire: je fis, tu fis, il fit, nous fîmes, vous fîtes, ils firent
boire: je bus, tu bus, il but, nous bûmes, vous bûtes, ils burent
tenir: je tins, tu tins, il tint, nous tînmes, vous tîntes, ils tinrent

The following irregular verbs, and the verbs conjugated like them (See Verb Lesson 2), have irregular stems in the **passé simple**:

INFINITIVE	PASSÉ SIMPLE	INFINITIVE	PASSÉ SIMPLE
s'asseoir	je m'*assis*	conduire	je *conduisis*
avoir	j'*eus*	connaître	je *connus*
boire	je *bus*	construire	je *construisis*

INFINITIVE	PASSÉ SIMPLE	INFINITIVE	PASSÉ SIMPLE
courir	je *courus*	plaire	je *plus*
craindre	je *craignis*	pleuvoir	il *plut*
croire	je *crus*	pouvoir	je *pus*
devoir	je *dus*	prendre	je *pris*
dire	je *dis*	recevoir	je *reçus*
écrire	j'*écrivis*	rire	je *ris*
être	je *fus*	savoir	je *sus*
faire	je *fis*	suivre	je *suivis*
falloir	il *fallut*	se taire	je me *tus*
joindre	je *joignis*	tenir	je *tins*
lire	je *lus*	traduire	je *traduisis*
mettre	je *mis*	valoir	je *valus*
mourir	il *mourut*	venir	je *vins*
naître	je *naquis*	vivre	je *vécus*
paraître	je *parus*	voir	je *vis*
plaindre	je *plaignis*	vouloir	je *voulus*

Note

The **passé simple** is used in *historical* and *literary* writing to express an action completed in the past.

Jeanne d'Arc *naquit* en Lorraine. Joan of Arc was born in Lorraine.
Les mousquetaires *arrivèrent* à Calais. The musketeers arrived in Calais.

In conversation and informal writing, such past action is expressed by the **passé composé**.

EXERCICES

A. Compléter chaque phrase en choisissant un des verbes suivants:

arrivèrent	dus	fut	naquit	prirent
dura	fit	mis	passâmes	saisit

1. Le renard _____ le fromage.
2. Guillaume le Conquérant _____ la conquête de l'Angleterre en 1066.
3. Pour traverser le fleuve, nous _____ sur le pont.
4. Tu _____ de côté beaucoup d'argent.
5. Après la révolte, la France _____ plus forte que jamais.
6. Enfin ils _____ à la côte de la Méditerranée.
7. Napoléon _____ en Corse.
8. Pour l'attraper, je _____ courir vite.
9. Les mousquetaires _____ le chemin de Paris.
10. La soirée _____ jusqu'à deux heures du matin.

B. Écrire la forme convenable du passé simple:

1.	*craindre:*	elle _____	11.	*connaître:*	tu _____
2.	*plaire:*	il _____	12.	*se taire:*	elle _____
3.	*courir:*	nous _____	13.	*pleuvoir:*	il _____
4.	*s'asseoir:*	je _____	14.	*aller:*	vous _____
5.	*marcher:*	ils _____	15.	*construire:*	je _____
6.	*tenir:*	je _____	16.	*valoir:*	il _____
7.	*reconnaître:*	il _____	17.	*ramasser:*	je _____
8.	*conduire:*	ils _____	18.	*plaindre:*	on _____
9.	*ajouter:*	elle _____	19.	*traduire:*	qui _____?
10.	*suivre:*	nous _____	20.	*savoir:*	je _____

C. Mettre les verbes au passé simple:

1. L'oiseau *a volé* vers son nid.
2. Ils *ont habité* dans une belle maison.
3. Quand *j'ai lu* le télégramme, *j'ai rougi.*
4. Jacques Cartier *a découvert* le Saint-Laurent.
5. Les artistes *sont revenus* d'Italie avec des idées nouvelles.
6. Tu *as entendu* la mauvaise nouvelle.
7. Elles *ont eu* une longue conversation.
8. Jeanne d'Arc *est morte* en 1431.
9. Ils *ont fait* une contribution à la science.
10. Elle *a reçu* le collier de perles.

D. Compléter au passé simple:

1. (écrire) Corneille _____ des tragédies.
2. (crier) Je _____ pour appeler mes camarades.
3. (établir) Ils _____ l'identité de l'homme.
4. (exprimer) Tu _____ les sentiments de tout le monde.
5. (vouloir) Il _____ faire de la France un grand pays.
6. (voir) Nous _____ les villages anciens.
7. (rendre) Le juge _____ la justice.
8. (falloir) Il nous _____ terminer nos études.
9. (travailler) Le ministre ne _____ que pour la gloire.
10. (gagner) Les ennemis _____ la bataille.

E. Traduire en anglais:

1. Le domestique alluma le feu.
2. Socrate but le poison et mourut avec courage.
3. De grands écrivains vécurent en France au temps de Louis XIV.
4. Je crus ce que vous dîtes.
5. Lorsqu'elle vit ses enfants, elle sourit fièrement.
6. Pascal inventa la presse hydraulique.
7. Le résultat lui parut si ridicule qu'il n'osa pas le mentionner.
8. Ils joignirent leurs efforts aux nôtres.
9. Le cardinal Richelieu, qui fut le créateur de l'absolutisme royal, fonda l'Académie française.
10. On put voir partout les monuments magnifiques des Romains.
11. Elle promit de me rendre mon cahier au bout de quinze jours.
12. La sculpture gothique naquit en Ile-de-France.
13. Ils passèrent leur enfance à Paris, où ils reçurent une bonne éducation.
14. Le général Washington battit les Anglais à Yorktown.
15. Henri IV promulgua l'édit de Nantes et rendit au peuple français sa prospérité passée.

7. SPELLING CHANGES IN CERTAIN -ER VERBS

Verbs ending in -cer change c to ç before a or o to keep the soft c sound.

prononcer, to pronounce

PRESENT INDICATIVE	IMPERFECT INDICATIVE	PASSÉ SIMPLE
je prononce	je prononçais	je prononçai
tu prononces	tu prononçais	tu prononças
il prononce	il prononçait	il prononça
nous prononçons	nous prononcions	nous prononçâmes
vous prononcez	vous prononciez	vous prononçâtes
ils prononcent	ils prononçaient	ils prononcèrent

Verbs ending in -ger insert mute e between g and a or o to keep the soft g sound.

voyager, to travel

PRESENT INDICATIVE	IMPERFECT INDICATIVE	PASSÉ SIMPLE
je voyage	je voyageais	je voyageai
tu voyages	tu voyageais	tu voyageas
il voyage	il voyageait	il voyagea
nous voyageons	nous voyagions	nous voyageâmes
vous voyagez	vous voyagiez	vous voyageâtes
ils voyagent	ils voyageaient	ils voyagèrent

27

Verbs ending in **-yer** change **y** to **i** before mute **e**.

employer, to use		
PRESENT INDICATIVE	FUTURE	CONDITIONAL
j'emploie	j'emploierai	j'emploierais
tu emploies	tu emploieras	tu emploierais
il emploie	il emploiera	il emploierait
nous employons	nous emploierons	nous emploierions
vous employez	vous emploierez	vous emploieriez
ils emploient	ils emploieront	ils emploieraient

However, verbs ending in **-ayer** may or may not change the **y** to **i**.

payer, to pay   elle *paye* or elle *paie,* she pays

Verbs with mute **e** in the syllable before the infinitive ending change mute **e** to **è** when the next syllable contains another mute **e**.

mener, to lead		
PRESENT INDICATIVE	FUTURE	CONDITIONAL
je mène	je mènerai	je mènerais
tu mènes	tu mèneras	tu mènerais
il mène	il mènera	il mènerait
nous menons	nous mènerons	nous mènerions
vous menez	vous mènerez	vous mèneriez
ils mènent	ils mèneront	ils mèneraient

Two verbs with mute **e**, **appeler** and **jeter**, and compounds of these verbs, double the consonant instead of adding the grave accent.

appe*ler,* to call		
PRESENT INDICATIVE	FUTURE	CONDITIONAL
j'appe*lle*	j'appe*ll*erai	j'appe*ll*erais
tu appe*ll*es	tu appe*ll*eras	tu appe*ll*erais
il appe*lle*	il appe*ll*era	il appe*ll*erait
nous appelons	nous appe*ll*erons	nous appe*ll*erions
vous appelez	vous appe*ll*erez	vous appe*ll*eriez
ils appe*ll*ent	ils appe*ll*eront	ils appe*ll*eraient

Verbs with **é** in the syllable before the infinitive ending change **é** to **è** only before the mute endings **-e, -es, -ent**. The future and conditional remain unchanged.

esp*érer,* to hope	
PRESENT INDICATIVE	
j'esp**è**re	nous espérons
tu esp**è**res	vous espérez
il esp**è**re	ils esp**è**rent

COMMON -*CER* VERBS

annoncer, to announce
avancer, to advance; be fast (of clocks and watches)
commencer, to begin
effacer, to erase, efface

lancer, to hurl, launch
menacer, to threaten
placer, to place, set
prononcer, to pronounce
remplacer, to replace

COMMON -*GER* VERBS

arranger
ranger } to set in order
changer, to change

corriger, to correct
déranger, to disturb
manger, to eat

29

nager, to swim
neiger, to snow
obliger, to oblige, compel
partager, to share, divide

plonger, to plunge, dive
songer, to think
voyager, to travel

COMMON -YER VERBS

employer, to use
ennuyer, to bore
essayer, to try, try on

essuyer, to wipe
nettoyer, to clean
payer, to pay, pay for

COMMON VERBS WITH MUTE E IN STEM

MUTE e CHANGES TO è

acheter, to buy
achever, to complete
amener, to bring, lead to
élever, to bring up, raise
emmener, to lead away, take away
enlever, to remove, take off
geler, to freeze
lever, to raise, lift
mener, to lead, take
peser, to weigh
se promener, to take a walk

CONSONANT DOUBLES

appeler, to call
jeter, to throw
rappeler, to recall, call again

COMMON VERBS WITH É IN STEM

célébrer, to celebrate
espérer, to hope
posséder, to posses, own

préférer, to prefer
protéger, to protect
répéter, to repeat

EXERCICES

A. Donner les formes convenables de chaque verbe:

		PRÉSENT		FUTUR
1. acheter	tu	_____	ils	_____
2. employer	ils	_____	nous	_____
3. jeter	nous	_____	elle	_____
4. célébrer	je	_____	tu	_____
5. achever	il	_____	vous	_____

		IMPARFAIT		PASSÉ SIMPLE
6. remplacer	elle	_____	elle	_____
7. obliger	tu	_____	tu	_____
8. lancer	nous	_____	il	_____
9. manger	je	_____	je	_____
10. prononcer	ils	_____	ils	_____

		PRÉSENT		CONDITIONNEL	
11.	*préférer*	ils	_ _ _ _ _ _ _ _ _	ils	_ _ _ _ _ _ _ _ _
12.	*emmener*	elle	_ _ _ _ _ _ _ _ _	tu	_ _ _ _ _ _ _ _ _
13.	*essuyer*	nous	_ _ _ _ _ _ _ _ _	nous	_ _ _ _ _ _ _ _ _
14.	*rappeler*	je	_ _ _ _ _ _ _ _ _	vous	_ _ _ _ _ _ _ _ _
15.	*élever*	vous	_ _ _ _ _ _ _ _ _	on	_ _ _ _ _ _ _ _ _

B. Mettre au pluriel les mots en italique:

1. *Répète* ce que je dis.
2. *Je place* les invités à table.
3. *Tu corrigeais* mes fautes.
4. *Emploie* un bon remède.
5. *L'oiseau annonça* l'arrivée du printemps.

6. *Il mènera* les affaires de l'état.
7. *Je paie* tout par chèque.
8. *Tu possèdes* une très belle maison.
9. *Ne jette pas* cette pierre!
10. *Je plongeai* dans l'eau.

C. Remplacer l'infinitif par la forme convenable du verbe:

1. (imparfait) Où (voyager)-ils quand tu les as rencontrés?
2. (présent) Elle (peser) dix livres de trop.
3. (passé simple) Un grand danger les (menacer).
4. (conditionnel) Je (payer) la note si j'avais assez d'argent.
5. (présent) Le sculpteur (espérer) achever bientôt son ouvrage.
6. (imparfait) Elle (effacer) les autres actrices par sa beauté.
7. (futur) Je le (rappeler) au téléphone.
8. (passé simple) Tout à coup, l'image (changer).
9. (conditionnel) On le (jeter) en prison.
10. (futur) L'agent de police (lever) son bâton.

D. Compléter les phrases en français:

1. They are celebrating Mother's Day.
   _ _ _ _ _ _ _ _ _ le Jour des Mères.
2. Let us pronounce the sentence slowly.
   _ _ _ _ _ _ _ _ _ lentement la phrase.
3. The army will protect the government.
   L'armée _ _ _ _ _ _ _ _ _ le gouvernement.
4. Who will clean the room?
   Qui _ _ _ _ _ _ _ _ _ la salle?
5. We eat on the terrace of the café.
   _ _ _ _ _ _ _ _ _ sur la terrasse du café.
6. The cold will freeze the water in the sink.
   Le froid _ _ _ _ _ _ _ _ _ l'eau dans l'évier.
7. They were announcing the departure of the plane.
   On _ _ _ _ _ _ _ _ _ le départ de l'avion.
8. Walter is trying on his new sweater.
   Gautier _ _ _ _ _ _ _ _ _ son nouveau tricot.
9. Would you buy that vacuum cleaner?
   _ _ _ _ _ _ _ _ _ cet aspirateur?
10. When she went out, it was snowing.
    Quand elle est sortie, _ _ _ _ _ _ _ _ _.

E. Écrire le verbe qui manque:

1. Qu'est-ce que vous effacez? Nous _ _ _ _ _ _ _ _ _ des traces de crayon.
2. Préférez-vous réussir ou échouer? Je _ _ _ _ _ _ _ _ _ réussir.

3. Est-ce que j'essuie les meubles?   Oui, vous les _____.
4. Qui arrange les affaires?   Raoul et moi, nous les _____.
5. Que jetez-vous dans la corbeille?   J'y _____ du papier.
6. Où vous promenez-vous?   Nous nous _____ autour du lac.
7. Lanciez-vous la balle?   Non, Philippe la _____.
8. Qui dérangea la machine?   Les saboteurs la _____.
9. Nettoyez-vous souvent vos souliers?   Oui, je les _____ tous les jours.
10. Qu'est-ce que vous enlevez?   J' _____ la peau de l'orange.

F. Traduire en français:

1. she is cleaning, she used to clean, she did clean, she would clean
2. let us swim, we used to swim, he was swimming, he swam (*passé simple*)
3. I lead, I have led, I would lead, I will lead
4. we are beginning, they will begin, they were beginning, we began (*passé simple*)
5. let us call, you will call, I didn't call, he would call

G. Répondre à chaque question par une phrase complète en français:

1. Est-ce que vos livres pèsent beaucoup ou peu?
2. Quand espérez-vous nous rendre visite, Édouard?
3. Combien d'ouvriers emploie-t-on dans cette fabrique?
4. Est-ce que nous avançons bien dans nos études, M. le professeur?
5. A quoi songiez-vous?
6. Qui amènera l'enfant à l'école?
7. Messieurs, est-ce que vous partagez mes idées?
8. Achetez-vous les meilleurs disques haute-fidélité?
9. Est-ce que je vous ennuierai si je joue du piano?
10. Qui appelez-vous quand vous êtes malade?

Strasbourg

Dans cette ancienne capitale de l'Alsace, célèbre par son pâté de foie gras, on peut voir des maisons d'une architecture charmante. Un pont de Strasbourg, traversant le Rhin, relie la France à l'Allemagne.

8. REFLEXIVE VERBS

In a reflexive verb, the action is performed by the subject on itself. Thus, the subject and the pronoun object refer to the same person(s): *he hurt himself*; *we will enjoy ourselves.*

s'amuser, to enjoy oneself

Present Indicative

I enjoy (am enjoying, do enjoy) myself

je *m'amuse*	nous *nous amusons*
tu *t'amuses*	vous *vous amusez*
il (elle) *s'amuse*	ils (elles) *s'amusent*

IMPERFECT INDICATIVE:	je *m'amusais*	I was enjoying (used to enjoy) myself
FUTURE:	je *m'amuserai*	I will enjoy myself
CONDITIONAL:	je *m'amuserais*	I would enjoy myself
PASSÉ SIMPLE:	je *m'amusai*	I enjoyed myself

Imperative

AFFIRMATIVE

amuse-toi, enjoy yourself
amusez-vous, enjoy yourself (-selves)
amusons-nous, let us enjoy ourselves

NEGATIVE

ne t'amuse pas, do not enjoy yourself
ne vous amusez pas, do not enjoy yourself (-selves)
ne nous amusons pas, let us not enjoy ourselves

Note

1. The reflexive pronouns **me, te, se, nous,** and **vous,** like other personal pronoun objects, normally precede the verb. In the affirmative imperative, they follow the verb. After the verb, **toi** is used instead of **te.**
2. The reflexive pronoun is not always a direct object. It may be an indirect object, with or without a direct object expressed in the sentence.

Se parle-t-il souvent?	Does he talk to himself often?
Nous allons nous laver les mains.	We're going to wash our hands.
Je ne me rappelle pas son adresse.	I don't remember his address.
Elle s'achetait un chapeau.	She was buying herself a hat.

N.B. Any French verb that takes an object, direct or indirect, may be made reflexive by adding a personal pronoun object that refers back to the subject.

3. A verb that is reflexive in French need not be reflexive in English.

Vous vous trompez.	You are mistaken.
Qu'est-ce qui se passe?	What is happening?

4. Reflexive verbs used in the plural may show *reciprocal* force, that is, action of one part of the subject on another part.

Nous nous aidons.	We help one another.
Ils ne s'écrivent pas.	They do not write to each other.

COMMON REFLEXIVE VERBS

s'amuser, to enjoy oneself, have a good time
s'appeler, to be called
s'arrêter, to stop
s'asseoir, to sit (down)
se battre, to fight
se blesser, to hurt oneself, get hurt
se brosser, to brush oneself
se coucher, to lie down, go to bed, set
se dépêcher, to hurry
se déshabiller, to get undressed
s'en aller, to go away
s'endormir, to fall asleep
s'ennuyer, to get bored
se fâcher, to get angry
s'habiller, to dress (oneself), get dressed
se laver, to wash (oneself), get washed

se lever, to get up, rise
se marier, to marry, get married
se passer, to happen
se plaindre, to complain
se porter, to feel (of health)
se promener, to take a walk
se rappeler, to recall, remember
se raser, to shave (oneself)
se reposer, to rest
se réveiller, to wake up
se sentir, to feel
se souvenir de, to remember
se taire, to be silent, keep quiet
se tromper, to be mistaken, make a mistake
se trouver, to be, be situated

EXERCICES

A. Remplacer l'infinitif par la forme convenable du verbe:

1. (présent)   (Se souvenir)-vous de ce qu'il vous a dit?
2. (imparfait) Ne (se raser)-il pas chaque matin?
3. (futur)   Je (s'en aller) tout à l'heure.
4. (présent)   Cette femme (se plaindre) sans cesse.

5. (conditionnel) Tu (s'ennuyer) si tu étais tout seul.
6. (passé simple) Elle (se regarder) dans la glace.
7. (impératif) (Se dépêcher), mes enfants!
8. (futur) Nous (s'habiller) vite.
9. (présent) Elle ne (se rappeler) pas le nom du livre.
10. (impératif) (Se reposer) avant de te laver.

B. Traduire en français les mots en italique:

1. *Do you get bored* quand il n'y a rien à faire?
2. Il savait que *I was mistaken*.
3. *Do not go away*, messieurs.
4. *You would not wake up* à temps.
5. *Will they get married* en juin?
6. Françoise *is silent* lorsque le professeur parle.
7. Pourquoi *would they get angry?*
8. Dans quel quartier *was situated* votre hôtel?
9. *Don't you (fam.) feel* bien?
10. *We see one another* souvent.

C. Compléter les phrases en anglais:

1. Qu'est-ce qui se passait? What _____?
2. Le vieillard s'assied dans le fauteuil pour se reposer. The old man _____ in the armchair to _____.
3. Te laves-tu les mains avec de l'eau chaude et du savon? _____ with warm water and soap?
4. Il ne se blessera pas s'il ne se bat pas. _____ if _____.
5. Il me semble que vous vous trompez. It seems to me that _____.
6. Va-t'en, méchant garçon! _____, naughty boy!
7. Nous nous lèverions de bonne heure s'il faisait beau. _____ early if the weather were nice.
8. Le petit se déshabilla, se coucha, et s'endormit tout de suite. The child _____, _____, and _____ immediately.
9. Je m'arrêtais chaque jour devant le kiosque. _____ each day in front of the newsstand.
10. Pourquoi les deux sœurs se grondaient-elles? Why _____?

D. Traduire en français:

1. Do not get angry.
2. I was getting up.
3. Let us go away.
4. What is her name?
5. Aren't they taking a walk?
6. Enjoy yourselves.
7. He would not be mistaken.
8. Let's not stop.
9. Do not get hurt. (*fam.*)
10. She was washing her face.

E. Répondre à chaque question par une phrase complète en français:

1. Vous sentez-vous triste ou heureux (heureuse) aujourd'hui?
2. Dans quel continent se trouvent les États-Unis?
3. Préférez-vous vous promener en été au soleil ou à l'ombre?
4. Lequel se plaindrait des devoirs, l'élève paresseux ou l'élève diligent?
5. Te souviens-tu de la date de la prise de la Bastille?
6. Est-ce que je m'amuserai si je vais en France?
7. Vous brossez-vous les dents avant ou après le petit déjeuner?
8. Comment s'appelle votre professeur d'anglais?
9. A quelle heure est-ce que le soleil se couche?
10. Pourquoi vous dépêchez-vous, mes amis?

9. COMPOUND TENSES; AGREEMENT OF PAST PARTICIPLES

Compound tenses are formed with the auxiliary verb **avoir** or **être** and the past participle.

PASSÉ COMPOSÉ (See Verb Lesson 3)

(present of the auxiliary + the past participle)

j'ai travaillé, I worked (have worked, did work)
je **suis parti**(e), I left (have left, did leave)

s'amuser, to enjoy oneself

I enjoyed (have enjoyed, did enjoy) myself

je me *suis* amus**é**(*e*)	nous nous *sommes* amus**é**(*e*)*s*
tu t'*es* amus**é**(*e*)	vous vous *êtes* amus**é**(*e*)(*s*)
il s'*est* amus**é**	ils se *sont* amus**é**s
elle s'*est* amus**ée**	elles se *sont* amus**ées**

PLUPERFECT (**le plus-que-parfait**)

(imperfect of the auxiliary + the past participle)

j'*avais* travaillé, I had worked
j'*étais* part*i*(*e*), I had left
je m'*étais* amus**é**(*e*), I had enjoyed myself

FUTURE PERFECT (**le futur antérieur**)

(future of the auxiliary + the past participle)

j'*aurai* travaillé, I shall have worked
je *serai* part*i*(*e*), I shall have left
je me *serai* amus**é**(*e*), I shall have enjoyed myself

Past Conditional (le conditionnel passé)

(conditional of the auxiliary + the past participle)

> j'*aurais* travaillé, I would have worked
> je *serais* part*i(e)*, I would have left
> je me *serais* amus*é(e)*, I would have enjoyed myself

Note

1. Reflexive verbs are conjugated with the auxiliary **être.**
2. In forming the negative and interrogative of compound tenses, only the auxiliary verb is affected. Thus,

   a. in the *negative*, the auxiliary is made negative.
   b. in the *interrogative*, the auxiliary is changed to the interrogative.

   > nous *n'avions pas* travaillé, we hadn't worked
   > *serait-elle* partie? would she have left?
   > *ne se sont-ils pas* amusés? didn't they enjoy themselves?

AGREEMENT OF PAST PARTICIPLES

Past participles conjugated with **avoir** agree in gender and number with the *preceding direct object* (if there is one).

Elle nous a écrit. Elle **nous** a *punis.*	She wrote to us. She punished us.
Il avait traduit la phrase. Il l'avait *traduite.*	He had translated the sentence. He had translated it.
Quelle **bouteille** as-tu *cassée?*	Which bottle did you break?
Avez-vous vu les cravates **que** j'ai *achetées?*	Have you seen the ties I bought?

Past participles conjugated with **être** agree in gender and number with the *subject.*

Ils sont *restés* à la campagne.	They stayed in the country.
Leur **chèvre** était *morte.*	Their goat had died.

Past participles of reflexive verbs agree in gender and number with the *preceding direct object* (if there is one).

Ils **se** sont *arrêtés* court.	They stopped short.
Où sont les cravates **qu'**il s'est *achetées?*	Where are the ties he bought for himself?
Elle s'est *brossée.*	She brushed herself.

But:

Elle s'est brossé les cheveux.	She brushed her hair.
Nous nous serions écrit.	We would have written to each other.
Ils ne se sont pas rappelé la rue.	They didn't remember the street.

Past participles used as adjectives agree with the noun they modify.

Les **bijoux** étaient *cachés.*	The jewels were hidden.
Je dis que le latin n'est pas une langue *morte.*	I say Latin is not a dead language.

EXERCICES

A. Écrire le mot français qui manque:

1. it had rained — il _____ plu
2. they would have lived — ils _____ vécu
3. I made a mistake — je me _____ trompé
4. she had returned — elle _____ revenue
5. we had a good time — nous nous _____ amusés
6. they will have become — ils seront _____
7. the dead animals — les animaux _____
8. we had gone — nous _____ allés
9. you will have had — vous _____ eu
10. spoken languages — des langues _____
11. I would have stopped — je me _____ arrêté
12. you had been — tu _____ été
13. he would have stayed — il _____ resté
14. the promised land — la terre _____
15. you had complained — vous vous _____ plaint

B. Donner la forme convenable du participe passé:

1. (asseoir) Elle était _____ à l'ombre.
2. (ramasser) Quels fruits avez-vous _____ sous l'arbre?
3. (brosser) Elle s'est _____ les dents.
4. (battre) Avait-il _____ ses chiens? Oui, il les avait _____.
5. (étonner) Les savants étaient _____ de ce qu'ils avaient vu.
6. (recevoir) Où sont les cadeaux que tu as _____?
7. (ouvrir) Il regardait par la fenêtre _____.
8. (promener) Nous nous étions _____ vers le ruisseau.
9. (acheter) Voici les livres qu'elle s'est _____.
10. (parler) Nous nous sommes _____ au téléphone.

C. Compléter la traduction en anglais:

1. Quelqu'un avait dérangé les journaux. — Someone _____ the newspapers.
2. Quelle couleur aurais-tu choisie? — What color _____?
3. S'est-elle brossé les cheveux? — _____ her hair?
4. Il l'aura fini avant son départ. — _____ before his departure.
5. Si je ne l'avais pas aidée, elle serait tombée. — If _____, she _____.

38

6. Qu'est-ce qu'ils avaient fait?
7. Hier soir nous avons joué aux dames.
8. A huit heures le soleil se sera couché.
9. Elle ne se serait pas ennuyée au concert.
10. N'auriez-vous pas cassé les œufs aussi?

What _____?
Last night _____ checkers.
At eight o'clock the sun _____.
_____ at the concert.
_____ the eggs, too?

D. Compléter la phrase en français:

1. Elle avait mangé les pommes de terre.
2. S'est-elle blessée?
3. Qu'est-ce que vous avez vendu?
4. Qui est rentré?
5. J'ai étudié le français.
6. A-t-il écrit à ses amis?
7. Qui s'est amusé à la fête?
8. Où as-tu mis la tasse de thé?
9. Est-ce que le médecin a guéri votre mère?
10. Avez-vous traduit la phrase?

Elle les avait _____.
Elle s'est _____ la main.
J'ai _____ ma montre.
Suzanne est _____.
Quelle autre langue avez-vous _____?
Oui, il leur a _____.
Marcel et moi, nous nous y sommes _____.
Je l'ai _____ sur la table.
Non, il ne l'a pas encore _____.
Non, Renée l'a _____.

E. Traduire en français:

1. We had not looked for her.
2. When were you born?
3. Here is the silk that you gave me.
4. I would have shaved.
5. They had heard us.
6. Didn't she rest?
7. We would have been absent.
8. Who had said it?
9. Which novels has he read?
10. Would you have done it?
11. He had fallen asleep.
12. They would not have been able to come.
13. He got dressed.
14. Would she have died?
15. They did not hurry.

F. Répondre à chaque question par une phrase complète en français:

1. Quand se sont-ils mariés?
2. S'est-elle fâchée quand elle vous a reconnus?
3. A quelle heure seriez-vous arrivés à Paris si l'avion avait quitté New-York à midi?
4. L'enfant s'était-il lavé les mains avant le dîner?

Dans les réponses aux questions suivantes, remplacer les mots en italique par des pronoms:

5. Qui a raconté *l'histoire?*
6. Avez-vous vu *mes gants?*
7. Quand aura-t-elle fini *le travail?*
8. Avaient-ils pris *les clefs?*
9. Votre sœur avait-elle parlé *à la bonne?*
10. Aurait-il fermé *la fenêtre* s'il avait plu?

10. CONDITIONAL SENTENCES

A conditional sentence consists of two parts:

> 1. the condition or "**si**" clause.
> 2. the main or result clause.

Either clause may come first in the sentence. The tense used in the main clause is the same in both languages.

When the verb in the main clause is in the future, present, or imperative, the present indicative is used in the "**si**" clause.

S'il *pleut,* $\begin{cases} \text{nous ne } \textbf{\textit{sortirons}} \text{ pas.} \\ \text{nóus ne } \textbf{\textit{sortons}} \text{ pas.} \\ \text{ne } \textbf{\textit{sortez}} \text{ pas.} \end{cases}$ If it rains, $\begin{cases} \text{we shall not go out.} \\ \text{we do not go out.} \\ \text{do not go out.} \end{cases}$

When the main clause is in the present conditional, the imperfect is used in the "**si**" clause.

S'il *pleuvait,* nous ne *sortirions* pas.   If it rained (were to rain), we would not go out.

The same sequence of tenses applies in compound tenses, with the auxiliary considered as the verb. Thus, if the past conditional is used in the main clause, the pluperfect is used in the "**si**" clause.

S'il *avait plu,* nous *ne serions pas sortis.*   If it had rained, we would not have gone out.

Note

1. In conditional sentences, **si** always means *if.* The **i** of **si** is dropped only before **il** and **ils.**

2. The imperfect tense after ´**si** is translated by a simple past tense or by *were to.*

   > **si vous finissiez** = if you finished, if you were to finish

3. The only tenses used in "**si**" clauses are the *present indicative,* the *imperfect,* and the *pluperfect.*

SUMMARY OF TENSES

Si CLAUSE	MAIN OR RESULT CLAUSE
present ⟷	⎧ future ⎨ present ⎩ imperative
imperfect ⟵	present conditional
pluperfect ⟵	past conditional

When si means *whether*, it may be followed by any tense, just as in English.

Savez-vous si elle le *fera?*	Do you know whether she will do it?
Nous ne savions pas si elle le *ferait.*	We didn't know whether she would do it.
Je ne sais pas si elle l'*a fait.*	I don't know whether she did it.

EXERCICES

A. Donner la forme convenable du verbe:

1. (demander) S'ils me _____ pardon, je les excuserais.
2. (prendre) Tu ne dormiras pas bien si tu _____ trop de café.
3. (acheter) Si elle préfère les choux de Bruxelles, nous en _____.
4. (vouloir) Nous ne l'aurions pas retenu s'il _____ partir.
5. (voir) Si vous _____ mon chien, dites-le-moi.
6. (nager) J'irais avec eux à la piscine si je _____ bien.
7. (finir) René _____ la lecture s'il avait eu plus de temps.
8. (attendre) Asseyez-vous un moment si vous _____ le dentiste.
9. (se souvenir) _____ -vous de son nom si je le mentionnais?
10. (mourir) Si ses parents _____ dans l'accident, cet enfant aurait été orphelin.

B. Traduire en français les mots en italique:

1. *If you get up* de bonne heure, nous irons à la pêche.
2. Nous irions à la pêche *if you were to get up* de bonne heure.
3. Si les vases vous *please*, achetez-les.
4. Nous ne savons pas si elles *have sent* le colis.
5. *If he smells* des fleurs, il éternue.
6. *If it had been sunny*, elle serait allée à la plage.
7. Si elle commence à bavarder, *we keep quiet*.
8. *They would have applauded* si l'acteur avait bien joué.
9. Il ne savait pas *whether I would scold him*.
10. *If I had offered* le billet à Jules, l'aurait-il accepté?

C. Traduire en anglais:

1. S'ils refusent de s'en aller, qu'est-ce que je dois faire?
2. Si elle pouvait garder un secret, je lui raconterais l'histoire.

3. Qu'est-ce qui serait arrivé si nous nous étions plaints?

4. Je me demande s'ils assisteront à la réunion.

5. Si l'on dort bien pendant la nuit, le lendemain on a beaucoup d'énergie.

6. Si tu avais pris de l'aspirine, tu n'aurais pas eu mal à la tête.

7. Je vous en saurais bon gré si vous arrangiez ces fleurs.

8. S'il avait fait beau, nous aurions fait une promenade en bateau.

9. Mettez un tricot si vous avez tellement froid.

10. S'il osait me tromper, je ne lui parlerais pas.

D. Répondre à chaque question par une phrase complète en français:

1. Est-ce que vous chanteriez si je jouais du piano?

2. Sa grand-mère sort-elle s'il fait du vent?

3. Savez-vous si le paquebot est déjà arrivé?

4. Si elle était tombée malade pendant le voyage, qu'aurait-elle fait?

5. Qui se fâcherait si vous ne réussissiez pas à l'école?

6. Si nous voulons voir la Sainte-Chapelle, à quelle ville devons-nous aller?

7. A quelle heure te lèverais-tu si tu n'avais rien à faire?

8. Si je lui avais demandé de danser avec moi, aurait-elle accepté?

9. Me laisserez-vous porter votre nouveau chapeau si l'on m'invite à la soirée?

10. Est-ce que les Français riraient s'ils nous entendaient parler français?

E. Traduire en français:

1. If you write me a letter, I shall answer you.

2. I would answer you if you wrote me a letter.

3. If you had written me a letter, I would have answered you.

4. What would they say if he were to hurt himself?

5. If they tell the truth, they will not regret it.

6. We do not know whether he plays tennis.

7. If I had money, I would lend you some.

8. You would have laughed if you had seen his face.

9. She is happy if she has a good time.

10. If the horse had fallen, we would not have won the prize.

Tapisserie de Bayeux

Cette broderie, qu'on attribue souvent à la reine Mathilde, femme de Guillaume le Conquérant, est encore en bon état au musée de Bayeux, en Normandie. Elle représente la conquête de l'Angleterre par les Normands. L'immense tapisserie, mesurant plus de 70 mètres, est un document artistique et archéologique de premier ordre.

11. SPECIAL USES OF CERTAIN TENSES

THE PRESENT WITH *DEPUIS*

The present tense is used in French to express an action begun in the *past* and continuing up to the *present*. In this construction,

> **depuis quand?** *or* **combien de temps y a-t-il que?** = how long?
> **depuis** *or* **il y a (voici, voilà) . . . que** = for

Depuis quand le *cherchez*-vous? **Combien de temps y a-t-il que** **vous le *cherchez*?**	How long have you been looking for him?
Je le *cherche* depuis vingt minutes. **Il y a (Voici, Voilà) vingt minutes** **que je le *cherche*.**	I have been looking for him for twenty minutes.

Note: In the equivalent English construction, the present perfect tense, generally progressive, is used.

THE IMPERFECT WITH *DEPUIS*

The imperfect tense is used in French to express an action begun in the *past* and continuing up to another point in the *past*. In this construction,

> **depuis quand?** *or* **combien de temps y avait-il que?** = how long?
> **depuis** *or* **il y avait (voici, voilà) . . . que** = for

Depuis quand le *cherchiez*-vous? **Combien de temps y avait-il que** **vous le *cherchiez*?**	How long had you been looking for him?
Je le *cherchais* depuis vingt minutes. **Il y avait (Voici, Voilà) vingt** **minutes que je le *cherchais*.**	I had been looking for him for twenty minutes.

Note: In the equivalent English construction, the pluperfect tense, generally progressive, is used.

OTHER VERBAL EXPRESSIONS WITH DURATION OF TIME

For other verbal expressions that show duration of time, **combien de temps?** (*how long?*) and **pendant** (*for*) are used. In the future, however, **pour** (*for*) is generally used. **Pendant** and **pour**, like *for* in English, may be omitted.

Combien de temps travaille-t-il chaque jour?	How long does he work each day?
Il travaille **pendant** huit heures.	He works for eight hours.
Combien de temps a-t-il travaillé?	How long did he work?
Il a travaillé (**pendant**) huit heures.	He worked (for) eight hours.
Nous resterons en France (**pour**) un mois.	We will stay in France (for) a month.

THE FUTURE WITH *QUAND*

After **quand** (*when*), **lorsque** (*when*), **aussitôt que** (*as soon as*), **dès que** (*as soon as*), and **après que** (*after*), if the action refers to the *future*, French uses the future or, less frequently, the future perfect.

Donnez-lui mes amitiés **lorsque** vous la *verrez.*	Give her my regards when you see her.
Aussitôt qu'ils *arriveront,* nous partirons.	As soon as they arrive, we shall leave.
Le ferez-vous **après que** nous *reviendrons* (*serons revenus*)?	Will you do it after we return?

In all other cases, the tense used after these conjunctions is similar to the English tense.

Quand elle est heureuse, elle sourit.	When she is happy, she smiles.
Je l'ai remarqué dès que je suis entré.	I noticed it as soon as I came in.

EXERCICES

A. Donner la forme convenable du verbe:

1. (voir) Tournez à gauche dès que vous _____ l'école rouge.
2. (causer) Nous _____ hier pendant plusieurs heures.
3. (mourir) Voulez-vous dîner? Oui, je _____ de faim depuis une heure.
4. (rencontrer) Elle ne me reconnaît jamais lorsqu'elle me _____.
5. (réfléchir) Il y a déjà vingt minutes que vous _____.
6. (mener) Le professeur parlera à M. Périer quand celui-ci _____ son fils à l'école.
7. (se sentir) Venez chez moi aussitôt que vous _____ mieux.
8. (jouer) Quand j'étais jeune, je _____ beaucoup à la balle.
9. (chercher) Combien de temps y avait-il que vous _____ la boutique?
10. (dépenser) Comment vivront-ils après qu'ils _____ tout leur argent?

B. Traduire en anglais:

1. Combien de temps a-t-elle souffert? Elle a souffert pendant huit jours.
2. Cette forêt brûle depuis longtemps.
3. Dès que nous verrons un poste d'essence, nous nous arrêterons.
4. Le satellite restera dans le ciel pour dix mois.
5. Combien de temps y a-t-il qu'elle a de la fièvre?

44

6. Quand nous avons vu les nuages noirs, nous savions qu'il allait neiger.
7. Depuis quand vos cousins demeuraient-ils à Cannes lorsque vous leur avez rendu visite?
8. Combien de temps cette tempête durera-t-elle?
9. Il y avait des années que je me servais d'un rasoir électrique.
10. Nous partirons aussitôt que vous aurez payé l'addition.

C. Pour chacune des phrases suivantes, donner une phrase équivalente avec *depuis:*

1. Combien de temps y a-t-il que vous lisez le journal?
2. Il y a quinze jours que je suis ici.
3. Voilà longtemps que les deux garçons patinent.
4. Combien de temps y avait-il qu'ils suivaient cette route?
5. Il y avait une heure que nous mangions.

D. Traduire en français les mots en italique:

1. Depuis quand *has it been raining?*
2. Depuis quand *had it been raining?*
3. Je porte un parapluie *when it rains.*
4. J'ouvrirai mon parapluie *when it rains.*
5. Combien de temps *did it rain?*
6. *As soon as you wash,* nous nous mettrons en route.
7. *How long* attendez-vous le médecin ce matin?
8. J'ai lu la revue *for* une heure.
9. As-tu besoin de lunettes *when you read?*
10. *She has known us* depuis deux ans.
11. *We had known her* depuis deux ans.
12. *How long* ont-ils écouté la radio?
13. Où habiteront-ils *after you sell the house?*
14. J'étudiais le français *for* trois ans quand j'ai décidé d'aller en France.
15. Voici une demi-heure que *you have been resting.*

E. Répondre à chaque question par une phrase complète en français:

1. Qui lui dira la mauvaise nouvelle quand il reviendra?
2. Combien de temps ont-elles parlé au téléphone hier soir?
3. Depuis quand cette jolie infirmière travaille-t-elle dans cet hôpital?
4. Où irez-vous après que nous partirons?
5. Combien de temps est-ce que je pourrai garder ce livre?
6. Est-ce que le soleil se lève ou se couche quand la journée commence?
7. Depuis quand l'attendiez-vous lorsqu'elle est rentrée?
8. Combien de temps y a-t-il que le mécanicien répare votre automobile?
9. Que feras-tu dès que les grandes vacances seront arrivées?
10. Combien de temps y avait-il que vous écriviez quand la cloche a sonné?

F. Traduire en français:

1. How long have you been working? I have been working for three weeks.
2. How long do they study? They study for two hours.
3. How long did he stay in Europe? He stayed there for six months.
4. How long had she been singing? She had been singing for ten minutes.
5. How long will you swim? I will swim for a half hour.

12. THE PRESENT PARTICIPLE; CONSTRUCTIONS WITH *EN* AND *APRÈS*

PRESENT PARTICIPLE

The present participle, ending in *-ing* in English, ends in **-ant** in French.

Sa sœur, *étant* fatiguée, ne l'a pas accompagnée.	Her sister, being tired, did not go with her.
Ayant parlé, je me suis assis.	Having spoken, I sat down.
Le Père Noël y est arrivé, *portant* de beaux cadeaux.	Santa Claus arrived there, carrying beautiful presents.

The French stem is similar to that of the **"nous"** form of the present tense. For example:

INFINITIVE	"nous" FORM	PRESENT PARTICIPLE
bâtir	bâtissons	*bâtissant,* building
commencer	commençons	*commençant,* beginning
devoir	devons	*devant,* owing
faire	faisons	*faisant,* doing
lire	lisons	*lisant,* reading
plaindre	plaignons	*plaignant,* pitying

Verbs with irregular present participles are:

avoir	*ayant,* having
être	*étant,* being
savoir	*sachant,* knowing

When the French present participle is used as an adjective, it agrees in gender and number with the noun or pronoun it modifies.

Henri a raconté une **anecdote** *amusante.*	Henry told an amusing anecdote.
Vous faites des **progrès** *étonnants.*	You are making amazing progress.
Elles sont tout à fait *charmantes.*	They are quite charming.

EN + THE PRESENT PARTICIPLE

The preposition **en** (*while, by, in, on, upon*) is followed by the present participle.

Il lisait le journal *en s'habillant.*	He was reading the newspaper while dressing.

En voyageant, on apprend beaucoup.	By traveling, you learn a great deal.
En entendant le tonnerre, j'ai regardé par la fenêtre.	On hearing the thunder, I looked out the window.

The word **tout** is sometimes used with **en** and the present participle to add emphasis. It may be omitted in English or translated by *still*.

Il a disparu *tout* en courant.	He disappeared while (still) running.
Tout en travaillant, elle tomba malade.	While (still) working, she fell sick.

APRÈS + THE PAST INFINITIVE

The preposition **après** (*after*) is followed by the past infinitive, that is, the infinitive of **avoir** or **être** plus the past participle.

Après avoir dîné, ils faisaient une promenade.	After dining, they used to take a walk.
Après les *avoir achetés,* il l'a regretté.	After buying them, he was sorry.
Après y *être restées* longtemps, elles ont décidé de partir.	After staying there for a long time, they decided to leave.
Après nous être reposés, nous nous sentirons mieux.	After resting, we will feel better.

Note: Past participles in this construction follow the regular rules for agreement. (See Verb Lesson 9.)

EXERCICES

A. Donner la forme convenable du verbe:

1. (ouvrir)   Qu'est-ce qu'ils ont trouvé en _____ le colis?
2. (manger)   Après _____ du poisson, je suis tombé malade.
3. (faire)   Je l'ai rencontré dans le magasin en _____ mes emplettes de Noël.
4. (se brosser)   Après _____ les dents, elle est sortie.
5. (porter)   Jean est entré _____ deux valises lourdes.
6. (effacer)   J'ai fait la correction en _____ une lettre.
7. (venir)   Après _____ à l'école, nous faisons nos études.
8. (suivre)   Vous vous sentirez mieux après _____ un cours de culture physique.
9. (pouvoir)   N'en _____ plus, nous nous sommes assis.
10. (éteindre)   Après _____ la lampe, il s'est endormi.
11. (rougir)   Tout en _____, il éclata de rire.
12. (avoir)   _____ mal à la gorge, je ne voulais pas parler.
13. (se marier)   Après _____, ils partiront pour le Canada.
14. (se battre)   Il mourut en _____.
15. (voyager)   On apprend beaucoup en _____.

B. Traduire en français:

1. after disappearing
2. while swimming
3. in writing the address
4. after washing ourselves

47

5. by beginning early
6. upon drinking the tea
7. after entering the house, she . . .
8. while pitying him
9. by knowing the lesson
10. after enjoying herself

11. while laughing
12. on receiving the prize
13. after seeing her
14. by punishing them
15. while shaving myself

C. Compléter les phrases en anglais:

1. Il aime à chanter en prenant sa douche. He likes to sing _____ his shower.
2. Y a-t-il de l'eau courante dans toutes les chambres? Is there _____ in all the rooms?
3. Après avoir déchiré la lettre, elle l'a jetée. _____ the letter, she threw it away.
4. En voyant le feu rouge, le chauffeur s'est arrêté. _____ the red light, the driver stopped.
5. C'est une femme charmante et très obligeante. She is a _____ woman.
6. Après y être restées longtemps, elles ont décidé de quitter la ville. _____, they decided to leave the city.
7. Étant malade, je ne pouvais pas les accompagner. _____, I couldn't go with them.
8. Nous avons vu le chat courant après les oiseaux. We saw the cat _____.
9. Après avoir atteint son but, il était content de se reposer sur ses lauriers. _____ his goal, he was satisfied to rest on his laurels.
10. Tout en pleurant, elle a couru vers moi. _____, she ran toward me.
11. Sachant que tu viendrais, nous t'avons attendu. _____, we waited for you.
12. Après nous être reposés, nous ferons du ski nautique. _____, we shall go water skiing.
13. En travaillant dur, on fait des progrès. _____, we make progress.
14. Ayant terminé son discours, le sénateur s'est assis. _____ his speech, the senator sat down.
15. En assistant aux derniers Jeux Olympiques d'hiver, elle s'est cassé le bras. _____ the last winter Olympics, she broke her arm.

D. Traduire en français les mots en italique:

1. *In relating* l'incident, il avait menti.
2. *After selling* ses journaux, le marchand s'en est allé.
3. Il s'est levé *while still eating*.
4. *Taking off* son chapeau, il nous a salués.
5. *After waking up*, elle prend le petit déjeuner.
6. *Upon leaving*, elle a laissé tomber son mouchoir.
7. Une femme, *holding* un livre sous le bras, est entrée dans la bibliothèque.
8. *After discovering* l'Amérique, Christophe Colomb retourna en Espagne.
9. *While filling* la bouteille, je l'ai cassée.
10. Son histoire est *interesting and amusing*.
11. *After going out*, ils ont remarqué qu'il neigeait.
12. Elle a souri *while announcing* les bonnes nouvelles.
13. Mon grand-père a une mémoire *astonishing*.
14. Je suis descendu *after getting dressed*.
15. *On hearing* le tonnerre, nous croyions qu'il allait pleuvoir.

E. Répondre à chaque question par une phrase complète en français:

1. Sifflez-vous en travaillant?
2. Qu'est-ce que le boucher fait de la viande après l'avoir coupée?
3. Quand tu étais jeune, étais-tu un(e) enfant obéissant(e)?
4. Où sont-ils allés après être sortis du théâtre?
5. Qui est cet homme là-bas patinant sur la glace?

13. THE INFINITIVE

The infinitive is used principally after another verb or after a preposition.
Some verbs are followed directly by the infinitive, without a preposition.

aimer mieux⎱to prefer **préférer** ⎰	**faire,** to make, have, cause
aller, to go	**falloir,** to be necessary
compter, to intend	**laisser,** to let, allow
croire, to believe	**oser,** to dare
désirer⎱to wish, want	**pouvoir,** to be able
vouloir⎰	**savoir,** to know how
devoir, to have to, be (supposed) to	**valoir mieux,** to be better
entendre, to hear	**venir,** to come
espérer, to hope	**voir,** to see

Comptez-vous visiter la Bretagne?	Do you intend to visit Brittany?
Je **dois** acheter de l'essence.	I must buy some gasoline.
Nous **avons entendu** chanter les oiseaux.	We heard the birds singing.
Ils **viennent** nous voir.	They are coming to see us.

Some verbs require **à** before the following infinitive.

aider à, to help	**continuer à,** to continue
aimer (à), to like	**enseigner à,** to teach
s'amuser à, to enjoy, amuse oneself by	**hésiter à,** to hesitate
apprendre à, to learn	**inviter à,** to invite
avoir à, to have to	**réussir à,** to succeed in
commencer à⎱to begin	**tenir à,** to be anxious, insist on
se mettre à ⎰	**venir à,** to happen to

Joséphine **s'amuse à** lire.	Josephine enjoys reading.
Je lui **ai enseigné à** le faire.	I taught him to do it.
Si tu **viens à** la voir, dis-le-moi.	If you happen to see her, tell me.

49

Note: The **à** is often omitted with **aimer.**

Nous *aimons* (à) patiner.	We like to skate.

Some verbs require **de** before the following infinitive.

cesser de, to stop	**oublier de,** to forget
craindre de, to fear, be afraid	**prier de,** to beg
décider de, to decide	**refuser de,** to refuse
empêcher de, to prevent	**regretter de,** to regret
essayer de }to try	**remercier de,** to thank for
tâcher de	**se souvenir de,** to remember
finir de, to finish	**venir de,** to have just

conseiller (à quelqu'un) **de,** to advise (someone) to
défendre (à quelqu'un) **de,** to forbid (someone) to
demander (à quelqu'un) **de,** to ask (someone) to
dire (à quelqu'un) **de,** to tell (someone) to
ordonner (à quelqu'un) **de,** to order (someone) to
permettre (à quelqu'un) **de,** to permit (someone) to
promettre (à quelqu'un) **de,** to promise (someone) to

Il *craint de* perdre son portefeuille.	He is afraid of losing his wallet.
Essayez de venir à l'heure.	Try to come on time.
Je *viens de* les rencontrer.	I have just met them.
Elle lui *a demandé de* ne pas fumer.	She asked him not to smoke.

Most adjectives and nouns are followed by **de** before the infinitive.

Je suis *content d'*apprendre la bonne nouvelle.	I am pleased to learn the good news.
Nous serons *heureux de* vous prêter un parapluie.	We shall be happy to lend you an umbrella.
Ayez la *bonté de* me passer le sel.	Please pass me the salt.
Ont-ils l'*intention de* vendre l'usine?	Do they intend to sell the factory?
Défense de fumer.	No smoking.

Note: The adjective **prêt** (*ready*) is followed by **à.**

Elle n'est pas encore *prête à* partir.	She is not yet ready to leave.

Other prepositions followed by the infinitive are: **pour** (*to, in order to, for the purpose of*), **afin de** (*in order to*), **avant de** (*before*), **sans** (*without*), **au lieu de** (*instead of*).

Il a emprunté de l'argent *pour* (*afin de*) payer ses dettes.	He borrowed money to (= in order to) pay his debts.
Je me lave *avant de* manger.	I wash before eating.
Ils sont sortis *sans* me parler.	They left without speaking to me.
Au lieu de pleurer, elle a ri.	Instead of crying, she laughed.

The preposition **par** (*by*) is used only after **commencer** and **finir**. In other cases, *by* + a verb is translated by **en** + the present participle.

Il *a commencé par* lire à haute voix.	He began by reading aloud.
J'*ai fini par* le faire.	I ended up by doing it (I finally did it).

But:

En mentant, il a perdu ses amis.	By lying, he lost his friends.

An infinitive that is passive in meaning is preceded by **à.**

Y a-t-il quelque chose *à voir?*	Is there anything to see (= to be seen)?
Cette chanson est facile *à chanter.*	This song is easy to sing (= to be sung).
Voilà un appartement *à louer.*	There is an apartment for rent (= to be rented).
Ils sont *à plaindre.*	They are to be pitied.

Impersonal expressions composed of **il** + **être** + *adjective* require **de** before the infinitive. In this case, the infinitive is really the subject.

Il est bon de dire la vérité.	It is good to tell the truth. (= To tell the truth is good.)
Il n'est pas facile de réussir.	It is not easy to succeed. (= To succeed is not easy.)

Note

1. Notice the difference in the use of the prepositions before the infinitives in the following French sentences.

Il est difficile *d'*apprendre le chinois.	It is difficult to learn Chinese. (impersonal)
Le chinois est difficile *à* apprendre.	Chinese is difficult to learn. (passive)

2. French makes clear the meaning of *it* by two distinct constructions. The translations of these sentences into English, although identical, have two different meanings.

Il est intéressant de lire.	It is interesting to read.
	(= Reading is interesting.)
C'est intéressant à lire.	It is interesting to read.
	(= The book, The letter, etc., is interesting to read.)

Memorize:

Il est bon *de* . . . .   *C'est* bon *à* . . . .

EXERCICES

A. Écrire la préposition convenable, s'il en faut une:

1. C'est impossible _____ comprendre.
2. Il n'est pas nécessaire _____ fumer.
3. Pourquoi hésitez-vous _____ me répondre?
4. Elle a promis _____ ne pas gâter notre plaisir.
5. _____ vendant les bijoux, il a gagné beaucoup d'argent.
6. Voilà un magasin _____ louer.
7. Vous avez l'air _____ vous ennuyer.
8. Je l'ai prié _____ me rendre un service.
9. _____ réussir, il faut travailler dur.
10. Il lui a demandé _____ baisser la voix.
11. Ce savant va _____ étudier les virus des animaux domestiques.
12. Vous amusez-vous _____ écouter la bonne musique?
13. S'est-il souvenu _____ lui envoyer la carte?
14. Je me suis frotté les mains _____ me chauffer.
15. L'aviateur espérait _____ accomplir la mission avec succès.
16. Il est bon _____ savoir plusieurs langues.
17. La pluie m'a empêché _____ partir.
18. J'essaie _____ travailler dans une pièce tranquille, loin du bruit.
19. Elle était enchantée _____ faire sa connaissance.
20. Il vaut mieux _____ prendre le métro.

B. Traduire en français les mots en italique:

1. *They invited him to* partager leur repas.
2. *I do not dare* me plaindre.
3. Qu'est-ce qu'il y a *to read?*
4. *In order to be able to do it,* on doit être riche.
5. *It is difficult to* prouver cette théorie.
6. *He prefers to* vivre comme un poisson dans l'eau.
7. *We began to applaud* les acteurs.
8. *We began by applauding* les acteurs.
9. *By applauding* les acteurs, nous les avons encouragés.
10. *One cannot spend* l'argent qu'on n'a pas.
11. *They are supposed to* nous revoir dimanche.
12. *He ordered his son to* téléphoner à la police.

13. Ce n'est pas facile *to do*.
14. Il m'a avancé les francs *in order to buy* les vêtements.
15. Pourquoi *does he insist on repeating* cette anecdote?
16. *Help me to* ranger cette chambre.
17. J'ai bien réfléchi *before saying it*.
18. *They decided to* remettre la réunion au lendemain.
19. *Have you had the opportunity to* visiter le Louvre?
20. *He continued to* tousser toute la nuit.

C. Traduire en anglais:

1. Combien d'argent doit-on laisser comme pourboire?
2. Il aimait s'asseoir pour regarder jouer les enfants.
3. Je vous ai dit de ne pas me déranger!
4. Défense de stationner.
5. Elle voulait crier de joie, mais elle a réussi à se taire.
6. Il est utile de savoir dessiner.
7. Il faut aller en France pour obtenir une image complète de la vie intellectuelle.
8. Je tiens à devenir écrivain.
9. Nous avons mille choses à faire.
10. Pour se faire couper les cheveux sans attendre longtemps, il faut venir de bonne heure.
11. Je l'ai remercié de nous avoir aidés.
12. Si vous venez à le voir, soyez sûr de le féliciter.
13. Pouvez-vous nous donner quelques conseils pour nous aider à vivre heureux?
14. Il regrette d'avoir à refuser notre offre.
15. Je ne l'ai pas entendue sortir.
16. Rien n'est plus facile à laver.
17. Il est inutile d'essayer de l'arrêter.
18. On a besoin de prendre de l'exercice tous les jours.
19. Nous avons vu briller le soleil dans le ciel.
20. Pour faire du vert, il faut mêler ensemble du jaune et du bleu.

D. Remplacer les mots en italique par une expression équivalente:

1. *Ils ont l'intention de* nous surprendre.
2. *Permettez-moi de* finir cette lettre.
3. *Je n'ai jamais peur de* dire la vérité.
4. *Ayez la bonté d'*entrer.
5. Mon frère m'a emprunté mille francs *afin de* payer la note.
6. *Tâchez de* couper l'herbe avec soin.
7. *Nous désirons* établir un équilibre entre les deux.
8. L'étoile *se mettait à* paraître sur l'horizon.
9. *Enfin il a vendu* le restaurant.
10. *Aimez-vous mieux* demeurer au rez-de-chaussée?

E. Répondre à chaque question par une phrase complète en français:

1. Êtes-vous heureux (heureuse) de me revoir?
2. A quel âge a-t-il appris à nager?
3. Est-il possible de changer les lois de la gravitation?
4. Qu'est-ce que vous me conseillez de faire s'il fait mauvais cet après-midi?
5. A quelle heure faut-il quitter la maison pour ne pas manquer le train?
6. Avez-vous peur de trop manger?
7. Que fera-t-il au lieu d'aller à l'université?

8. Le français est-il facile ou difficile à apprendre?
9. Aurez-vous le temps de repasser le poème avant de le réciter?
10. Quand est-ce que je dois être prêt à partir?
11. Qu'est-ce que tu viens de voir?
12. Pourquoi ont-ils fait venir le médecin?
13. Croyez-vous avoir appris tout ce qu'il y a à savoir?
14. De quoi a-t-on besoin pour vivre?
15. Vos parents vous ont-ils enseigné à être prompt(e)?

F. Traduire en français:

1. Why do you refuse to speak to me?
2. Do not leave without speaking to me.
3. Has it stopped raining?
4. He came to see them.
5. He has just seen them.
6. Do you know how to play the piano?
7. I enjoy chatting with you.
8. He forgot to shave.
9. Have you finished drinking the coffee?
10. I finished by sitting down.
11. We shall be glad to follow you.
12. Louis plays instead of studying.
13. I forbid you to lend him my pen.
14. It is useless to lie to me.
15. Is that lesson hard to study?

La Communauté Franco-Africaine

14. SPECIAL USES OF *DEVOIR, FALLOIR, POUVOIR,* *SAVOIR,* AND *VOULOIR*

A few French verbs, when followed by the infinitive, act as auxiliary verbs, helping to form with the infinitive a complete verbal phrase. The meaning varies with the tense.

devoir, to have to, be (supposed) to

Je *dois* partir.	I have to leave. I must leave. I am (supposed) to leave.
Je *devais* partir.	I had to leave. I was (supposed) to leave.
Je *devrai* partir.	I will have to leave.
Je *devrais* partir.	I ought to leave. I should (= ought to) leave.
J'*ai dû* partir.	I had to leave. I have had to leave. I must have left.
J'*aurais dû* partir.	I ought to have left. I should (= ought to) have left.

Note

1. In addition to *obligation*, **devoir** also expresses *probability* or *supposition*.

   Il *doit* être malade. He must be sick (= He is probably sick).

   Il *a dû* être malade. He must have been sick (= I suppose he was sick).

2. The past participle of **devoir** has a circumflex accent only in the masculine singular: *dû,* **due, dus, dues.**

falloir, to be necessary

The impersonal verb **falloir** may be used:

a. with the infinitive.

   Il faut le *faire.* It is necessary to do it.
One must do it.

   Il ne faut pas *dire* cela. We must not say that.

b. with an indirect object pronoun and the infinitive.

Il *lui* faut le faire.	He must do it.
Il *me* faudra partir.	I will have to leave.

c. with the subjunctive.

Il faut qu'il le *fasse.*	He must do it.
Il faudra que je *parte.*	I will have to leave.

Note

1. **Falloir** shows *necessity.* It is stronger than **devoir.**
2. **Falloir** and **devoir** often express the same idea.

Vous *devez* étudier.
Il faut que vous étudiiez. } You must study.
Il vous faut étudier.

3. When followed by a noun, **devoir** means *to owe;* **falloir,** *to need.*

Ils lui *doivent* cent dollars.	They owe him a hundred dollars.
Il me *faut* l'argent que vous me devez.	I need the money you owe me.
Il lui *faut* de l'énergie.	She needs energy.

pouvoir, to be able (physically), be permitted to

Il ne *peut* pas nager aujourd'hui; il s'est cassé le bras.	He cannot swim today; he has broken his arm.
Peux-tu lire sans lunettes?	Can you read without glasses?
Puis-je le voir?	May I see it?
Pouviez-vous le faire?	Could you (= Were you able to) do it?
Pourriez-vous le faire?	Could you (= Would you be able to) do it?
Auriez-vous pu le faire?	Could you have done it?

Note

Pouvoir may express *possibility.*

Il *peut* être malade.	He may be sick.
Ils *auraient pu* le perdre.	They might have lost it.

56

savoir, to be able (mentally), to know how

Il ne *sait* pas nager.	He cannot (= He does not know how to) swim.
Elle est trop jeune pour *savoir* lire.	She is too young to be able to read.

Idiomatic use of the conditional:

Sauriez-vous me dire où il demeure?	Can you tell me where he lives?
Je *ne saurais* vous le dire.	I cannot tell you.

vouloir, to wish, want, will

The form **je veux** generally shows strong will, similar to a command.

—*Je veux* le faire, dit le roi.	"I will do it," the king said.
Je ne *veux* pas vous écouter.	I will not (do not want to) listen to you.

Thus, the conditional **je voudrais,** a courteous form, often replaces the present.

Je voudrais lui parler.	I wish (would like) to speak to him.

The imperative form **veuillez** is used with the infinitive to express a polite command.

Veuillez fermer la porte.	Kindly close the door.
Veuillez nous excuser.	Please excuse us.

Idiomatic use: **vouloir bien,** to be willing, be good enough to.

Je veux bien partir maintenant.	I am willing to leave now.
Voulez-vous bien m'attendre?	Will you be good enough to wait for me?

EXERCICES

A. Compléter la phrase en anglais:

1. Nous devons nous dépêcher. _____ hurry.
2. Il lui faut du courage. _____ courage.
3. Pourra-t-elle oublier sa tristesse? _____ to forget her sadness?
4. Veuillez vous asseoir. _____ sit down.
5. Il ne faut pas regarder le tableau noir. _____ look at the blackboard.
6. Sais-tu jouer au golf? _____ play golf?
7. Je ne pouvais pas comprendre le dialogue du film. _____ understand the dialogue of the film.
8. Ils ont dû être très riches. _____ very wealthy.
9. Il faudra que nous lui envoyions un télégramme. _____ send him a telegram.
10. Sauriez-vous nous indiquer le palais du président? _____ point out to us the President's palace?

B. Traduire en français les mots en italique:

1. *Do you have to* courir par la pluie?
2. *He will have to* se battre.
3. *You should* répondre à sa lettre.
4. *I would like to* voyager à l'étranger.
5. *Can you* sortir tout de suite?
6. *We need* du temps pour l'accomplir.
7. Quand *are we supposed to* signer le contrat?
8. *Could they have* le croire s'ils ne l'avaient pas vu?
9. *I owe her* une douzaine d'œufs.
10. *May I* vous parler?

C. Traduire en anglais:

1. Je ne veux pas me taire!
2. Il leur faut suivre un cours de musique.
3. Ceux qui gouvernent peuvent se tromper.
4. Je ne saurais vous le dire.
5. Il lui fallait des lunettes pour pouvoir lire.
6. J'ai reçu les cinq mille francs qu'il m'avait dus.
7. Veut-il bien partager la vie de famille?
8. Où peut-elle être? Elle peut être en ville.
9. Il faut que je vous rende votre dictionnaire.
10. Le dentiste a dû arracher la dent; il ne pouvait pas la sauver.

D. Donner *deux* traductions de chaque phrase en anglais ou en français:

1. Elle doit chanter au concert.
2. Je devrais nettoyer ces gants.
3. Nous devions y être à midi.
4. Ils ont dû le vendre.
5. Vous auriez dû lire l'article.
6. Il faut manger pour vivre.
7. I must cover the book.
8. Can you swim?
9. Could he see them?
10. Please thank your brother.

E. Répondre à chaque question par une phrase complète en français:

1. Savez-vous danser?
2. Pourquoi Georges ne peut-il pas danser cette semaine?
3. Puis-je me reposer ici quelques minutes?
4. Voulez-vous bien vous lever de bonne heure samedi?
5. Qu'est-ce qu'il me faudra faire pour réussir?
6. Où devons-nous mettre votre malle, madame?
7. Combien d'argent vous faut-il pour acheter cette montre-bracelet?
8. Est-ce qu'un garçon de dix ans est trop jeune pour savoir écrire?
9. Sauriez-vous me dire qui a pris mon cahier?
10. Est-ce que j'aurais dû leur dire la vérité?

F. Traduire en français:

1. They must be unhappy.
2. They must have been unhappy.
3. You ought to write to him.
4. You should have written to him.
5. It is necessary to think of the future.
6. We cannot work today.
7. Will you be good enough to erase the board?
8. She might have fallen.
9. He is to spend a month at our house.
10. Could you finish if you had more time?

15. THE PASSIVE

The passive is formed by combining any tense of **être** with the past participle of the verb. Since the past participle is conjugated with **être,** it agrees with the subject in gender and number.

Elle *a été blessée* par une voiture.	She was hurt by a car.
Les chaises *seront couvertes.*	The chairs will be covered.
Cette église *fut construite* au XVe siècle.	That church was built in the 15th century.
La maison *avait été vendue.*	The house had been sold.
Il *aurait été puni.*	He would have been punished.

The passive is generally avoided in French by using an active construction: the pronoun **on** followed by the third person singular of the verb.

Ici *on parle* anglais.	English is spoken here.
Est-ce qu'*on a* tout *fait?*	Has everything been done?
On avait vendu la maison.	The house had been sold.
On entendra la cloche.	The bell will be heard.
Peut-on le guérir?	Can he be cured?

The passive construction is less frequently replaced by a reflexive verb.

Est-ce que les billets *se vendent* ici?	Are tickets sold here?
Il *s'appelle* Alain.	He is called Allen.
Le français *se parle* en Belgique.	French is spoken in Belgium.
Beaucoup d'arbres *se voyaient* le long de la route.	Many trees were seen along the road.
Tout à coup la porte *s'est ouverte.*	Suddenly the door was opened.

EXERCICES

A. Compléter la phrase en anglais:

1. Le pot à fleurs avait été posé sur la table. The flower pot _____ on the table.
2. On l'invitera à la soirée. He _____ to the party.
3. Cela s'explique facilement. That _____.
4. Rien n'y a été ajouté. Nothing _____ to it.
5. Il fut étonné de ce qu'il voyait. He _____ at what he saw.
6. Le gâteau se fait avec de la farine. Cake _____ with flour.
7. Un motel de style américain sera construit près du rond-point. An American-style motel _____ _ near the traffic circle.
8. On a souligné les mots importants. The important words _____.

59

9. L'eau était amenée à la ville par un aqueduc. Water _____ to the city by an aqueduct.
10. Il est défendu de stationner devant l'hôtel. It _____ to park in front of the hotel.

B. Remplacer chaque phrase par une phrase équivalente avec *on:*

1. Comment se prononce ce nom?
2. Les malades seront guéris.
3. Une tranche de jambon avait été coupée.
4. Cela ne se fait pas.
5. Cette lettre doit être portée à la poste.

6. Le papier a été jeté sous le canapé.
7. Quelle langue se parle au Mexique?
8. Ses poèmes ne seront jamais oubliés.
9. Les repas se préparent dans la cuisine.
10. Le voleur n'a pas été tué.

C. Traduire en français les mots en italique en employant la construction indiquée:

LE PASSIF:

1. Ces parfums *will be sent* aux quatre coins de la terre.
2. La fenêtre *had been closed* par mon père.
3. Par qui ce gratte-ciel *has it been built?*

ON:

4. *It is said* que vous êtes le premier de la classe.
5. *A tip was given* au garçon.
6. En Bretagne *wooden shoes are worn.*
7. *A prize will be offered* au meilleur artiste.

VERBE RÉFLÉCHI:

8. Beaucoup de livres *are lost* à l'école.
9. *She was called* Yvette.
10. Plusieurs cafés *are found* sur la place.

D. Répondre à chaque question par une phrase complète en français:

1. Qu'est-ce qu'on a volé dans le musée?
2. Par qui ce beau vase a-t-il été cassé?
3. Quelle église de Montmartre se voit de loin?
4. Peut-on vous tromper facilement?
5. Serait-il puni s'il n'étudiait pas?
6. A-t-on déjà annoncé la date de leur mariage?
7. A quelle distance est-ce que les cloches de la cathédrale s'entendent?
8. En quelle année votre dernière photo a-t-elle été prise?
9. A qui a-t-on vendu le tapis oriental?
10. Est-ce que la viande sera servie chaude ou froide?

16. THE PRESENT SUBJUNCTIVE; THE SUBJUNCTIVE WITH IMPERSONAL EXPRESSIONS

The subjunctive (**le subjonctif**) is the mood of uncertainty and emotion. Verbs in the subjunctive mood are generally used in a dependent clause introduced by **que** (*that*).

REGULAR VERBS

travailler	finir	attendre
que je travaille	que je finisse	que j'attende
que tu travailles	que tu finisses	que tu attendes
qu'il travaille	qu'il finisse	qu'il attende
qu'elle travaille	qu'elle finisse	qu'elle attende
que nous travaillions	que nous finissions	que nous attendions
que vous travailliez	que vous finissiez	que vous attendiez
qu'ils travaillent	qu'ils finissent	qu'ils attendent
qu'elles travaillent	qu'elles finissent	qu'elles attendent

Note

1. The present subjunctive is found by dropping the **-ant** of the present participle and adding the endings: **-e, -es, -e, -ions, -iez, -ent.** These endings are the same for all verbs except **avoir** and **être.**

2. Verbs with spelling changes, such as **employer, mener, appeler,** and **espérer** (see Verb Lesson 7), have the same changes in the present subjunctive as in the present indicative. For example:

que j'emploie   **qu'il appelle**
qu'elle mène   **qu'elles espèrent**

IRREGULAR VERBS

The stem of most irregular verbs, as with regular verbs, can be found by dropping the **-ant** of the present participle. For example:

INFINITIVE	PRESENT PARTICIPLE	PRESENT SUBJUNCTIVE
s'asseoir	s'asseyant	je *m'asseye*
conduire	conduisant	je *conduise*
connaître	connaissant	je *connaisse*

courir	courant	je *coure*
craindre	craignant	je *craigne*
écrire	écrivant	j'*écrive*
rire	riant	je *rie*
vivre	vivant	je *vive*

A few irregular verbs have a *single* irregular stem:

faire:

je *fasse,* tu *fasses,* il *fasse,* nous *fassions,* vous *fassiez,* ils *fassent*

falloir:

il *faille*

pouvoir:

je *puisse,* tu *puisses,* il *puisse,* nous *puissions,* vous *puissiez,* ils *puissent*

savoir:

je *sache,* tu *saches,* il *sache,* nous *sachions,* vous *sachiez,* ils *sachent*

A number of irregular verbs have *two* stems in the present subjunctive, one stem for the **nous** and **vous** forms (which is identical with the stem of the **nous** and **vous** forms of the present indicative), and one for the other forms:

aller:

j'*aille,* tu *ailles,* il *aille,* nous allions, vous alliez, ils *aillent*

boire:

je *boive,* tu *boives,* il *boive,* nous buvions, vous buviez, ils *boivent*

croire:

je *croie,* tu *croies,* il *croie,* nous croyions, vous croyiez, ils *croient*

devoir:

je *doive,* tu *doives,* il *doive,* nous devions, vous deviez, ils *doivent*

envoyer:

j'*envoie,* tu *envoies,* il *envoie,* nous envoyions, vous envoyiez, ils *envoient*

mourir:

je *meure,* tu *meures,* il *meure,* nous mourions, vous mouriez, ils *meurent*

prendre:

je *prenne,* tu *prennes,* il *prenne,* nous prenions, vous preniez, ils *prennent*

62

recevoir:

je *reçoive,* tu *reçoives,* il *reçoive,* nous recevions, vous receviez, ils *reçoivent*

tenir:

je *tienne,* tu *tiennes,* il *tienne,* nous tenions, vous teniez, ils *tiennent*

valoir:

je *vaille,* tu *vailles,* il *vaille,* nous valions, vous valiez, ils *vaillent*

venir:

je *vienne,* tu *viennes,* il *vienne,* nous venions, vous veniez, ils *viennent*

voir:

je *voie,* tu *voies,* il *voie,* nous voyions, vous voyiez, ils *voient*

vouloir:

je *veuille,* tu *veuilles,* il *veuille,* nous voulions, vous vouliez, ils *veuillent*

The only verbs with irregular endings are **avoir** and **être**:

avoir		être	
j'*aie*	nous *ayons*	je *sois*	nous *soyons*
tu *aies*	vous *ayez*	tu *sois*	vous *soyez*
il (elle) *ait*	ils (elles) *aient*	il (elle) *soit*	ils (elles) *soient*

SUBJUNCTIVE AFTER IMPERSONAL EXPRESSIONS

The subjunctive is used after impersonal expressions (except those that show certainty or probability). Common impersonal expressions followed by the subjunctive are:

il faut, it is necessary, must	**il est impossible,** it is impossible
il est nécessaire, it is necessary	**il est (c'est) dommage,** it is a pity, it is a shame
il est bon, it is good	
il est important, it is important	**il est temps,** it is time
il est juste, it is right	**il semble,** it seems
il est possible } it is possible,	**il vaut mieux,** it is better
il se peut } it may be	

Il **faut** que vous *veniez* à l'heure.	You must (It is necessary that you) come on time.
Est-il impossible qu'elle le *fasse?*	Is it impossible for her to do it?
Il **se peut** que tu *aies* raison.	You may be right.
Il **vaut mieux** que nous *travaillions.*	It is better for us to work.

After impersonal expressions of certainty or probability, the indicative is used. Some common expressions of this type are:

---

il est certain, it is certain	**il est probable,** it is probable
il est clair, it is clear	**il est vrai,** it is true
il est évident, it is evident	**il paraît,** it appears

| Il **est évident** que vous *savez* la leçon. | It is evident that you know the lesson. |
| Il **est probable** qu'ils *viendront* demain. | It is probable that they will come tomorrow. |

However, when these expressions are used negatively or interrogatively, they generally express doubt and take the subjunctive.

| Il **n'est pas certain** qu'il *vienne* demain. | It is not certain that he will come tomorrow. |
| **Est-il vrai** qu'on *bâtisse* une nouvelle école? | Is it true that they are building a new school? |

Note

1. There is no future tense in the subjunctive. The present subjunctive is used to express both present and future actions.
2. The subjunctive in French is often translated by an infinitive in English.

EXERCICES

A. Donner la forme convenable du verbe:

1. (écrire)   Il faut qu'un poète _____ des poèmes.
2. (tenir)   Il est bon que cette voiture _____ bien la route.
3. (mourir)   Est-il possible que le blessé _____?
4. (avoir)   Il est clair que la Terre _____ sa propre atmosphère.
5. (s'ennuyer)   Est-il certain qu'ils _____ s'ils vont à la réunion?
6. (suivre)   Il est juste que le pilote _____ ses ordres.
7. (neiger)   Il paraît qu'il _____ demain.
8. (pleuvoir)   Il se peut qu'il _____ ce soir.
9. (se promener)   Il vaut mieux que vous _____ le long du quai.
10. (réussir)   Il est très important que je _____.
11. (valoir)   C'est dommage que ce diamant _____ si peu.

12. (répéter) Sera-t-il nécessaire que je _____ la question?
13. (se souvenir) Il n'est pas certain qu'elle _____ de la rue.
14. (connaître) Il semble que tu _____ ce journaliste.
15. (vivre) Est-il vrai que sa femme _____ une vie très dure?

B. Traduire en anglais:

1. Il est temps qu'il apprenne la vérité.
2. Est-il nécessaire que je le fasse tout de suite?
3. C'est dommage que tu ne saches pas danser.
4. Se peut-il que cette femme craigne une petite souris?
5. Il est bon que la cravate vous plaise.
6. Est-il impossible que vous vous taisiez?
7. Il faudra que nous voyions les rideaux avant de les acheter.
8. Il paraît que vous ignorez ce qui s'est passé.
9. Il est probable que ces pommiers produiront de belles pommes rouges.
10. Est-il vrai qu'elle veuille me présenter à son amie?
11. Il n'est pas juste qu'on jette des pierres au pauvre animal.
12. Il vaut mieux que vous réfléchissiez avant de répondre.
13. Ne faut-il pas que je mette de l'huile dans le moteur?
14. Il se peut que le médecin le guérisse bientôt.
15. Est-il possible que vous croyiez tout ce qu'il vous dit?

C. Mettre au pluriel les mots en italique:

1. Est-il important que *j'aille* avec les autres?
2. Il semble que *tu sois* très paresseux.
3. Il n'est pas nécessaire que *tu étudies* à cette heure.
4. Vaut-il mieux que *j'enlève* ce fauteuil?
5. Il se peut que *je vienne* vous voir demain.
6. Il est bon que *tu boives* beaucoup de lait.
7. Il faut que *je m'asseye* un instant.
8. Est-il possible que *tu doives* tant d'argent?
9. Il est dommage que *tu ne puisses pas* nous accompagner.
10. Est-il temps que *j'envoie* le chèque à la banque?

D. Répondre à chaque question par une phrase complète en français:

1. Pourquoi est-il important que vous receviez de bonnes notes?
2. Est-il nécessaire que je sache nager?
3. Quel paragraphe faut-il que nous traduisions?
4. Est-il temps que vous alliez chez le dentiste?
5. A quelle heure faut-il que je prenne le train?

E. Traduire en français:

1. It is time for us to leave.
2. It's a pity that the weather is cold.
3. It is true that he reads well.
4. Is it true that he understands French?
5. You must obey your teachers.
6. It is better that they go to London.
7. It seems that there is an error in the sentence.
8. It is possible that he will receive your card.
9. It isn't right for you to deceive me.
10. It's important that she be here.
11. It is evident that they will not arrive on time.
12. Is it possible that I am wrong?
13. It is impossible for him to finish before noon.
14. Must you (*fam.*) always complain?
15. It is probable that you will see them.

17. THE PERFECT SUBJUNCTIVE; THE SUBJUNCTIVE WITH EXPRESSIONS OF EMOTION, WISHING, AND DOUBT

THE PERFECT SUBJUNCTIVE

attendre	
que j'aie attendu	que nous ayons attendu
que tu aies attendu	que vous ayez attendu
qu'il (elle) ait attendu	qu'ils (elles) aient attendu

partir	
que je sois parti(e)	que nous soyons parti(e)s
que tu sois parti(e)	que vous soyez parti(e)(s)
qu'il soit parti	qu'ils soient partis
qu'elle soit partie	qu'elles soient parties

s'amuser	
que je me sois amusé(e)	que nous nous soyons amusé(e)s
que tu te sois amusé(e)	que vous vous soyez amusé(e)(s)
qu'il se soit amusé	qu'ils se soient amusés
qu'elle se soit amusée	qu'elles se soient amusées

Note

1. The perfect subjunctive is formed by combining the present subjunctive of **avoir** or **être** and the past participle of the verb.

2. As the subjunctive equivalent of the **passé composé,** the perfect subjunctive is used to express an action that has already taken place.

C'est dommage qu'il *n'ait pas étudié.*   It is a pity that he didn't study.

Il semble qu'ils *soient sortis.*   It seems they have gone out.

THE SUBJUNCTIVE WITH EXPRESSIONS OF EMOTION, WISHING, AND DOUBT

The subjunctive is used in a dependent clause when the subject of the dependent clause is *different* from the subject of the main clause.

a. After expressions of *emotion* (joy, fear, sorrow), such as:

j'ai peur (. . . **ne**), I am afraid	**je suis content,** I am glad
je crains (. . . **ne**), I fear	**je suis heureux,** I am happy
je m'étonne, I am astonished	**je suis surpris,** I am surprised
je regrette, I am sorry	

Je crains qu'elle **ne** *tombe.*	I fear she may fall.
Nous regrettons que vous *ayez* attendu.	We are sorry that you waited.

Note: Expressions of fear in declarative affirmative sentences generally take **ne** in the subjunctive. **Ne** is not used if the verb of fearing is negative or interrogative.

Je **ne crains pas** qu'elle *tombe.*	I'm not afraid that she will fall.

b. After expressions of *wishing* or *commanding,* such as:

j'aime mieux⎫ �btⅠ prefer **je préfère**⎭	**j'ordonne,** I order
	je souhaite, I wish
je défends, I forbid	**je veux,** I want, I wish
je désire, I wish, I want	**je voudrais,** I should like

Son père **défend** qu'elle *devienne* actrice.	Her father forbids her to become an actress.
Voulez-vous que je *fasse* de mon mieux?	Do you want me to do my best?

c. After expressions of *doubt,* such as:

je doute, I doubt	**croyez-vous?** do you believe?
je ne suis pas sûr (certain), I am not sure (certain)	**espérez-vous?** do you hope?
	je ne pense pas, I do not think
je ne crois pas, I do not believe	**pense-t-il?** does he think?

Elle **doute** qu'il *finisse* le travail.	She doubts that he will finish the work.
Croyez-vous qu'elle *dise* la vérité?	Do you think she is telling the truth?
Je ne pense pas que vous l'*ayez fait.*	I don't think you did it.

Note: **Penser, croire,** and **espérer,** when used *negatively* or *interrogatively*, generally imply doubt and are followed by the subjunctive. Sometimes both the indicative and the subjunctive are possible, depending on the thought of the speaker. For example:

Je ne crois pas qu'elle *viendra.*
(No doubt implied.)
Je ne crois pas qu'elle *vienne.*
(Doubt implied.)

I do not believe she will come.

When these verbs are used negatively *and* interrogatively, they are followed by the indicative since they suggest an affirmative answer with no doubt implied.

| **N'espérez-vous pas** qu'il le *fera?* | Don't you hope he will do it? |

Note

1. The infinitive is sometimes used in English where French uses the subjunctive.

| Je voudrais que vous **restiez** ici. | I would like you to stay here. |

2. If both the main and dependent verbs have the *same* subject, the infinitive is generally used in French instead of the subjunctive.

Avez-vous peur de **rire?**	Are *you* afraid *you* may laugh? (Are you afraid of laughing?)
Nous préférons le **croire.**	We prefer to believe it.
Croyez-vous **avoir trouvé** la réponse?	Do *you* think *you* have found the answer?

EXERCICES

A. Compléter les phrases en anglais:

1. Il veut que je conduise le camion. _____ the truck.
2. Je défends que vous riiez quand il chantera. _____ when he sings.
3. Elle croyait rêver. She _____.
4. Nous doutons qu'ils aient pu le faire. We doubt that _____ it.
5. Pourquoi n'ordonnez-vous pas qu'ils s'arrêtent? Why _____?
6. J'ai peur qu'on ne glisse sur cette peau de banane. _____ on that banana peel.
7. Ils souhaitent que vous restiez chez eux. _____ with them.
8. Je m'étonne que Charles ait acheté une voiture de sport. _____ a sports car.

9. Que désirent-ils que je fasse? What _____?
10. Ne croyez pas qu'il s'agisse d'une maladie imaginaire. _____ an imaginary illness.
11. Je doute que la guerre dure longtemps. _____ a long time.
12. Espérez-vous qu'il fasse chaud demain? _____ tomorrow?
13. Je pense les avoir vus. _____ them.
14. Nous ne croyons pas qu'ils aient visité tous les pays du Marché Commun.
    _____ all the countries of the Common Market.
15. Préférez-vous que nous payions d'avance les billets? _____ the tickets in advance?
16. Je suis content que vous vous soyez amusés au théâtre. _____ at the theatre.
17. Elle craint qu'il ne pleuve dimanche. _____ Sunday.
18. Es-tu surpris que ce petit garçon ait mangé deux tablettes de chocolat?
    _____ two bars of chocolate?
19. Pensez-vous qu'elle soit déjà rentrée? Do you think _____?
20. Je doute qu'il vous faille une heure pour le faire. _____ to do it.

B. Mettre au passé l'expression en italique:

1. Il est possible qu'*il perde* son temps.
2. Croient-ils que *vous méritiez* le prix?
3. Est-il vrai qu'*ils aillent* au café?
4. Je doute que *Claude me reconnaisse.*
5. Il se peut qu'*ils aient* une longue conversation.
6. Il est vrai que *ce savant contribue* à la conquête de l'espace.
7. Je crains qu'*il ne se coupe* avec le canif.
8. Elle est heureuse que *nous lui écrivions.*
9. Ils regrettent que *je souffre.*
10. Il est dommage que *votre sœur ne vienne pas* avec nous.
11. Je ne crois pas que *l'oiseau vive* longtemps.
12. Nous avons peur que *tu ne puisses pas* l'empêcher.
13. Ne croyez-vous pas qu'*elle parle bien?*
14. Je m'étonne que *vous mettiez* tant de sucre dans votre thé.
15. Il est évident qu'*ils lui pardonnent* le faux pas.

C. Répondre à chaque question par une phrase complète en français:

1. Doutez-vous que Michèle soit sincère?
2. Se peut-il qu'elle m'ait reconnu?
3. Quand voudriez-vous que je vous aide?
4. Voudriez-vous dîner avec nous?
5. Dans quelle pièce désire-t-elle que la domestique serve le repas?
6. Croyez-vous qu'il soit parti en avion?
7. Est-il possible que vous nous ayez menti?
8. Aimes-tu mieux que je sois ton ami ou ton ennemi?
9. Ont-ils peur que vous brisiez la glace?
10. Pensez-vous qu'elles se soient déjà réveillées?

D. Traduire en français:

1. I'm afraid the house may burn.
2. I'm afraid I may fall.
3. It is possible that he went home.
4. I wish he would come back.
5. We hope we can do it.
6. It is probable that they were born in Belgium.
7. I prefer that you don't interrupt me.
8. His father forbids him to smoke.
9. I'm sorry that you hurt yourself.
10. Don't you think he will remember it?
11. It's a shame that she changed her mind.
12. I believe this notebook belongs to you.
13. We're not certain that they have gone out.
14. Do you want me to show you the clock?
15. We fear you will punish him.

18. OTHER USES OF THE SUBJUNCTIVE

a. The subjunctive is used after certain *conjunctions:*

afin que
pour que } in order that, so that
avant que, before
à moins que (. . . **ne**), unless
bien que
quoique } although
de crainte que (. . . **ne**)
de peur que (. . . **ne**) } for fear that, lest
jusqu'à ce que, until
pourvu que, provided that
sans que, without

Je vous lirai l'histoire **à moins que** vous ne la *connaissiez* déjà.

I shall read you the story unless you know it already.

Il refuse de se reposer **bien** qu'il *soit* fatigué.

He refuses to rest although he is tired.

Elle réussira **pourvu** qu'elle *fasse* attention.

She will pass provided she pays attention.

Note

1. **A moins que, de crainte que,** and **de peur que** are generally followed by **ne** before the subjunctive verb.

2. When both the main and dependent verbs have the *same* subject, the corresponding preposition, if there is one, is generally used with the infinitive instead of the conjunction with the subjunctive.

Nous sommes partis de bonne heure **afin de** (**pour**) le *voir*.

We left early in order to see him.

Je me lave **avant de** *manger.*

I wash before I eat.

3. After the verb **attendre, que** alone is generally used to mean *until.*

Attendez *que* je le fasse.

Wait until I do it.

4. The following common conjunctions take the indicative:

après que, after
aussitôt que
dès que } as soon as
parce que, because

pendant que, while
peut-être que, perhaps
puisque, since
tandis que, whereas, while

70

b. The subjunctive is used in a relative clause referring to an indefinite person or thing that is sought but not yet found.

Y a-t-il un peintre qui *puisse* faire mon portrait?	Is there a painter who can paint my portrait?
Nous cherchons un appartement qui *soit* grand.	We are looking for an apartment that is large.
Connaissez-vous un écrivain qui *sache* écrire mieux que lui?	Do you know a writer who can write better than he?

Note

If there is no doubt about the existence of the person or thing, the indicative is used.

Je connais un peintre qui *peut* faire votre portrait.	I know a painter who can paint your portrait.
Voici un appartement qui *est* grand.	Here is an apartment that is large.

c. The subjunctive is used after superlative expressions, generally showing opinion. Such superlatives include **le seul** (*the only*), **le premier** (*the first*), and **le dernier** (*the last*).

C'est **le meilleur café** qu'on *puisse* acheter.	That's the best coffee you can buy.
C'est **la seule fois** que je vous le *dise.*	That's the only time I will tell it to you.
Ce sont **les plus beaux cadeaux** que j'*aie* jamais *vus.*	They are the most beautiful gifts I have ever seen.

d. The subjunctive is used in principal clauses to express a third person imperative or a wish.

Qu'elle le *fasse* tout de suite!	Let her do it at once!
Qu'il *entre!*	Let him come in!
Qu'ils *réussissent!*	May they succeed!
Vive la France!	Long live France!

Note

These subjunctive clauses are really dependent on commands or wishes that are understood.

71

EXERCICES

A. Donner la forme convenable du verbe:

1. (étudier)   Bien que vous _____ beaucoup, vous ne recevez pas de bonnes notes.
2. (pouvoir)   C'est le meilleur pain que vous _____ trouver.
3. (dormir)   Sortons de la chambre afin que l'enfant _____.
4. (être)   Y a-t-il un homme qui _____ parfait?
5. (tomber)   Il marche très lentement de peur de _____.
6. (courir)   Le train n'y sera pas à moins que nous ne _____.
7. (se sentir)   Puisque vous ne _____ pas bien, reposez-vous un peu.
8. (savoir)   Connaissez-vous un enfant qui _____ lire mieux que Gérard?
9. (connaître)   C'est l'homme le plus riche que nous _____.
10. (partir)   Qu'elle _____ immédiatement!
11. (avoir)   Ce ne seront pas les seuls qui _____ l'occasion de le faire.
12. (plaire)   J'ai trouvé une chaise qui me _____.
13. (reconnaître)   Il tourne la tête de crainte que je ne le _____.
14. (vouloir)   Mme Fouchet connaît une femme qui _____ acheter votre piano.
15. (assister)   Quoiqu'il _____ hier à l'accident, il refuse d'en parler.

B. Traduire en anglais:

1. Elle cache ses bijoux de peur que quelqu'un ne les vole.
2. Avez-vous des conseils que je puisse suivre?
3. C'est la pomme la plus délicieuse que j'aie jamais goûtée.
4. Quoiqu'il soit devenu à la télévision l'idole des familles américaines, il est très modeste.
5. S'en iront-ils sans que je le sache?
6. La foule cria:—Le roi èst mort. Vive le roi!
7. Tu vas le répéter jusqu'à ce que tu l'apprennes.
8. Y a-t-il un chapeau ici qui me convienne?
9. Vous accomplirez beaucoup pourvu que vous essayiez.
10. Dieu vous bénisse!
11. Sylvie est fort diligente tandis que sa sœur est très paresseuse.
12. Je cherche une montre qui n'avance pas.
13. Ce fermier est assez gros bien qu'il fasse beaucoup d'exercice.
14. Je ne vous parlerai plus à moins que vous ne me répondiez.
15. Qu'ils reviennent vers trois heures!

C. Traduire en français:

1. I will speak to you before we do it.
2. Speak to me before you do it.
3. What happened after they left?
4. He is the most intelligent teacher I know.
5. Let the pupils come in!
6. She does not study without my helping her.
7. Can he learn French without going to France?
8. I'm looking for a pen that writes well.
9. Here is a pen that writes well.
10. Is that the only language that you have studied?
11. Stay here until he returns; let us wait until he returns.
12. I will accompany you provided that you wait for me.
13. Perhaps he will write us a letter.
14. I'll leave the newspaper here so that you may read it.
15. That's the best story you ever told.

D. Répondre à chaque question par une phrase complète en français:

1. Pouvez-vous me donner un livre qui soit intéressant?
2. Iront-ils en ville ce soir quoiqu'il pleuve?
3. Que ferez-vous pendant que je finirai mon travail?
4. Veut-elle partir sans vous voir?
5. Peut-elle partir sans que vous la voyiez?
6. Est-ce le plus beau cheval que vous ayez jamais vu?
7. Connaissez-vous un médecin qui puisse me guérir?
8. Où le mènerez-vous pour qu'il voie des animaux sauvages?
9. Resteras-tu à Paris jusqu'à ce que nous arrivions?
10. Comptent-ils faire un pique-nique demain pourvu qu'il fasse beau?

VERB REVIEW QUIZZES

Dans les phrases des épreuves suivantes, remplacer l'infinitif par la forme convenable du verbe:

A

1. Nous étions au bord de la mer pendant qu'ils (voyager).
2. Lavons-nous avant de (s'habiller).
3. Après (être) longtemps à l'étranger, j'étais content de revenir.
4. Comment passerons-nous le temps jusqu'à ce qu'il (venir)?
5. Dès que vous (savoir) la réponse, dites-la-moi, s'il vous plaît.
6. En (faire) attention, on fait moins de fautes.
7. Depuis quand (se promener)-il quand l'accident a eu lieu?
8. Je regrette qu'il ne (pouvoir) pas nous accompagner.
9. (Aller)-vous visiter Versailles si vous étiez en France?
10. C'est la première pièce qu'il ait jamais (écrire).

B

1. Il entra, s'assit, et (commencer) à écrire.
2. Toutes les fleurs étaient (mourir).
3. (Avoir) la bonté de fermer la porte, monsieur.
4. Les Français (aimer) depuis longtemps les idées de justice et de liberté.
5. Si on (mentir) souvent, on perd tous ses amis.
6. Croyez-vous que ses œuvres (valoir) beaucoup par leur qualité littéraire?
7. Je le ferai de peur que vous ne (être) fâchée.
8. Puisqu'elle avait froid aux mains, elle (mettre) ses gants de laine.
9. Aussitôt que je (se sentir) mieux, nous nous mettrons en route.
10. En (produire) la bombe atomique, on exploite de nouvelles formes d'énergie.

C

1. Après les (voir), il a décidé d'en acheter.
2. Lorsque vous (recevoir) le colis, ne l'ouvrez pas.
3. Je crois que Madeleine (aller) au musée demain matin.
4. L'ouvrier s'est blessé en (bâtir) l'édifice.
5. Voici dix minutes que je vous (attendre).
6. C'est dommage que cette élève (craindre) tant les examens.
7. (Courir)-ils s'ils voyaient un tigre?
8. Y a-t-il un idiotisme qu'il n'(avoir) pas appris?

9. Voici les livres que nous (recevoir) hier comme prix.
10. (Faire) vos devoirs tout de suite!

D

1. S'il (battre) le tapis, il sera très fatigué.
2. La route est (couvrir) de glace.
3. (Nager)-il souvent quand il était jeune?
4. Je m'étonne que tu (oublier) de venir hier.
5. Elles se sont (parler) à la réunion.
6. Je ne sais pas s'ils nous (envoyer) leur nouvelle adresse quand ils y arriveront.
7. Où est Albert? Il (peindre) depuis une heure.
8. Je vous donnerai ma réponse quand je vous (revoir).
9. Après (revenir), nous avons rencontré nos voisins.
10. Je me suis coupé la joue en (se raser).

E

1. Si le film vous (plaire), faites-le-moi savoir.
2. Pourquoi a-t-elle honte de le (dire)?
3. Nous étions sur le quai quand ils (arriver).
4. Après (ouvrir) la porte, il a remarqué le portrait.
5. Nous descendrons après qu'il (se lever).
6. Je doute qu'il (boire) tout ce cidre hier.
7. En me (reconnaître), il m'a salué.
8. Nous (étudier) depuis un quart d'heure quand le directeur est entré.
9. Tout ira bien pourvu que vous (faire) ce qu'il faut.
10. Elle s'est (brosser) les cheveux.

F

1. Il est important qu'elle (agir) ainsi.
2. L'hiver dernier, je les (voir) tous les jours.
3. Où sont les cravates qu'il s'est (acheter)?
4. Nous vous écrirons lorsque nous (devoir) partir.
5. N'(oublier) pas ton cahier, Gilbert.
6. Il est probable qu'il (pleuvoir) samedi prochain.
7. Ils (être) absents s'il avait fait du vent.
8. Après (rentrer), elle n'avait plus envie de sortir.
9. Combien de temps y a-t-il que vous le (connaître)?
10. L'athlète est tombé en (lancer) la balle.

G

1. Elle avait cassé le vase sans le (savoir).
2. En leur (présenter) son fils, il a loué ses talents.
3. Je les (applaudir) cinq minutes au théâtre hier soir.
4. Depuis quand (dormir)-vous quand le réveille-matin a sonné?
5. Alice arrive en classe à l'heure de crainte que le maître ne la (punir).
6. Après (se réveiller), elles se lavent.
7. Donnez-moi un coup de téléphone dès que vous (revenir).
8. Je voudrais que vous (apprendre) les paroles de ce cantique de Noël.
9. S'ils (recevoir) la lettre lundi, ils y répondront le même jour.
10. Jeanne d'Arc (naître) à Domremy et mourut à Rouen.

H

1. Après que la cloche avait sonné, les étudiants (s'asseoir).
2. Nous aurions vu l'accident si nous (rentrer) plus tôt.
3. Y a-t-il des prunes qui (être) douces?
4. Je regardais par la fenêtre en (boire) mon café.
5. Quelle plume avait-il (prendre)?
6. Madame, ne (se plaindre) pas tout le temps, s'il vous plaît.
7. Elle ne le fera pas sans que je la (voir).
8. Quand j'(appeler) votre nom, répondez "présent."
9. Après (s'amuser), nous avons fait nos devoirs.
10. Il y a un quart d'heure qu'on (entendre) la pluie sur le toit.

I

1. En (désobéir) à ses parents, il s'est fait mal.
2. Il (neiger) depuis longtemps quand elle a décidé de partir.
3. On n'a pas besoin d'être riche pour (lire) des livres.
4. Après (vendre) leurs meubles, ils l'ont regretté.
5. Voilà trois ans qu'il (vivre) seul ici.
6. Quoiqu'il (devenir) gros, il mange peu.
7. Nous visiterons Nice lorsque nous (être) au midi de la France.
8. Si vous (vouloir) réparer l'horloge, je vous aurais aidé.
9. Il faut qu'ils (s'en aller) tout à l'heure.
10. Est-ce que les dames se (rencontrer) au cinéma hier?

J

1. Quand j'étais au camp, je me (plonger) dans le lac tous les matins.
2. La jeune fille s'est (laver) la figure.
3. Se peut-il qu'il (pleuvoir) hier?
4. C'est la voiture la plus confortable que j'aie jamais (conduire).
5. La bonne ferma les fenêtres et (partir).
6. En quittant ses enfants, la mère leur a dit, "(Être) sages."
7. Je pourrai vous l'expliquer si vous (se taire).
8. A moins que vous ne (faire) de votre mieux, vous ne serez pas heureux.
9. Ils sont arrivés vers minuit après (se dépêcher).
10. Aussitôt qu'elle (pouvoir) parler, nous apprendrons la vérité.

La Seine à Paris

La Seine divise la "Ville Lumière" en deux parties. Grâce à ce fleuve navigable, Paris est le premier port fluvial de France. C'est aux bords de la Seine qu'on trouve de nombreux pêcheurs et flâneurs.

MASTERY VERB DRILL SHEET

Complete each French sentence with the correct form of the verb chosen, using the English as a guide.

1. We are _____ -ing.   Nous _____.
2. Doesn't he _____?   _____ -il _____?
3. Do I _____?   _____ ?
4. They (You, We, People) are _____ -ing.   On _____.
5. Do not _____.   Ne (N') _____ pas.
6. _____ (imperative, familiar).   _____.
7. Let us _____.   _____.
8. You used to _____.   Vous _____.
9. Were they _____ -ing?   _____ -elles?
10. She will _____.   Elle _____.
11. Will they _____?   _____ -ils?
12. He would _____.   Il _____.
13. Would you _____?   _____ -vous?
14. Who _____ yesterday?   Qui _____ hier?
15. Didn't you _____?   _____ -vous _____?
16. I had not _____.   Je _____.
17. They would have _____.   Ils _____.
18. We shall have _____.   Nous _____.
19. He _____ (passé simple).   Il _____.
20. They _____ (passé simple).   Elles _____.
21. As soon as I _____, he will do it.   Aussitôt que je (j') _____, il le fera.
22. I shall do it when he _____.   Je le ferai quand il _____.
23. How long did she _____?   Combien de temps _____?
24. How long have you been _____ -ing?   Depuis quand _____?
25. They have been _____ -ing for a long time.   Ils _____ depuis longtemps.
26. How long had he been _____ -ing?   Depuis quand _____?
27. We had been _____ -ing for a long time.   Nous _____ depuis longtemps.
28. If you _____, he will wait.   Si tu _____, il attendra.
29. He would wait if I _____.   Il attendrait si je (j') _____.
30. If she had _____, he would have waited.   Si elle _____, il aurait attendu.
31. They are beginning to _____.   Ils commencent à _____.
32. Must you _____?   Devez-vous _____?
33. While _____ -ing.   En _____.
34. Without _____ -ing.   Sans _____.
35. After _____ -ing.   Après _____.
36. Before _____ -ing.   Avant de (d') _____.
37. George must _____.   Il faut que Georges _____.
38. In order that you may _____.   Pour que tu _____.
39. Unless they _____.   A moins qu'ils ne (n') _____.
40. She fears we will _____.   Elle craint que nous ne (n') _____.
41. I'm afraid I will _____.   J'ai peur de (d') _____.
42. He wants you to _____.   Il veut que vous _____.
43. I doubt that she will _____.   Je doute qu'elle _____.
44. Do you think they may _____?   Croyez-vous qu'ils _____?
45. We are sorry that he has _____.   Nous regrettons qu'il _____.
46. It is possible that we have _____.   Il est possible que nous _____.
47. It is probable that they have _____.   Il est probable qu'ils _____.
48. It's the last time that I shall _____.   C'est la dernière fois que je (j') _____.
49. Do you know anyone who may _____?   Connaissez-vous quelqu'un qui _____?
50. Let him _____!   Qu'il _____!

Part II—*Grammar*

1. DEFINITE AND INDEFINITE ARTICLES

FORMS OF THE ARTICLES

The definite article, *the*, has four forms: **le, la, l', les.**

	MASCULINE	FEMININE
SINGULAR	*le* savant, the scientist *l'*endroit, the place	*la* cuiller, the spoon *l'*horloge, the clock
PLURAL	*les* savants, the scientists *les* endroits, the places	*les* cuillers, the spoons *les* horloges, the clocks

The indefinite article, *a* (*an*), has two forms: **un** (masculine) and **une** (feminine).

un endroit, a place	*une* cuiller, a spoon

Note

1. The article **l'** is used before a singular noun of either gender beginning with a vowel or silent **h.** Before aspirate **h,** the vowel of the article is retained: **le héros, la honte.**

2. The article is expressed in French before each noun, even though it may be omitted in English.

les fruits et *les* légumes	the fruits and vegetables
un oncle et *une* tante	an uncle and aunt

CONTRACTIONS WITH THE DEFINITE ARTICLE

The preposition **à** and **de** contract with **le** and **les**.

à + le savant = **au** savant	de + le savant = **du** savant
à + les endroits = **aux** endroits	de + les endroits = **des** endroits

Note

There are no contractions with **la** or **l'**.

USES OF THE DEFINITE ARTICLE

In addition to meaning *the*, the definite article is used in French:

a. With nouns used in a *general* or *abstract* sense:

L'acier est plus dur que *le fer.*	Steel is harder than iron.
Nous approuvons *les échanges* culturels.	We approve of cultural exchanges.
Aime-t-elle *la chimie?*	Does she like chemistry?
La honte est une émotion désagréable.	Shame is a disagreeable emotion.

b. With names of languages (except immediately after **parler,** after **en,** and in an adjective phrase with **de**):

Comprenez-vous *le grec?*	Do you understand Greek?
Le russe n'est pas tres facile.	Russian is not very easy.
But:	
Ici on *parle espagnol.*	Spanish is spoken here.
J'ai écrit la lettre *en italien.*	I wrote the letter in Italian.
Où est votre livre *de français?*	Where is your French book?

c. With parts of the body when the possessor is clearly indicated:

Il ne peut pas tourner *la tête.*	He cannot turn his head.
Carmen tenait une fleur entre *les dents.*	Carmen was holding a flower between her teeth.
Fermez *les yeux.*	Close your eyes.
Je me suis fait mal *au bras.*	I hurt my arm.

Note: In the above case, the definite article is used instead of the possessive adjective. When the possessor must be clarified, use the possessive adjective.

Ses yeux me font peur.	His eyes frighten me.

d. With titles of rank or profession followed by a name (except in direct address):

le président Kennedy	President Kennedy
la reine Élisabeth	Queen Elizabeth
le professeur Brunot	Professor Brunot
But:	
Bonsoir, *docteur* Marais.	Good evening, Doctor Marais.

e. With proper nouns that are modified:

le Paris du XXe siècle	twentieth-century Paris
la belle Vénus	beautiful Venus

f. With days of the week in a plural sense. In English we add the word *on.*

Le samedi je me lève tard.	On Saturday(s) I get up late.
Nous allons à l'école *le lundi.*	We go to school on Monday(s).

Note: If the day mentioned is one specific day, the article is omitted.

Le mariage a eu lieu *dimanche.*	The marriage took place on Sunday.
Donnez-moi un coup de téléphone *mardi.*	Give me a ring on Tuesday.

g. With names of seasons and colors:

Le printemps est une belle saison.	Spring is a beautiful season.
L'été avait déjà commencé.	Summer had already begun.
Aimez-vous *le vert?*	Do you like green?

h. With nouns of weight and measure to express *a, an,* or *per:*

Elle paie **un dollar** *la livre.*	She pays a dollar a pound.
Cette soie coûte **dix francs** *le mètre.*	This silk costs ten francs per meter.

Note: With expressions indicating frequency of time, **par** is used:

On mange **trois fois** *par jour.*	We eat three times a day.

i. In a number of common expressions, such as:

à l'école, to (in) school	**le matin,** in the morning
à l'église, to (in) church	**l'après-midi,** in the afternoon
à la maison, at home, home	**le soir,** in the evening

le mois prochain, next month
la semaine dernière, last week
l'année passée, last year

OMISSION OF THE ARTICLE

The article is omitted:

a. Before an unmodified predicate noun of nationality, occupation, or profession:

Est-il *Espagnol?*	Is he a Spaniard?
Sa sœur aînée est *actrice.*	Her older sister is an actress.
J'espère devenir *ingénieur.*	I hope to become an engineer.

Note: The article must be used if the predicate noun is modified.

C'est *un ingénieur bien connu.*	He is a well-known engineer.

b. Before nouns in apposition which serve merely to explain:

Rome, *capitale* de l'Italie	Rome, the capital of Italy
Debussy, *grand compositeur* français	Debussy, a great French composer

c. After the exclamatory adjective **quel, quelle, quels, quelles**:

Quelle prune délicieuse!	What a delicious plum!

d. Before the numbers **cent** and **mille**:

cent navires	a hundred ships
mille étoiles	a thousand stars

e. In numerical titles of monarchs:

Henri *Quatre* (Henri IV)	Henry the Fourth
Louis *Quinze* (Louis XV)	Louis the Fifteenth

EXERCICES

A. Compléter la phrase en français:

1. Il est allé chez le coiffeur pour se faire couper _____.
2. Ce vin coûte huit francs _____ bouteille.
3. La plus froide des quatre saisons de l'année est _____.
4. Nous allons à l'école cinq fois _____ semaine.
5. En Italie on parle _____.
6. Il y a _____ ans dans un siècle.
7. Le bleu, le blanc, et _____ sont les couleurs du drapeau français.
8. _____ est la langue officielle des États-Unis.
9. C'est dommage que vous n'ayez jamais fait la connaissance de _____ belle Hélène.
10. _____ mètres font un kilomètre.

B. Traduire en anglais:

1. Les vins français sont les meilleurs.
2. On l'a emmené à la maison jeudi.
3. Le mois passé nous avons dû faire venir le docteur Lebrun.
4. L'argent ne fait pas le bonheur.
5. Louis Quatorze, roi de France, fut le monarque le plus puissant d'Europe.
6. Le dimanche on ne va pas à l'école.
7. C'est combien ce beurre? Je l'ai payé trois francs la livre.
8. Chenonceaux, château célèbre, se trouve sur la Loire.
9. Maurice étudie l'anglais, l'italien, la biologie, les mathématiques, et l'histoire.
10. J'aime marcher dans les rues du vieux Paris.
11. Il voulait être médecin, mais il devint écrivain pour payer ses études.
12. En Tunisie le français est enseigné à l'école primaire.
13. Malgré le froid, j'aime les sports d'hiver.
14. Son visage restera longtemps fixé dans ma mémoire.
15. M. Reynaud, professeur de latin, parle plusieurs langues modernes. Quel homme intelligent!

C. Compléter la phrase en français:

1. You have to lower your head to enter. On doit baisser _____ pour entrer.
2. Martha is very good in Russian. Marthe est très forte _____.
3. Autumn is my favorite season. _____ est ma saison favorite.
4. Is he an American or a Frenchman? Est-il _____ ou _____?
5. Your eyes are blue. Tu as _____ bleus.
6. Children like to play. _____ aiment à jouer.
7. General Washington slept here. _____ dormit ici.
8. Did you see him last week? No, but I'll see him Wednesday. L'avez-vous vu _____? Non, mais je le verrai _____.
9. We have a good time in our French class. Nous nous amusons dans _____.
10. Eggs cost four francs a dozen. _____ coûtent quatre francs _____.

D. Répondre à chaque question par une phrase complète en français:

1. Quelle couleur vous va le mieux?
2. Nommez deux métaux précieux.
3. Êtes-vous poète?
4. Jusqu'à quel jour puis-je garder votre livre?
5. Quelles langues comprenez-vous?
6. Étudiez-vous mieux l'après-midi ou le soir?
7. Quand un élève désire réciter en classe, que fait-il?
8. Quelle saison suit l'été?
9. Lequel préférez-vous: le poisson, la viande, ou le fromage?
10. Combien de fois par jour vous peignez-vous les cheveux?

E. Traduire en français:

1. President Lincoln was a good lawyer.
2. What a lazy boy!
3. In the morning I brush my teeth.
4. Is she at home or in church?
5. We spent a hundred dollars Tuesday.
6. Life is beautiful.
7. Are you a dentist?
8. He answered me in Spanish.
9. King Henry was good to the people.
10. Next year I shall play tennis on Fridays.

2. PLURAL OF NOUNS; FEMININE NOUNS

PLURAL OF NOUNS

The plural of most French nouns is formed by adding **s** to the singular.

SINGULAR	PLURAL
le musée, museum	les musées
l'assiette (*f.*), plate	les assiettes
la pomme, apple	les pommes

Nouns ending in **-s**, **-x**, or **-z** remain unchanged in the plural.

le mois, month	les mois
le prix, price, prize	les prix
le nez, nose	les nez

Other nouns ending in **-s**:

l'**ananas** (*m.*), pineapple	le **colis**, package	le **jus**, juice
l'**autobus** (*m.*), bus	le **corps**, body	le **palais**, palace
l'**avis** (*m.*), opinion	le **dos**, back	le **pardessus**, overcoat
le **bas**, stocking	le **fils**, son	le **pays**, country
le **bois**, wood	la **fois**, time	le **repas**, meal
le **bras**, arm	le **héros**, hero	le **tapis**, rug

Other nouns ending in **-x**:

la **croix**, cross	la **voix**, voice

Nouns ending in **-eau** and **-eu** add **x** to form the plural.
Nouns ending in **-al** change **-al** to **-aux** in the plural.

le drapeau, flag	les drapeaux
le neveu, nephew	les neveux
le métal, metal	les métaux

le bateau, boat	le couteau, knife	l'oiseau (*m.*), bird
le bureau, desk	l'eau (*f.*), water	la peau, skin
le cadeau, gift, present	le gâteau, cake	le rideau, curtain
le chapeau, hat	le manteau, coat, wrap	le tableau, picture
le château, castle	le morceau, piece	le veau, calf

Other nouns ending in -eu:

le cheveu, hair*	le feu, fire	le jeu, game	le lieu, place

* Since **le cheveu** refers to a single hair, the plural **les cheveux** is more commonly used.

Other nouns ending in -al:

l'animal (*m.*), animal	le général, general	le journal, newspaper
le cheval, horse	l'hôpital (*m.*), hospital	

A few nouns ending in -ou add **x** to form the plural.

le bijou, jewel	les bijou*x*
le caillou, pebble	les caillou*x*
le chou, cabbage	les chou*x*
le genou, knee	les genou*x*
le joujou, toy	les joujou*x*

Some nouns have irregular plurals.

le ciel, sky	les *cieux*
l'œil (*m.*), eye	les *yeux*
le travail, work	les *travaux*
madame, Madam, Mrs.	*mesdames*
mademoiselle, Miss	*mesdemoiselles*
monsieur, gentleman, sir, Mr.	*messieurs*

Plurals of frequent compound nouns.

l'après-midi (*m.*), afternoon	les après-midi
le chef-d'œuvre, masterpiece	les chef**s**-d'œuvre
la grand-mère, grandmother	les grand-mère**s**
le grand-père, grandfather	les grand**s**-père**s**
le gratte-ciel, skyscraper	les gratte-ciel
la pomme de terre, potato	les pomme**s** de terre
le rendez-vous, appointment	les rendez-vous
le réveille-matin, alarm clock	les réveille-matin

A few nouns are regularly used in the plural.

les ciseaux (*m.*), scissors   **les mathématiques** (*f.*), mathematics
les lunettes (*f.*), eyeglasses   **les vacances** (*f.*), vacation

FEMININE NOUNS

Some nouns have the same form in the masculine and the feminine.

un (une) artiste, artist	un (une) enfant, child
le (la) concierge, concierge	le (la) malade, patient
un (une) élève, pupil	le (la) touriste, tourist

Some feminine nouns are formed by adding **e** to the masculine.

l'ami	l'ami**e,** friend	l'Espagnol	l'Espagnol**e,** Spaniard
le client	la client**e,** customer	l'étudiant	l'étudiant**e,** student
le cousin	la cousin**e,** cousin	le voisin	la voisin**e,** neighbor

84

Other feminine nouns and their masculine equivalents are:

MASCULINE	FEMININE
l'acteur, actor	l'*actrice,* actress
le bœuf, ox le taureau, bull	la *vache,* cow
le bouc, goat	la *chèvre,* goat
le chat, cat	la *chatte,* cat
le citoyen, citizen	la *citoyenne,* citizen
le comte, count	la *comtesse,* countess
le coq, rooster	la *poule,* hen
le danseur, dancer	la *danseuse,* dancer
le fils, son	la *fille,* daughter
le frère, brother	la *sœur,* sister
le garçon, boy	la *jeune fille,* girl
l'homme, man	la *femme,* woman
le mari, husband	la *femme,* wife
le neveu, nephew	la *nièce,* niece
l'oncle, uncle	la *tante,* aunt
l'ouvrier, worker	l'*ouvrière,* worker
le paysan, peasant	la *paysanne,* peasant
le père, father	la *mère,* mother
le prince, prince	la *princesse,* princess
le roi, king	la *reine,* queen
le vendeur, salesman	la *vendeuse,* saleslady
le vieillard, old man	la *vieille,* old lady
le voyageur, traveler	la *voyageuse,* traveler

Some nouns have two genders, each with a different meaning.

le livre, book	*la* livre, pound
le tour, turn, trip, trick	*la* tour, tower

A few nouns are always feminine, whether applied to a male or a female.

la connaissance, acquaintance   **la personne,** person

Note

A *noun* of nationality is written with a *capital* letter, while an *adjective* of nationality is written with a *small* letter.

Les **Français** aiment la cuisine **française**.   Frenchmen like French cooking.

EXERCICES

A. Mettre au pluriel:

1. le travail
2. le genou
3. le nez
4. l'après-midi
5. le cheveu

6. madame
7. le bateau
8. le rendez-vous
9. le bras
10. l'hôpital

11. la grand-mère
12. l'autobus
13. le morceau
14. la croix
15. le réveille-matin
16. le caillou

B. Donner le mot qui manque:

1. Louis XVI était le _____ de Marie-Antoinette.
2. La sœur de notre cousin est notre _____.
3. Quatre _____ cinq font vingt.
4. Les _____ américain et français ont les trois mêmes couleurs.
5. Je prends trois _____ par jour: le petit déjeuner, le déjeuner, et le dîner.
6. Les fils de mon frère sont mes _____.
7. Les chevaux et les bœufs sont des _____ domestiques.
8. Les bâtiments à très grand nombre d'étages s'appellent des _____.
9. Nous avons fait _____ tour de la ville.
10. L'astronome étudiait les étoiles qui brillaient dans les _____.
11. Le _____ est le mâle de la chèvre.
12. Sait-elle danser? Mais oui, c'est une _____ excellente.
13. Le père de ma mère et le père de mon père sont mes _____.
14. La femme d'un comte s'appelle une _____.
15. Alexandre n'est pas un de mes amis; c'est _____ de mes connaissances.
16. L'arithmétique, l'algèbre, et la géométrie sont des parties des _____.
17. C'est Eiffel qui a bâti _____ célèbre tour de Paris.
18. La femelle du coq est la _____.
19. Avez-vous coupé le papier avec un couteau? Non, je l'ai coupé avec des _____.
20. Le fer, l'or, l'acier, et le cuivre sont des _____ utiles.
21. Les _____ sont les petits de la vache.
22. Elle vient d'acheter _____ livre de café.
23. Jacques est un mauvais étudiant; sa sœur, au contraire, est une bonne _____.
24. Le bridge et la canasta sont des _____ de cartes.
25. M. Charpentier est _____ personne aimable.

C. Écrire la phrase entière au pluriel:

1. Le feu brûle.
2. Connais-tu le monsieur?
3. L'enfant aime le joujou.
4. Il ne veut pas manger la pomme de terre.

5. Où est le corps?
6. L'oiseau vole.
7. La jeune fille a gagné le prix.
8. Voici le chou.
9. Le héros est revenu.

10. Le rideau couvrait la fenêtre.
11. Je regardais le chef-d'œuvre.
12. Le général commande l'armée.

13. Elle cherche le bijou.
14. Entends-tu la voix?
15. J'ai visité le palais.

D. Donner les équivalents féminins des mots en italique:

1. Les *voyageurs* sont sur le point de partir.
2. Elle joue avec *le chat*.
3. Ce n'est qu'*un enfant*.
4. Comment va *l'acteur?*
5. *Le paysan* était dans le champ.
6. Ces *ouvriers* travaillent huit heures par jour.
7. *Le taureau* mange de l'herbe.

8. Vive *le roi!*
9. Où est *le malade?*
10. C'est *un citoyen* des États-Unis.
11. *Le vieillard* mange peu.
12. Est-ce *le prince* qui arrive?
13. L'artiste est *Espagnol*.
14. *Le concierge* ouvrira la porte.
15. Est-ce que *le vendeur* est dans le magasin?

E. Répondre à chaque question par une phrase complète en français:

1. Combien de fils cette femme a-t-elle?
2. Où comptez-vous passer les vacances de Noël?
3. Qui a envoyé tous ces beaux cadeaux aux nouveaux mariés?
4. Quels journaux lisez-vous?
5. Votre père se sert-il de lunettes pour lire?
6. Où sont les plus beaux châteaux de France?
7. Avez-vous les yeux clairs ou foncés?
8. Combien de paires de bas y a-t-il dans cette boîte, mademoiselle?
9. Quels sont les mois de l'année que vous aimez le mieux?
10. Nommez trois lieux intéressants que vous voudriez visiter en France.

Mardi Gras

Le Mardi Gras est le dernier jour du Carnaval. A cette occasion, un grand défilé de chars et de géants en papier mâché a lieu à Nice, où des milliers de personnes célèbrent cette fête.

3. ADJECTIVES: FORMS, AGREEMENT, POSITION

FORMS

a.

SINGULAR		PLURAL		MEANING
MAS.	FEM.	MAS.	FEM.	
étroit	étroite	étroits	étroites	narrow
faible	faible	faibles	faibles	weak
curieux	curieuse	curieux	curieuses	curious
neuf	neuve	neufs	neuves	new
premier	première	premiers	premières	first
gris	grise	gris	grises	gray
égal	égale	égaux	égales	equal

Note

1. The feminine singular of adjectives is regularly formed by adding **e** to the masculine singular. If the masculine already ends in mute **-e,** the feminine is the same: **faible, faible.**

2. The feminine of adjectives ending in **-x, -f,** and **-er** is formed by changing **-x** to **-se,-f** to **-ve,** and **-er** to **-ère**: **curieux, curieuse; neuf, neuve; premier, première.**

3. The plural is regularly formed by adding **s** to the singular. If the masculine singular ends in **-s** or **-x,** the masculine plural is the same: **gris, gris; curieux, curieux.**

4. Most masculine adjectives ending in **-al** in the singular end in **-aux** in the plural: **égal, égaux.**

OTHER FREQUENTLY USED ADJECTIVES

like *étroit:*

allemand, German	**charmant,** charming
américain, American	**chaud,** warm, hot
bleu, blue	**clair,** clear, light (in color)
blond, blond	**content,** glad, pleased
brun, brown	**court,** short
carré, square	**délicat,** delicate
certain, certain	**différent,** different

diligent, industrious
droit, right
espagnol, Spanish
fatigué, tired
foncé, dark
fort, strong
froid, cold
gai, gay
grand, great, large, tall
haut, high
humain, human
intéressant, interesting
joli, pretty
laid, ugly
lent, slow
lourd, heavy
méchant, naughty, wicked, bad

mouillé, wet
noir, black
parfait, perfect
petit, small, little
plein, full
poli, polite
prêt, ready
prochain, next
profond, deep
pur, pure
reconnaissant, grateful
rond, round
seul, alone, only
sourd, deaf
sûr, sure
vert, green
vilain, ugly
vrai, true

like *faible:*

agréable, pleasant
aimable, kind
autre, other
aveugle, blind
bizarre, peculiar, odd
brave, brave, fine
célèbre, famous
chauve, bald
coupable, guilty
difficile, difficult
drôle, funny, odd
énorme, enormous
étrange, strange
facile, easy
fidèle, faithful
gauche, left
grave, serious, solemn
honnête, honest, polite
illustre, illustrious
inutile, useless
jaune, yellow
jeune, young
juste, just, right
large, wide
libre, free

magnifique, magnificent
maigre, thin, lean
malade, sick
mince, thin, slender
moderne, modern
nécessaire, necessary
pâle, pale
pauvre, poor
proche, near
propre, clean, own
rapide, fast, rapid
riche, rich
rose, pink
rouge, red
russe, Russian
sage, wise, well-behaved
sale, dirty
sauvage, wild
semblable, similar
sincère, sincere
timide, timid
triste, sad
utile, useful
vide, empty

like *curieux:*	affreux, frightful	jaloux, jealous
	dangereux, dangerous	joyeux, merry
	délicieux, delicious,	malheureux, unhappy
	delightful	merveilleux, marvelous
	ennuyeux, boring	mystérieux, mysterious
	furieux, furious	paresseux, lazy
	généreux, generous	précieux, precious
	heureux, happy	sérieux, serious

| like *neuf:* | actif, active | vif, lively |
| | attentif, attentive | |

like *premier:*	amer, bitter	fier, proud
	cher, dear, expensive	étranger, foreign
	dernier, last	léger, light (in weight)
	entier, entire, whole	

like *gris:*	anglais, English	français, French
	assis, seated	mauvais, bad
	exquis, exquisite	

like *égal:*	général, general	principal, principal
	loyal, loyal	social, social
	national, national	spécial, special

b. Certain adjectives double the final consonant before adding **e** to form the feminine.

SINGULAR		PLURAL		MEANING
MAS.	FEM.	MAS.	FEM.	
ancien	ancien*ne*	anciens	ancien*nes*	old, ancient, former
bas	bas*se*	bas	bas*ses*	low
bon	bon*ne*	bons	bon*nes*	good
cruel	cruel*le*	cruels	cruel*les*	cruel
épais	épais*se*	épais	épais*ses*	thick
européen	européen*ne*	européens	européen*nes*	European
gentil	gentil*le*	gentils	gentil*les*	nice, kind
gras	gras*se*	gras	gras*ses*	fat
gros	gros*se*	gros	gros*ses*	big, stout
italien	italien*ne*	italiens	italien*nes*	Italian
muet	muet*te*	muets	muet*tes*	silent, mute

pareil	pareil*le*	pareils	pareil*les*	like, similar
parisien	parisien*ne*	parisiens	parisien*nes*	Parisian
quel	quel*le*	quels	quel*les*	what? which? what a!
sot	sot*te*	sots	sot*tes*	foolish, silly
tel	tel*le*	tels	tel*les*	such

c. Irregular adjectives:

SINGULAR		PLURAL		MEANING
MAS.	FEM.	MAS.	FEM.	
blanc	*blanche*	blancs	*blanches*	white
complet	*complète*	complets	*complètes*	complete
doux	*douce*	doux	*douces*	sweet, mild, gentle
faux	*fausse*	faux	*fausses*	false
favori	*favorite*	favoris	*favorites*	favorite
frais	*fraîche*	frais	*fraîches*	fresh, cool
franc	*franche*	francs	*franches*	frank
inquiet	*inquiète*	inquiets	*inquiètes*	uneasy, worried
long	*longue*	longs	*longues*	long
public	*publique*	publics	*publiques*	public
sec	*sèche*	secs	*sèches*	dry
secret	*secrète*	secrets	*secrètes*	secret
tout	toute	*tous*	toutes	all, whole, every
beau (*bel*)	*belle*	beaux	*belles*	beautiful, fine, handsome
fou (*fol*)	*folle*	fous	*folles*	mad, crazy
mou (*mol*)	*molle*	mous	*molles*	soft
nouveau (*nouvel*)	*nouvelle*	nouveaux	*nouvelles*	new
vieux (*vieil*)	*vieille*	vieux	*vieilles*	old

The forms **bel, fol, mol, nouvel,** and **vieil** are used before a masculine singular noun beginning with a vowel or silent **h.**

> un *bel* ouvrage   a fine work
> un *fol* espoir   a mad hope
> le *vieil* hôpital   the old hospital

AGREEMENT

French adjectives agree in gender and number with the nouns or pronouns they modify.

C'était **une nuit** *fraîche.*	It was a cool night.
Ces cerises sont *amères.*	These cherries are bitter.
Ils seront *contents* de partir.	They will be glad to leave.

An adjective modifying two or more nouns of *different* genders is in the masculine plural.

Son fils et **sa fille** sont *intelligents.*	Her son and daughter are intelligent.

Participles used as adjectives agree with the nouns they modify.

Les livres sont-ils *couverts?*	Are the books covered?
C'est **une enfant** *obéissante.*	She is an obedient child.

POSITION

Unlike English adjectives, most descriptive adjectives in French *follow* the noun they modify.

> une porte *secrète*   a secret door
> les vins *blancs*   the white wines

Some short descriptive adjectives that usually precede the noun are:

beau	gentil	jeune	mauvais	vieux
bon	grand	joli	nouveau	vilain
court	gros	long	petit	

Other common adjectives that precede the noun are:

autre, other	**plusieurs,** several	**quelques** (*pl.*), some, a few
chaque, each	**premier,** first	**tel,** such
dernier, last	**quelque,** some	**tout,** all, whole, every

Note: The adjective **tout** precedes the definite article.

toute la maison   the whole house
tous les animaux   every animal

Certain French adjectives have two or more meanings. In their usual position, *after* the noun, they have their literal meaning. *Before* the noun, they have a different meaning.

une coutume *ancienne*	an old (ancient) custom
une *ancienne* coutume	a former custom
un garçon *brave*	a brave boy
un *brave* garçon	a fine (good, worthy) boy
une étoffe *chère*	an expensive material
un *cher* ami	a dear friend (= esteemed, cherished)
la semaine *dernière*	last week (= just passed)
la *dernière* semaine	the last week (of a series)
un auteur *méchant*	a spiteful (wicked, vicious, ill-natured) author
un *méchant* auteur	a bad (pitiful, inept) author
un *méchant* garçon	a bad (naughty) boy
la chose *même*	the very thing
la *même* chose	the same thing
mes gants *propres*	my clean gloves
mes *propres* gants	my own gloves
un homme *seul*	a man alone, a single man (by himself)
le *seul* homme	the only man

EXERCICES

A. Compléter l'expression de la première colonne en employant l'adjectif convenable de la seconde colonne:

1. des bijoux _____   chaque
2. une table _____   tous
3. _____ les Américains   étrangères
4. la _____ fois   chers
5. un _____ arbre   jolies
6. _____ jour   vieil
7. les _____ fleurs   beaux
8. un tapis _____   dernière
9. des langues _____   bleu
10. les _____ meubles   carrée

B. Ecrire au féminin:

1. Les élèves ont été très attentifs.
2. Tu es toujours sérieux.
3. Le concierge était gentil.
4. C'est un touriste européen.
5. Sont-ils complets?
6. Les citoyens seront loyaux.
7. Quels Italiens charmants!
8. Les malades étaient inquiets.
9. Vous êtes trop fier.
10. Il est jeune et franc.

C. Compléter les phrases en anglais:

1. Il l'a écrit de sa propre main. He wrote it with _____.
2. On vient de construire un nouvel immeuble. They have just built _____.
3. Tu es un méchant garçon! You are _____!
4. Je l'ai vu le dernier jour du mois dernier. I saw him _____.
5. L'armée avance comme un seul homme. The army advances as _____.
6. Avez-vous jamais vu une telle plage? Have you ever seen _____?
7. Je peux lire vos pensées mêmes. I can read _____.
8. Quelle nuit affreuse! _____ night!
9. Deux corps ne peuvent occuper le même lieu en même temps. Two bodies cannot occupy _____.
10. Est-ce que le monde entier désire la paix? Does _____ want peace?

D. Donner les formes convenables des adjectifs entre parenthèses:

1. (sec)   la gorge _____; des vins _____
2. (national)   les musées _____; les fêtes _____
3. (gros)   les _____ chiens; ses _____ lunettes
4. (fou)   des chiens _____; elle est _____ de douleur
5. (long)   une _____ vue; les _____ voyages
6. (délicieux)   des parfums _____; une soupe _____
7. (beau)   un _____ appartement; ses _____ dents
8. (pareil)   une chose _____; des animaux _____
9. (gras)   la peau _____; les veaux _____
10. (doux)   la vie _____; des vents _____
11. (épais)   des livres _____; l'herbe _____
12. (vif)   des chevaux _____; une couleur _____
13. (frais)   une douzaine d'œufs _____; les nuits _____
14. (exquis)   Sa robe et son chapeau étaient _____
15. (léger)   Les plumes sont _____.

E. Compléter la phrase en français:

1. Marguerite est diligente, mais sa sœur est _____.
2. Un homme _____ n'a pas de cheveux.
3. Le géant n'était pas faible; il était _____.
4. Elle ne peut pas parler; c'est une enfant _____.
5. Cette histoire n'est pas vraie; elle est _____.
6. Est-ce que la tasse est pleine ou _____?
7. Quelle est la couleur des étoiles du drapeau américain? Elles sont _____.
8. En été les nuits sont courtes; en hiver, elles sont _____.
9. Les plafonds de la maison sont-ils hauts ou _____?
10. L'avenue était large, mais les rues, au contraire, étaient _____.

F. Compléter la phrase en traduisant l'adjectif en italique:

1. *several*   Vous avez fait _____ fautes.
2. *boring*   C'était une conversation _____.
3. *silly*   Tu es très _____, Henriette.
4. *whole*   Ils ont mangé _____ le fromage.
5. *favorite*   Le football est mon sport _____.
6. *a few*   Prêtez-moi _____ francs, s'il vous plaît.
7. *living*   L'anglais est une langue _____.
8. *soft*   Je dors sur un oreiller _____.
9. *secret*   Nous avons assisté à une réunion _____.
10. *jealous*   Sa femme est fort _____.

G. Choisir la réponse convenable entre parenthèses:

1. Une (brave femme, femme brave) est courageuse.
2. Mon (ancien professeur, professeur ancien) n'est plus mon professeur.
3. Un (méchant avocat, avocat méchant) manque de mérite.
4. Tous les deux avaient (les mêmes goûts, les goûts mêmes).
5. Décembre est le (dernier mois, mois dernier) de l'année.
6. Elle a peur d'y entrer à cause du (méchant chien, chien méchant).
7. Un (homme seul, seul homme) n'a pas de compagnie.
8. Mon (chapeau propre, propre chapeau) est celui qui n'est pas sale.
9. Une (maison ancienne, ancienne maison) est très vieille.
10. Un (brave garçon, garçon brave) est honnête et bon.

H. Traduire en français:

1. the very day
2. my dear mother
3. every store
4. the closed window
5. a Parisian dress

6. his only suit
7. the dead leaves
8. the other travelers
9. the cruel sea
10. the principal bridges

4. NUMERALS

CARDINAL NUMBERS

0 zéro	19 dix-neuf	77 soixante-dix-sept
1 un, une	20 vingt	80 quatre-vingts
2 deux	21 vingt et un	81 quatre-vingt-un
3 trois	23 vingt-trois	88 quatre-vingt-huit
4 quatre	30 trente	90 quatre-vingt-dix
5 cinq	31 trente et un	91 quatre-vingt-onze
6 six	34 trente-quatre	99 quatre-vingt-dix-neuf
7 sept	40 quarante	100 cent
8 huit	41 quarante et un	101 cent un
9 neuf	47 quarante-sept	200 deux cents
10 dix	50 cinquante	316 trois cent seize
11 onze	51 cinquante et un	500 cinq cents
12 douze	52 cinquante-deux	580 cinq cent quatre-vingts
13 treize	60 soixante	1.000 mille
14 quatorze	61 soixante et un	1.001 mille un
15 quinze	70 soixante-dix	1.100 mille cent
16 seize	71 soixante et onze	3.000 trois mille
17 dix-sept	75 soixante-quinze	100.000 cent mille
18 dix-huit		

Note

1. The word **et** replaces the hyphen in 21, 31, 41, 51, 61, and 71. In all other compound numbers through 99, the hyphen is used.

2. **Quatre-vingts** and the plural of **cent** drop the **s** before another number.

quatre-*vingts* bateaux	eighty boats
quatre-*vingt*-deux bateaux	eighty-two boats
quatre *cents* mots	four hundred words
quatre *cent* cinquante mots	four hundred fifty words

3. **Cent** and **mille** are not preceded by the indefinite article.

cent mouchoirs	a (one) hundred handkerchiefs
mille fois	a thousand times

4. **Mille** does not change in the plural.

    six *mille* plantes   six thousand plants

5. In French numerals, periods are used where English uses commas: 4.000 (*Fr.*) = 4,000 (*Eng.*)

6. Arithmetic operations:

cinq et six font onze	$5 + 6 = 11$
trois fois quatre font douze	$3 \times 4 = 12$
huit moins cinq font trois	$8 - 5 = 3$

NOUNS OF NUMBER

Certain numerals are used as collective nouns to express a round number. The most frequent are:

une dizaine, about ten	**une centaine,** about a hundred
une douzaine, a dozen	**un millier,** (about) a thousand
une quinzaine, about fifteen	**un million,** a million
une vingtaine, about twenty, a score	**un milliard,** a billion
une cinquantaine, about fifty	

These numerals are followed by **de** before another noun. When used in the plural, these numerals add **s**.

deux douzaines *d'*œufs	two dozen eggs
une centaine *de* vaches	about a hundred cows
des milliers *d'*oiseaux	thousands of birds
un million *d'*habitants	a million inhabitants
trois milliards *de* dollars	three billion dollars

ORDINAL NUMBERS

1st	premier, première	6th	**sixième**	16th	**seizième**
2nd	{ **deuxième** / **second, seconde**	7th	**septième**	17th	**dix-septième**
		8th	**huitième**	20th	**vingtième**
3rd	**troisième**	9th	**neuvième**	21st	**vingt et unième**
4th	**quatrième**	10th	**dixième**	34th	**trente-quatrième**
5th	**cinquième**	11th	**onzième**	100th	**centième**

1. Except for **premier** and **second**, the ordinal numbers are formed by adding -ième to the cardinal numbers. Silent **e** is dropped before -ième.

2. Originally, **second** referred to the second of a series of only two, while **deuxième** referred to the second of more than two. Today, however, this distinction is generally not observed.

3. Observe the **u** in **cinquième** and the **v** in **neuvième**.

4. The final **a** or **e** of the preceding word is not dropped before **huit, huitième, onze,** and **onzième**.

la huitième maison	the eighth house
le onze février	the eleventh of February

5. Cardinals precede ordinals in French.

les *trois premières* semaines	the first three weeks

FRACTIONS

1/2 { la moitié / un demi	1/5 **un cinquième**
1/3 **un tiers**	3/7 **trois septièmes**
1/4 **un quart**	7/8 **sept huitièmes**
3/4 **trois quarts**	1/100 **un centième**

Note

1. Fractions in French are formed as in English, by combining cardinal and ordinal numbers. Only **moitié, tiers,** and **quart** are irregular.

2. **Moitié** is a noun and must have an article. **Demi,** generally used as an adjective, is invariable when used with a hyphen before the noun; otherwise it agrees with its noun.

la moitié de la classe	half the class
une *demi*-bouteille	a half bottle
une bouteille et *demie*	a bottle and a half

TITLES OF RULERS

Charles **Premier** (Charles Ier)	Charles the First
But:	
Henri **Deux** (Henri II)	Henry the Second
Louis **Quatorze** (Louis XIV)	Louis the Fourteenth

Note

Premier is the only ordinal used in numerical titles of rulers; in all other cases, cardinal numbers are used. The definite article is omitted in French.

EXERCICES

A. Écrire en français en toutes lettres:

1. 199
2. $19 - 3 = 16$
3. 861
4. 3/100
5. $41 \times 2 = 82$

6. 12.014
7. $1/4 + 1/3 = 7/12$
8. 7.981
9. $51 + 20 = 71$
10. 1.001.101

B. Traduire en anglais:

1. la seconde moitié du seizième siècle
2. une quinzaine de cravates
3. Philippe Deux
4. la onzième ligne
5. des millions de lecteurs
6. trois quarts d'heure
7. les deux premiers paragraphes
8. une vingtaine d'années
9. deux fois quarante-huit font quatre-vingt-seize
10. plusieurs centaines d'étoiles

C. Compléter en français:

1. Six moins six font _____.
2. Richelieu fut le premier ministre de Louis _____.
3. Il y a _____ secondes dans une minute.
4. Ma sœur a vingt ans. L'année prochaine elle aura _____ ans.
5. Si soixante minutes font une heure, trente minutes font une _____.
6. Septembre est le _____ mois de l'année.
7. Voltaire fut le plus grand philosophe du _____ siècle.
8. Alain avait soixante-dix francs. Son ami, Yves, lui a donné dix francs. Maintenant Alain a _____ francs.
9. Il y a _____ jours en janvier.
10. Charles de Gaulle a été élu le premier président de la _____ République française.

D. Traduire en français les mots en italique:

1. Le pilote descend à *five thousand* pieds.
2. J'ai mangé *half* du pain.
3. Ce palais compte *ninety-one* pièces.
4. *Thousands* de personnes visitaient l'exposition chaque jour.
5. C'était le *twenty-first* anniversaire de la victoire.
6. Elle avait acheté *two dozen* serviettes.
7. *Francis the First* encouragea les lettres et les arts.
8. A-t-il bu *a half bottle* de vin?
9. Non, il a bu *a cup and a half* de thé.
10. On faisait *a hundred ten* kilomètres à l'heure.
11. Donnez-moi *about ten* pêches.
12. Ils étudiaient *the eighth* leçon.
13. On dit qu'il a *a billion* francs.
14. C'est un immeuble moderne de *eleven* étages.
15. Nous avons passé *the first ten days* de nos vacances à la campagne.

E. Répondre à chaque question par une phrase complète en français:

1. Combien font cent et mille?
2. Combien font cent fois mille?
3. Combien de minutes y a-t-il dans quatre heures?
4. Combien d'ans y a-t-il dans cinq siècles?
5. Quel roi de France donna aux protestants la liberté religieuse par l'Édit de Nantes?
6. Combien d'états forment les États-Unis?
7. Combien font cent moins un?
8. Combien de millions y a-t-il dans un milliard?
9. Combien font trois fois vingt-cinq?
10. Combien de mètres y a-t-il dans deux kilomètres?

5. TIME OF DAY; DATES

TIME OF DAY

Quelle heure est-il?	What time is it?
Il est une heure.	It is one o'clock.
Il est neuf heures vingt.	It is twenty after nine.
Il est huit heures et quart.	It is a quarter after eight.
Il est onze heures et demie.	It is half past eleven.
Il est trois heures moins dix.	It is ten (minutes) to three.
Il est deux heures moins un quart.	It is a quarter to two.
Il est midi.	It is twelve o'clock (noon).
Il est minuit.	It is twelve o'clock (midnight).
Il est midi (minuit) et demi.	It is half past twelve.

Note

1. To express time *after* the hour, the number of minutes is added. The word **et** is used only with **quart** and **demi(e)**. To express time *before* the hour, **moins** is used.

2. **Midi** and **minuit** are masculine.

OTHER TIME EXPRESSIONS

à quelle heure?	at what time?
à midi précis	at exactly noon
à cinq heures précises	at five o'clock sharp
trois heures du matin	three o'clock in the morning, 3:00 A.M.
quatre heures de l'après-midi	four o'clock in the afternoon, 4:00 P.M.
sept heures du soir	seven o'clock in the evening, 7:00 P.M.
midi vingt-cinq; minuit et quart	12:25 P.M.; 12:15 A.M.
vers neuf heures	about nine o'clock

un quart d'heure; une demi-heure	a quarter hour; a half hour
Quelle heure est-il à votre montre?	What time is it on your watch?
Ma montre avance (retarde) **de dix minutes.**	My watch is ten minutes fast (slow).

Note

In public announcements, such as timetables, the twenty-four hour system is commonly used, with midnight as the zero hour.

$$00.20 = 12{:}20 \text{ A.M.}$$
$$14 \text{ heures} = 2{:}00 \text{ P.M.}$$
$$20 \text{ h. } 45 = 8{:}45 \text{ P.M.}$$

DATES

LES JOURS DE LA SEMAINE

lundi, Monday	**vendredi,** Friday
mardi, Tuesday	**samedi,** Saturday
mercredi, Wednesday	**dimanche,** Sunday
jeudi, Thursday	

LES MOIS DE L'ANNÉE

janvier, January	**mai,** May	**septembre,** September
février, February	**juin,** June	**octobre,** October
mars, March	**juillet,** July	**novembre,** November
avril, April	**août,** August	**décembre,** December

LES SAISONS DE L'ANNÉE

le printemps, spring	**l'automne,** autumn
l'été, summer	**l'hiver,** winter

Note

1. Days, months, and seasons are all masculine and written with small letters in French.

102

2. To express *in* with months and seasons, **en** is used, except with **printemps**.

en janvier, in January
en juillet, in July
en décembre, in December

en été, in (the) summer
en automne, in (the) autumn
en hiver, in (the) winter

But:

au printemps, in (the) spring

OTHER EXPRESSIONS USING DATES

Quel jour de la semaine est-ce aujourd'hui?
What day of the week is it today?

C'est aujourd'hui vendredi.
Today is Friday.

Ce sera demain samedi.
Tomorrow will be Saturday.

Quel jour (du mois) est-ce aujourd'hui?
Or:

Quel jour (du mois) sommes-nous aujourd'hui?
What is today's date?

C'est aujourd'hui le premier août.
Today is August 1st (the first of August).

Nous reviendrons le onze septembre.
We will return on September 11th.

La bataille eut lieu en mil soixante-six.
The battle took place in 1066.

en dix-neuf cent soixante-dix
in 1970

le quatre juillet, dix-sept cent soixante-seize (le 4 juillet 1776)
July 4, 1776

Elle est née au mois de février.
She was born in the month of February.

il y a huit jours
a week ago

d'aujourd'hui en huit
a week from today

dc dcmain en quinze
two weeks from tomorrow

Note

1. In dates, **le premier** is used for the first day of the month. For all other days, cardinal numbers are used.

2. The English words *on* and *of* are not expressed in French dates.

3. Years are commonly expressed in hundreds, as in English. The word for *one thousand* in dates, if used, is generally written **mil**.

EXERCICES

A. Écrire en français l'heure indiquée:

B. Écrire en français en toutes lettres:

1. 4:30 P.M.
2. about 2:00 A.M.
3. 12:25 A.M.
4. at 1:00 sharp
5. in February
6. on the twelfth of October
7. in the summer
8. April 1, 1923
9. in 1831
10. November 30, 1670

C. Identifier en français:

1. la saison qui commence en septembre
2. le mois qui suit juillet
3. la date de la fête de Noël
4. le milieu de la nuit
5. le mois le plus court
6. le jour après jeudi
7. la plus froide des quatre saisons
8. le jour qui suit le trente et un mai
9. le dixième mois de l'année
10. les deux jours de congé des étudiants français

D. Compléter la phrase en français:

1. J'ai commencé mon travail à onze heures du matin et j'ai travaillé pendant une heure. J'ai fini le travail à _____ précis.

2. Le _____, c'est le Nouvel An.

3. George Washington naquit le _____ 1732.

4. Nous aimons à faire du ski _____ hiver.

5. C'est aujourd'hui mardi. Je vous verrai mardi prochain, c'est-à-dire, d'aujourd'hui _____.

6. Le _____ est le dernier jour de l'année.

7. Le jour qui suit vendredi est _____.

8. _____ est la saison où il fait le plus chaud.

9. Il est vraiment six heures et quart, mais à ma montre il est six heures précises. Ma montre _____ de quinze minutes.

10. Généralement il pleut beaucoup _____ printemps.

E. Répondre à chaque question par une phrase complète en français:

1. A quelle heure vous couchez-vous d'ordinaire?

2. Quels mois ont trente jours?

3. Vers quelle heure dîne-t-on chez vous le dimanche?

4. En quelle année Christophe Colomb arriva-t-il au Nouveau Monde?

5. Quel jour du mois est-ce aujourd'hui?

6. A quelle heure le soleil se lèvera-t-il demain matin?

7. Quelle est la date de la fête nationale de la France?

8. En quel mois commence le printemps?

9. Jusqu'à quelle heure la soirée de votre ami a-t-elle duré?

10. Nicole a quitté l'école à trois heures dix. Elle est arrivée à la maison vingt minutes plus tard. A quelle heure est-elle arrivée chez elle?

F. Traduire en français les mots en italique:

1. Il espère revenir *two weeks from tomorrow*.

2. Il a neigé pendant *a half hour*.

3. Je suis né *in the month of* février.

4. Quel jour de la semaine est-ce aujourd'hui? *Today is Monday*.

5. Les invités sont arrivés à huit heures *in the evening*.

6. Ce sera demain *the eleventh of March*.

7. Nous avons passé *a quarter hour* à causer.

8. J'ai assisté à l'opéra *on Wednesday*.

9. Votre montre *is five minutes fast*.

10. Nous aurions dû venir *a week ago*.

105

6. THE PARTITIVE; OTHER USES OF *DE*

PARTITIVE

The idea of *some* or *any* with a noun is expressed in French by:

---

de + *the definite article* of the noun
du beurre frais	some (any) fresh butter
de la soie	some (any) silk
*de l'*herbe verte	some (any) green grass
des camions	some (any) trucks

---

de, *without the article,* after a negative
Je **n'ai pas** fait *de* fautes.	I didn't make any mistakes. (I made no mistakes.)
Il **n'a guère** *d'*amis.	He has hardly any friends.

---

de, *without the article,* when an adjective precedes a plural noun
de **vieux** souliers	some old shoes
de **longues** rues	long streets

---

de, *with or without the article,* when an adjective precedes a singular noun
*du bon cidre ⎫ *de* bon cidre ⎭	some good cider

*This is the more common form in the spoken language in France today.

Note

1. The words for *some* and *any* must be expressed in French, and must be repeated before each noun even though they are often omitted in English.

Voulez-vous *du* poisson? Non, je préfère *de la* viande et *des* légumes.	Do you want some fish? No, I prefer meat and vegetables.

2. Special cases of the partitive are:

  a. The definite article is retained before an adjective in the plural when the adjective is considered part of the noun.

des jeunes filles	girls
des petits pains	rolls
des petits pois	green peas

  b. After **ne . . . que** (*only*), **de** is used *with the article*, provided there is no adjective preceding the noun.

  Nous **ne** lisons **que *des*** romans.　　We read only novels.

  c. After **sans** (*without*), **ne . . . ni . . . ni** (*neither . . . nor*), and expressions taking **de,** the partitive is omitted.

C'est un livre **sans** images.	It is a book without any pictures.
Nanette **ne** boit **ni** thé **ni** café.	Nancy drinks neither tea nor coffee.
	(Nancy doesn't drink any tea or coffee.)
As-tu besoin **de** billets?	Do you need (any) tickets?

The idea of *some* or *any* is translated by **en** if the noun is omitted. **En,** like personal pronoun objects, precedes the verb, except in affirmative commands.

A-t-il écrit des lettres?	Has he written any letters?
Oui, il *en* a écrit.	Yes, he has written some.
Écrivez-*en*.	Write some.

ADVERBS OF QUANTITY

Certain adverbs expressing quantity are followed by **de,** *without the article,* before a noun.

assez de, enough	**plus de,** more
autant de, as much, as many	**que de,** how much, how many (used only in exclamations)
beaucoup de, much, many	
combien de, how much, how many	**tant de,** so much, so many
moins de, less, fewer	**trop de,** too much, too many
peu de, little, few	

Avez-vous **assez de** temps et d'énergie?	Have you enough time and energy?
Que de fois je l'ai grondé!	How many times I've scolded him!

NOUNS OF QUANTITY

Nouns that show quantity or measure are followed by **de**, *without the article*, before another noun. Some frequent nouns of quantity are:

une boîte, a box	**un morceau,** a piece
une bouteille, a bottle	**un nombre,** a number
une douzaine, a dozen	**une paire,** a pair
une foule, a crowd	**un panier,** a basket
un kilogramme⎫ a kilogram	**un paquet,** a package
un kilo⎭	**un sac,** a bag
un litre, a liter	**une tasse,** a cup
une livre, a pound	**un verre,** a glass
un mètre, a meter	

(See also Nouns of Number, page 97.)

Je dois acheter **une livre de** beurre et **une bouteille de** crème.	I have to buy a pound of butter and a bottle of cream.
Elle m'a envoyé **une** belle **paire de** gants.	She sent me a beautiful pair of gloves.

Note

1. The adverb **bien** (*much, many*) and the noun **la plupart** (*most*) are exceptional. They are followed by **de** *and the definite article*.

Ils ont **bien des** devoirs (= **beaucoup de** devoirs) à faire.	They have much homework to do.
La plupart des élèves réussissent.	Most students succeed.

2. **Plusieurs** (*several*) and **quelques** (*some, a few*) are adjectives and modify the noun directly.

plusieurs affiches	several posters
quelques minutes	a few minutes

3. If the noun is omitted after a word of quantity, the noun must be replaced by the pronoun **en.**

> Combien **de magasins** y a-t-il?   How many stores are there? How
> Combien y **en** a-t-il?   many are there?
> A-t-elle bu **du lait?** Oui, elle **en** a   Did she drink any milk? Yes, she
> bu un verre.   drank a glass.

4. Note the distinction between the use of **de,** in the sense of *containing,* and **à,** in the sense of *designed for.*

> une tasse **de** thé   a cup of tea
> une tasse **à** thé   a teacup

NOUNS OF MATERIAL

Nouns describing the material of which an object is made are preceded by **de** or **en,** *without the article.*

> une pièce **d'or,** a gold coin
>
> un vase **de porcelaine,** a china vase
>
> une porte **de bois,** a wooden door
>
> des bas **de nylon,** nylon stockings
>
> un couteau **en acier inoxydable,** a stainless steel knife
>
> un portefeuille **en cuir,** a leather wallet
>
> des vêtements **en laine,** woolen clothing

Some frequently used nouns of material are:

l'acier (*m.*), steel	la fourrure, fur
l'aluminium (*m.*), aluminum	la laine, wool
l'argent (*m.*), silver	le lin, linen
le bois, wood	le marbre, marble
la brique, brick	le métal, metal
le bronze, bronze	le nylon, nylon
le caoutchouc, rubber	l'or (*m.*), gold
le chocolat, chocolate	la paille, straw
la cire, wax	le papier, paper
le coton, cotton	la pierre, stone
le cristal, crystal	le plastique, plastic
le cuir, leather	le plomb, lead
le cuivre, copper	la porcelaine, porcelain, china
la dentelle, lace	la soie, silk
l'étoffe (*f.*), material, fabric	le verre, glass

POSSESSION AND RELATIONSHIP WITH *DE*

In French, possession and relationship are expressed by the preposition **de** where English generally uses *'s* or *s'*.

les patins *de* Michel	Michael's skates
le bureau *du* directeur	the principal's office
le mari *de* l'actrice	the actress' husband
la grand-mère *des* enfants	the children's grandmother

EXERCICES

A. Compléter les phrases en donnant les formes convenables du partitif:

1. Je vais chercher _____ papier et _____ encre.
2. Il y a toujours _____ bonnes places pour ceux qui désirent travailler.
3. Les abricots et les raisins sont _____ fruits.
4. Ces fromages sont préparés avec _____ bon lait et _____ crème fraîche.
5. Nous n'avons pas encore lu _____ journaux ce matin.
6. Garçon, apportez-nous _____ veau et _____ petits pois.
7. Le père de Théodore possède _____ vieilles maisons de bois dans cette rue.
8. M. Leroux ne portait que _____ complets bleus.
9. _____ belles nappes de lin couvraient les tables.
10. A-t-elle reçu de beaux cadeaux? Oui, elle _____ a reçu.

B. Traduire en anglais:

1. L'espagnol et l'italien sont des langues romanes.
2. Nous avons traversé plusieurs ponts de pierre.
3. Le toit est couvert de neige.
4. Qu'est-ce qui cause le plus grand nombre d'accidents?
5. Elle m'a donné des renseignements utiles.
6. Ce moteur brûle des huiles lourdes sans trace de fumée.
7. Que de feuilles étaient tombées pendant la nuit!
8. Le peintre était entouré d'une foule de gens.
9. Ils l'ont fait pour de très bonnes raisons.
10. La plupart des oiseaux volent.
11. Chaque matin je bois un grand verre de jus d'orange.
12. un chapeau de paille; une montre en acier inoxydable
13. deux kilos de pommes de terre; des centaines de sacs de farine
14. un panier de fruits; des œufs en chocolat
15. le parapluie de M. Duval; bien des auteurs

C. Compléter la phrase en français:

1. Il n'y a plus _____ fleurs dans le jardin.
2. Un orphelin n'a _____ mère _____ père.
3. Ils passent la plupart _____ temps à jouer.
4. Ce marchand a peu _____ clients.
5. Le cuivre et le plomb sont _____ métaux.
6. Marianne a dix francs. Son frère a quinze francs.
   Marianne a _____ francs que son frère.
7. Combien de soie comptez-vous acheter? Je compte
   _____ acheter trois mètres.
8. Le chat a tué bien _____ souris.
9. L'oiseau a-t-il déjà des plumes? Non, c'est un petit
   oiseau sans _____.
10. Yvonne et Julie sont _____ jeunes filles.

D. Traduire en français:

1. Dogs are animals.
2. Do you need any nylon stockings? No, I have enough.
3. Robert's uncle brought a box of candy.
4. I take my tea without sugar.
5. He has few enemies but many friends.
6. Has he only friends?
7. She eats neither meat nor fish.
8. a cotton dress; lace handkerchiefs; as much leather
9. some rolls; a few rolls; several rolls
10. too much soap; little wheat; a bottle of cider

E. Répondre à chaque question par une phrase complète en français:

1. Avez-vous jamais mangé des escargots?
2. Peut-on se passer d'argent?
3. Combien de morceaux de sucre votre père met-il dans son café?
4. Pourquoi a-t-on envoyé cet élève au bureau du directeur?
5. Les femmes préfèrent-elles généralement un manteau de laine ou un manteau de fourrure?
6. Pourquoi la France produit-elle tant de vin?
7. Quel animal domestique nous donne du lait?
8. Aimeriez-vous mieux gagner la médaille d'or ou la médaille d'argent?
9. Combien de livres de beurre votre mère achète-t-elle chaque semaine?
10. Est-ce que la plupart des professeurs de votre école sont des femmes ou des hommes?

Le lac d'Annecy

Quoiqu'il y ait peu de lacs en France, le lac d'Annecy peut rivaliser avec les plus beaux des lacs suisses et italiens. De très jolis villages se trouvent le long des rives de ce lac, situé dans les pittoresques Alpes de la Savoie.

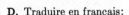

7. COMPARISON OF ADJECTIVES

a. The comparative of inequality is formed by placing **plus** (*more*) or **moins** (*less, not so*) before the adjective. The comparative of equality is formed with **aussi** (*as*). The superlative is expressed by placing the proper form of the definite article before the comparative of inequality.

POSITIVE	COMPARATIVE	SUPERLATIVE
doux, mild	*plus* doux (*que*), milder (than) *moins* doux (*que*), less mild (than), not so mild (as) *aussi* doux (*que*), as mild (as)	*le plus* doux, (the) mildest *le moins* doux, (the) least mild
fatiguée, tired	*plus* fatiguée (*que*), more tired (than) *moins* fatiguée (*que*), less tired (than), not so tired (as) *aussi* fatiguée (*que*), as tired (as)	*la plus* fatiguée (the) most tired *la moins* fatiguée, (the) least tired

Nous sommes *plus* fatigués *que* vous.	We are more tired than you.
Nous sommes *moins* fatigués *que* vous. Nous ne sommes pas *si* fatigués *que* vous.	We are not so tired as you.
Nous sommes *aussi* fatigués *que* vous.	We are as tired as you.
Nous sommes *les plus* fatigués *de* tous.	We are the most tired of all.

b. Comparative and superlative adjectives agree with the noun modified in gender and number. The position of these adjectives, before or after the noun, is generally the same as in the positive.

POSITIVE	une **longue** côte	les lacs **profonds**
COMPARATIVE	une **plus longue** côte	les lacs **plus profonds**
SUPERLATIVE	**la plus longue** côte	les lacs **les plus profonds**

c. A few adjectives have irregular comparisons. **Bon** is always compared irregularly; **mauvais** and **petit** are compared both regularly and irregularly.

POSITIVE	COMPARATIVE	SUPERLATIVE
bon, good	***meilleur,*** better	***le meilleur,*** (the) best
mauvais, bad	plus mauvais ⎫ ***pire*** ⎭ worse	le plus mauvais ⎫ ***le pire*** ⎭ (the) worst
petit, small	plus petit, smaller (in size)	le plus petit, (the) smallest
	moindre, less (in importance)	***le moindre,*** (the) least

d. When a superlative adjective *precedes* its noun, a possessive adjective may be used in place of the article.

sa plus jolie robe	her prettiest dress
nos meilleurs clients	our best customers
But:	
leur voyage *le* plus intéressant	their most interesting trip

e. After a superlative, *in* is translated by **de**.

C'est l'avenue **la plus large** *de* la ville. — That's the widest avenue in the city.

La Seine est le fleuve **le plus navigable** *de* la France. — The Seine is the most navigable river in France.

EXERCICES

A. Compléter la phrase en français:

1. Le mont Blanc est _____ haute montagne de France.
2. C'était le quartier le plus pauvre _____ la ville.
3. Cette eau-ci est plus pure _____ cette eau-là.
4. Le bois est _____ dur que l'acier.
5. Les diamants sont _____ précieux que les perles.
6. Louis et Louise n'ont point d'argent. Louis est _____ pauvre que Louise.
7. Les rhumes sont mauvais mais la pneumonie est encore _____.
8. Est-ce que ce livre est intéressant? En effet, c'est le livre _____ que j'aie jamais lu.
9. Les jeunes filles ne sont pas (so) _____ fortes que les garçons.
10. La richesse est bonne mais le bonheur est même _____.

B. Compléter chaque phrase en traduisant les mots entre parenthèses:

1. (as small as)   Il est à peu près _____ moi.
2. (the youngest in)   Frédéric est _____ la famille.
3. (lower than)   Sa voix est _____ la tienne.
4. (the best)   Les vins français sont _____.
5. (least)   Je n'ai pas la _____ crainte des abeilles.
6. (the most beautiful city)   Paris est _____ de l'Europe.
7. (worse than)   Le remède est _____ la maladie.
8. (not so long as)   Cette leçon-ci est _____ celle-là.
9. (happier than)   Mme Dupont semble toujours _____ son mari.
10. (as attentive as)   Les étudiants sont-ils _____ que possible?
11. (the least difficult)   Est-ce que l'anglais est la langue _____?
12. (better than)   Vos notes sont _____ que les miennes.
13. (sincerest)   C'est mon ami _____.
14. (more worried than)   Son père sera _____ lui.
15. (less useful)   Quel cadeau peut être _____ que celui-ci?

C. Compléter la phrase en anglais:

1. Les montres les plus jolies ne sont pas nécessairement les meilleures.
   The _____ watches are not necessarily _____.
2. Ces fraises-ci ne sont pas si délicieuses que les autres.
   These strawberries _____ the others.
3. On peut voir sur le visage de la Joconde le plus célèbre sourire du monde.
   You can see on the face of the Mona Lisa _____.
4. Je n'en ai pas la moindre idée.
   I haven't _____.
5. Si vous vous servez de cette pâte dentifrice, vos dents seront plus blanches.
   If you use this toothpaste, your teeth _____.
6. Le président porte les plus lourdes responsabilités de la nation.
   The President bears _____.
7. C'est le pire des voleurs.
   He is _____ thieves.
8. La machine la moins chère est-elle celle qui dure le plus longtemps?
   Is the _____ the one that lasts the longest?
9. Est-ce que le palais de Versailles est aussi grand que le Louvre?
   Is the Palace of Versailles _____ the Louvre?
10. Sirius est l'étoile la plus brillante du ciel.
    Sirius is the _____ sky.

D. Répondre à chaque question par une phrase complète en français:

1. Les citrons sont-ils plus doux ou moins doux que les pêches?
2. Quel est le moyen de transport le plus rapide pour voyager des États-Unis en France?
3. Quand portez-vous vos meilleurs vêtements?
4. Fait-il aussi chaud en hiver qu'en été?
5. Votre salle de classe est-elle plus grande, aussi grande, ou moins grande que le salon de votre maison?
6. Quel est le mois le plus court de l'année?
7. Êtes-vous aussi diligent(e) que les autres membres de votre classe?
8. Quelle province française est la plus riche en monuments romains?
9. Trouvez-vous les pièces de théâtre plus intéressantes ou moins intéressantes que les films?
10. Quelle est la planète la plus proche de la Terre?

8. ADVERBS: FORMATION; COMPARISON; POSITION

FORMATION OF ADVERBS FROM ADJECTIVES

a. To form the adverb, **-ment** is added to the masculine singular of an adjective that ends in a vowel.

autre: autre**ment,** otherwise
poli: poli**ment,** politely

utile: utile**ment,** usefully
vrai: vrai**ment,** truly

b. If the masculine singular of the adjective ends in a consonant, **-ment** is added to the feminine singular.

affreux: *aff***reusement,** frightfully
amer: *am***èrement,** bitterly
doux: *doucement,* gently
fou: *follement,* madly

franc: *franchement,* frankly
secret: *secrètement,* secretly
seul: *seulement,* only
tel: *tellement,* in such a manner, so

c. A few adjectives change mute **e** to **é** before adding **-ment.**

aveugle: aveuglé**ment,** blindly
énorme: énormé**ment,** enormously

précis: précisé**ment,** exactly
profond: profondé**ment,** deeply

d. Adjectives ending in **-ant** and **-ent** have adverbs ending in **-amment** and **-emment.**

constant: const**amment,** constantly
évident: évid**emment,** evidently

fréquent: fréqu**emment,** frequently
récent: réc**emment,** recently

Exception—lent: **lentement,** slowly

e. A few adjectives are used in the masculine singular as adverbs.

bas: parler *bas,* to speak low
haut: parler *haut,* to speak loud
bon: sentir *bon,* to smell good

cher: payer *cher,* to pay (for) dearly
droit: aller *droit,* to go straight
dur: travailler *dur,* to work hard

Ne parlez pas si *haut.*
Ces roses sentent *bon.*

Don't speak so loud.
These roses smell good.

f. As a substitute for an adverb, or where no adverb exists, French often uses the expressions **d'une façon** or **d'une manière** with a modifying adjective.

Elle a parlé *d'une façon* charmante.
Il agit *d'une manière* intelligente.

She spoke charmingly.
He acts intelligently.

OTHER COMMON ADVERBS

ailleurs, elsewhere
ainsi, thus, so
alors, then

après, afterwards
assez, enough, quite
aujourd'hui, today

auparavant, before	**maintenant,** now
aussi, also, too	**mal,** badly
aussitôt, immediately	**même,** even
autant, as much	**moins,** less
autrefois, formerly	**parfois,** sometimes
beaucoup, much	**partout,** everywhere
bien, well, very	**peu,** little
bientôt, soon	**peut-être,** perhaps, maybe
cependant, meanwhile	**plus,** more
comme, as	**plutôt,** rather
davantage, more	**près,** near
dedans, inside	**presque,** almost
dehors, outside	**puis,** then
déjà, already	**quelquefois,** sometimes
demain, tomorrow	**si,** so
encore, still, yet, again	**souvent,** often
enfin, at last	**surtout,** especially
ensemble, together	**tant,** so much
ensuite, then, afterwards	**tard,** late
environ, about	**tôt,** soon
exprès, on purpose	**toujours,** always, still
fort, very	**tout,** quite, entirely
hier, yesterday	**très,** very
ici, here	**trop,** too, too much
là, there	**vite,** quickly
loin, far	**volontiers,** willingly
longtemps, a long time	

COMPARISON OF ADVERBS

Adverbs are compared like adjectives, except that the article in the superlative is always **le.**

POSITIVE	fièrement, proudly
COMPARATIVE	*plus* fièrement (*que*), more proudly (than) *moins* fièrement (*que*), less proudly (than), not so proudly (as) *aussi* fièrement (*que*), as proudly (as)
SUPERLATIVE	*le plus* fièrement, (the) most proudly *le moins* fièrement, (the) least proudly

A few adverbs have irregular comparisons.

POSITIVE	COMPARATIVE	SUPERLATIVE
bien, well	*mieux,* better	*le mieux,* (the) best
mal, badly	plus mal ⎱ worse *pis* ⎰	le plus mal ⎱ (the) worst *le pis* ⎰
beaucoup, much	*plus,* more	*le plus,* (the) most
peu, little	*moins,* less	*le moins,* (the) least

Note

1. Some English adverbs have the same form as the corresponding adjectives: *better, best, worse, worst, little.* In translating into French, it is important to distinguish between the adjective and the adverb.

   Mon cahier n'est pas *meilleur* que le vôtre.

   My notebook is not better than yours.

   Vous lisez *mieux* que moi.

   You read better than I.

2. Before numerals, *than* is expressed by **de.**

   Nous avons dépensé plus *de* cent francs.

   We spent more than a hundred francs.

3. *Most,* in the sense of *very, extremely,* is often translated by the adverbial expression **on ne peut plus.**

   Cette histoire est *on ne peut plus* intéressante.

   This story is most interesting.

POSITION OF ADVERBS

An adverb modifying a verb in a simple tense is usually placed directly after that verb.

Il prononce *distinctement* ses paroles.

He pronounces his words distinctly.

In compound tenses, the position of the adverb varies. Most adverbs, especially long ones and adverbs of time and place, generally follow the past participle. A few common ones, such as **bien, mal, souvent, toujours, déjà,** and **encore,** as well as the adverbs of quantity, usually precede the past participle.

117

Le médecin est venu *immédiate-*
ment hier.

Nous avions *beaucoup* dormi ce
jour-là.

The doctor came immediately
yesterday.

We had slept a great deal that day.

EXERCICES

A. Donner l'adverbe correspondant:

1. complet
2. poli
3. actif
4. fou
5. évident

6. profond
7. doux
8. vrai
9. dernier
10. mauvais

11. sec
12. constant
13. timide
14. précis
15. sérieux

B. Donner le contraire de:

1. beaucoup
2. ici
3. dedans
4. rarement
5. pis
6. rapidement
7. le moins
8. tristement

Donner un synonyme de:

9. aussitôt
10. davantage
11. rapidement
12. très
13. souvent
14. parfois
15. d'une manière cruelle

C. Traduire en anglais:

1. Allez tout droit. L'hôtel est plus loin, près de la poste.
2. Quand je travaillais dur, je mangeais énormément.
3. Il me semble que bientôt tous les paysans porteront des souliers de cuir plutôt que des sabots.
4. Cette nuit-là il a beaucoup toussé.
5. Il a fallu à l'artiste moins de six mois pour achever le portrait.

6. Tu as perdu ma montre d'or! Elle valait très cher.
7. L'acteur avait joué son rôle d'une façon magnifique.
8. Elle croit que la Touraine est une région on ne peut plus charmante.
9. Ils avaient longtemps suivi le fleuve.
10. Quoique mon père soit toujours assez fort, il ne joue plus au tennis comme auparavant.

D. Traduire en français:

1. usefully, more usefully, most usefully
2. more proudly than, not so proudly as
3. as bitterly as, least bitterly
4. much, more, most
5. too late, so blindly
6. less easily than, as secretly as
7. everywhere, elsewhere
8. more than eleven, less than you
9. meanwhile, together
10. almost always, formerly

E. Répondre à chaque question par une phrase complète en français:

1. Où faites-vous généralement vos devoirs?
2. Comment le malade a-t-il dormi hier soir?
3. Quelle langue écrivez-vous mieux, le français ou l'anglais?
4. M'as-tu toujours dit la vérité?
5. Pourquoi cet homme parle-t-il si bas?
6. Vous êtes-vous levé(e) volontiers ce matin?
7. Est-ce que les invités sont déjà arrivés?
8. Quel membre de votre famille chante le mieux?
9. Pourquoi n'êtes-vous pas encore partis?
10. Avez-vous entendu distinctement tout ce que le professeur a dit?

F. Traduire en français les mots en italique:

1. Nous sommes *a little* fatigués.
2. *They often walk* dans le parc.
3. Ces fleurs *smell good;*
4. Parlez *louder;* je ne peux pas vous entendre.
5. Personne n'a souffert *more than* lui.
6. On dit qu'elle est *dangerously* malade.
7. Vous y trouverez un choix de *more than* huit modèles.
8. Dites-moi *frankly* ce que vous en pensez.
9. Je ne l'ai pas vue *recently.*
10. Ils écoutent toujours *as attentively as* possible.

Danses régionales

Malgré la pénétration des danses modernes dans toutes les régions de la France, les danses folkloriques sont encore très en vogue.

9. POSSESSIVE ADJECTIVES AND PRONOUNS

POSSESSIVE ADJECTIVES

SINGULAR		PLURAL	MEANING
MAS.	FEM.	MAS. & FEM.	
mon	ma	mes	my
ton	ta	tes	your (*fam.*)
son	sa	ses	his, her, its
notre	notre	nos	our
votre	votre	vos	your
leur	leur	leurs	their

Note

1. Possessive adjectives, like other adjectives, agree in gender and number with the nouns they modify. They must be repeated before each noun.

   mes caoutchoucs et *mon* parapluie   my rubbers and umbrella
   sa tante et *son* oncle   his aunt and uncle

2. The forms **mon, ton,** and **son** are used instead of **ma, ta,** and **sa** before a feminine singular noun beginning with a vowel or silent **h.**

   > *mon i*dée, my idea
   > *ton a*dresse, your address
   > *son h*abitude, his habit

3. If it is necessary to distinguish between *his* and *her* for the sake of clarity, **à lui** or **à elle** are added.

   C'est **sa** clef *à lui*.   It is *his* key.
   Avez-vous pris **ses** gants *à elle?*   Have you taken *her* gloves?

4. With parts of the body, the possessive adjective is frequently replaced by the definite article if the possessor is clear.

   Je me suis coupé *le* doigt.   I cut my finger.
   Il avait un livre sous *le* bras.   He had a book under his arm.

POSSESSIVE PRONOUNS

SINGULAR		PLURAL		MEANING
MAS.	**FEM.**	**MAS.**	**FEM.**	
le mien	la mienne	les miens	les miennes	mine
le tien	la tienne	les tiens	les tiennes	yours (*fam.*)
le sien	la sienne	les siens	les siennes	his, hers, its
le nôtre	la nôtre	les nôtres	les nôtres	ours
le vôtre	la vôtre	les vôtres	les vôtres	yours
le leur	la leur	les leurs	les leurs	theirs

Note

1. The possessive pronoun replaces a possessive adjective and a noun. The pronoun agrees in gender and number with the noun it replaces.

> Ma **voiture** est dans le garage. Où est *la vôtre?*
>
> My car is in the garage. Where is yours?
>
> Vos **souliers** sont plus foncés que *les siens.*
>
> Your shoes are darker than his.

2. The definite article, a regular part of the possessive pronoun, contracts with the prepositions **à** and **de** in the usual way.

> à nos fils et *aux* leurs
>
> to our sons and theirs
>
> de son voyage et *du* mien
>
> of his trip and mine

3. To express simple possession after **être**, **à** is used with a disjunctive pronoun. The possessive pronoun is used after **être** to indicate distinction.

> Cette montre est *à moi.*
>
> That watch is mine (belongs to me).
>
> Cette montre est *la mienne,* pas *la vôtre.*
>
> That watch is mine, not yours.

4. Note the French equivalents for "a . . . of mine," "a . . . of his."

> *un de mes amis,* a friend of mine
> *un de ses cousins,* a cousin of his
> *une de leurs voisines,* a neighbor of theirs

EXERCICES

A. Mettre au singulier:

1. mes chaussettes
2. vos colis
3. tes amies
4. leurs bicyclettes
5. mes études

6. ses tasses
7. nos chevaux
8. tes valises
9. ses histoires
10. mes billets

B. Compléter chaque phrase avec la forme convenable de l'adjectif possessif:

Exemple: *Nous* avons fait *nos* devoirs.

1. Le tailleur a pris les mesures de _____ client.
2. Les femmes n'ont pas encore fini _____ thé.
3. Avez-vous amené _____ enfants à la plage?
4. Je voudrais vivre _____ propre vie.
5. Nous avons fermé la porte de _____ maison.
6. Fais-tu _____ dernière année d'études?
7. J'ai dit bonjour en enlevant _____ chapeau.
8. Ils veulent vendre _____ tableaux.
9. Ne jouez pas avec _____ santé.
10. Mme Leroux va repasser _____ robes.

C. Remplacer les mots en italique par un pronom possessif:

1. Où sont *tes gants?*
2. Pierre a oublié *sa brosse à dents.*
3. Donnez-moi *mes clefs.*
4. *Leur tristesse* est émouvante.
5. Suivez *mon exemple.*

6. Parliez-vous *de nos parents?*
7. *Son rhume* est affreux.
8. J'admire *ta confiance.*
9. Ont-ils retrouvé *leurs livres?*
10. *Ses habits* sont devenus trop petits.

D. Traduire en français les mots en italique:

1. *Her son and daughter* sont très intelligents.
2. Tout à coup, il a levé *his head.*
3. Ils ont visité *your apartment and ours.*
4. A qui sont ces fleurs? Elles sont *mine.*
5. Ces cravates sont *ours,* pas les leurs.

6. Je vais me laver *my hands.*
7. C'est son cahier *his,* pas à elle.
8. Nous parlons souvent de nos voyages et *of yours.*
9. Marie est *a neighbor of ours.*
10. Pensez-vous à leur avenir ou *yours?*

E. Répondre à chaque question par une phrase complète en français:

1. Quand ferme-t-on d'ordinaire les yeux?
2. Est-ce que Gérard est un de tes amis?
3. Qu'avez-vous à la main?
    Dans chacune des réponses suivantes, employer un pronom possessif:
4. Se rend-il compte de ses propres erreurs?
5. Ont-ils déjà pris leur dîner?
6. Si je réponds à tes lettres, répondras-tu aux miennes?
7. Se souviendront-ils de mon adresse?
8. Ont-ils assisté aux classes du nouveau professeur?
9. Avez-vous vu mes lunettes de soleil?
10. Puis-je me servir de votre stylo à bille?

10. GEOGRAPHICAL EXPRESSIONS

The definite article is used with names of countries, continents, provinces, mountains, and bodies of water, but *not* with names of cities.

Les Pyrénées séparent *la France* de *l'Espagne.*	The Pyrenees separate France from Spain.
Parlez-vous de *l'Asie* ou de *l'Afrique?*	Are you speaking of Asia or Africa?
La Seine passe par *la Normandie.*	The Seine passes through Normandy.
Londres est la capitale de *l'Angleterre.*	London is the capital of England.
La Loire se jette dans *l'Atlantique.*	The Loire empties into the Atlantic.
Cherbourg se trouve sur *la Manche.*	Cherbourg is on the English Channel.

PREPOSITIONS WITH PLACE NAMES

To express *to* or *in* with place names:

en	*feminine* { countries / continents / provinces	*en* Suisse, to (in) Switzerland *en* Amérique, to (in) America *en* Bourgogne, to (in) Burgundy
au, aux	*masculine* countries	*au* Mexique, to (in) Mexico *aux* États-Unis, to (in) the United States
dans + def. art.	*modified* { countries / continents	*dans la* belle France, in beautiful France *dans l'*Amérique du Sud, in South America
à	cities	*à* Bruxelles, to (in) Brussels

Avez-vous jamais été *en* Suisse?	Have you ever been in Switzerland?
Nous allons *au* Mexique.	We are going to Mexico.

Ils demeurent **dans l'**Amérique du Sud.	They live in South America.
J'ai passé huit jours **à** Bruxelles.	I spent a week in Brussels.

To express *from* with place names:

de	*feminine* { countries continents provinces	**de** Suisse, from Switzerland **d'**Amérique, from America **de** Bourgogne, from Burgundy
de + def. art.	*masculine* countries *modified* { countries continents	**du** Mexique, from Mexico **de la** belle France, from beautiful France **de l'**Amérique du Sud, from South America
de	cities	**de** Bruxelles, from Brussels

Ces produits viennent **de** Suisse et **du** Mexique.	These products come from Switzerland and Mexico.
Elle était arrivée **de l'**Amérique du Sud.	She had arrived from South America.
Le train part **de** Bruxelles.	The train leaves from Brussels.

Note

1. With *masculine* countries, the definite article is always used.
2. A few cities always have a definite article in French, since the article is part of the name.

	le **Havre,** Havre	*la* **Nouvelle-Orléans,** New Orleans
to, in:	*au* **Havre**	*à la* Nouvelle-Orléans
from:	*du* **Havre**	*de la* Nouvelle-Orléans

FEMININE COUNTRIES, CONTINENTS, PROVINCES

l'Algérie, Algeria
l'Allemagne, Germany
l'Angleterre, England
l'Argentine, Argentina
l'Autriche, Austria
la Belgique, Belgium
la Chine, China
l'Écosse, Scotland

l'Espagne, Spain
la France, France
la Grande-Bretagne, Great Britain
la Grèce, Greece
la Hongrie, Hungary
l'Inde, India
l'Irlande, Ireland
l'Italie, Italy

124

la **Norvège**, Norway   la **Suède**, Sweden
la **Pologne**, Poland   la **Suisse**, Switzerland
la **Roumanie**, Rumania   la **Tunisie**, Tunisia
la **Russie**, Russia   la **Turquie**, Turkey

l'**Afrique**, Africa   l'**Alsace**, Alsace
l'**Amérique**, America   la **Bourgogne**, Burgundy
l'**Amérique du Nord**, North America   la **Bretagne**, Brittany
l'**Amérique du Sud**, South America   la **Champagne**, Champagne
l'**Asie**, Asia   la **Corse**, Corsica
l'**Australie**, Australia   la **Flandre**, Flanders
l'**Europe**, Europe   la **Lorraine**, Lorraine
     la **Normandie**, Normandy
     la **Provence**, Provence

MASCULINE COUNTRIES

le **Brésil**, Brazil   le **Maroc**, Morocco
le **Canada**, Canada   le **Mexique**, Mexico
le **Chili**, Chile   le **Pakistan**, Pakistan
le **Danemark**, Denmark   les **Pays-Bas**, the Netherlands
les **États-Unis**, the United States   le **Pérou**, Peru
le **Japon**, Japan   le **Portugal**, Portugal

MOUNTAINS AND WATERWAYS

les **Alpes** (*f.*), the Alps   la **Loire**, the Loire
le **Jura**, the Jura Mountains   le **Rhin**, the Rhine
les **Pyrénées** (*f.*), the Pyrenees   le **Rhône**, the Rhone
les **Vosges** (*f.*), the Vosges Mountains   la **Seine**, the Seine
le **mont Blanc**, Mount Blanc   la **Manche**, the English Channel
la **Garonne**, the Garonne River   la **mer Méditerranée**, the Mediterranean Sea

EXERCICES

A. Compléter la phrase en français:

1. Un de mes amis, qui voyage _____ Europe, m'a envoyé un cadeau _____ Normandie.
2. Athènes est la capitale de _____.
3. Les Polonais demeurent _____ Pologne; les Danois, _____ Danemark.
4. Philadelphie est _____ l'Amérique du Nord.
5. _____ Rhône se jette dans la _____ près de Marseille.
6. L'avion a volé _____ Turquie en Israël.
7. Nous autres Américains, nous demeurons _____ Amérique.
8. Quand vos parents sont-ils revenus _____ Pérou?
9. Né _____ Genève, il a quitté _____ Suisse à l'âge de seize ans pour faire ses études _____ Grenoble, _____ France.
10. Ce paquebot vient _____ Havre.

B. Traduire en français:

1. Mexico, in Mexico, from Mexico
2. Brittany, in Brittany, from Brittany
3. to Spain, in beautiful Spain
4. from Italy, from the United States
5. in Bordeaux, from New Orleans
6. in Havre, from Strasbourg
7. from Australia, from South America
8. the Garonne River, the Pyrenees
9. to Belgium, in the Netherlands
10. from Canada, in Japan

C. Compléter la phrase en anglais:

1. Le Maroc et la Tunisie sont des pays de l'Afrique du Nord. _____ are countries _____.
2. La reine d'Angleterre demeure à Londres. _____ lives _____.
3. Pour aller en Suède, ils ont dû traverser la Norvège. To go _____, they had to cross _____.
4. Le Jura forme une frontière naturelle entre la France et la Suisse. _____ a natural frontier between _____.
5. Ils voyagent souvent dans l'Europe méridionale. They often travel _____.
6. La Hongrie et la Roumanie se trouvent derrière le "rideau de fer." _____ are behind the Iron Curtain.
7. L'Écosse est la partie nord de la Grande-Bretagne. _____ is the northern part _____.
8. On produit des vins excellents en Champagne et en Bourgogne. Excellent wines are produced _____.
9. L'Inde, le Pakistan, et la Chine sont en Asie. _____ are _____.
10. La capitale de la Russie est Moscou. The capital _____.

D. Traduire en français les mots entre parenthèses:

1. (in Italy) — Depuis quand sont-ils _____?
2. (Corsica) — Elle est partie pour _____.
3. (from Lorraine) — Ces ouvriers viennent-ils _____?
4. (of Spain) — J'ai admiré la beauté _____.
5. (in the United States) — Le diplomate étranger va passer du temps _____.
6. (The English Channel) — _____ se trouve entre la France et l'Angleterre.
7. (from Portugal) — Nous arrivons _____.
8. (in New Orleans) — Il y a beaucoup de bons restaurants _____.
9. (of North America) — Je viens de lire un livre sur l'histoire _____.
10. (in Rouen) — Sont-ils toujours _____?
11. (of Japan) — On attendait l'arrivée de l'empereur _____.
12. (to Brazil) — Le voyage l'a amené _____.
13. (of the Seine) — Je m'amuse à flâner sur les quais _____.
14. (from the Netherlands) — Cette porcelaine est importée directement _____.
15. (to Ireland) — Comptez-vous aller _____ le mois prochain?

E. Répondre à chaque question par une phrase complète en français:

1. Quelles montagnes se trouvent en Alsace?
2. Quelle est la capitale de la Belgique?
3. Nommez deux produits que nous importons d'Europe.
4. Dans quelle province française trouve-t-on beaucoup de monuments romains?
5. Quelles deux langues parle-t-on au Canada?
6. Dans quel continent faut-il aller pour visiter l'Argentine et le Chili?
7. Avez-vous jamais été en Autriche?
8. Quel fleuve forme une frontière entre la France et l'Allemagne?
9. Dans quelle ville a-t-on signé la Charte de l'O.N.U. (l'Organisation des Nations Unies)?
10. Quel est le sommet le plus élevé des Alpes?

11. PERSONAL OBJECT PRONOUNS

DIRECT OBJECT PRONOUNS	
me (m'), me	**nous,** us
te (t'), you (*fam.*)	**vous,** you
le (l'), him, it	
la (l'), her, it	**les,** them
se (s'),* himself, herself	**se** (s'), themselves

* For the complete set of reflexive pronouns, see Verb Lesson 8.

INDIRECT OBJECT PRONOUNS	
me (m'), (to) me	**nous,** (to) us
te (t'), (to) you (*fam.*)	**vous,** (to) you
lui, (to) him	
lui, (to) her	**leur,** (to) them
se (s'), (to) himself, (to) herself	**se** (s'), (to) themselves

a. Personal object pronouns, direct and indirect, are placed immediately before the verbs of which they are the object (except in affirmative commands).

Je *vous* comprends.	I understand you.
Lui a-t-il téléphoné?	Did he telephone her?
Elle ne *se* lève pas tard.	She does not get up late.
Vous devez *le* lire.	You must read it.

Note: **Voici** and **voilà** take a direct object pronoun.

Nous voici. *La* voilà.	Here we are. There she is.

b. In the *affirmative imperative* only, the object pronoun is placed *directly after* the verb and linked to it by a hyphen. The pronouns **me** and **te** change to **moi** and **toi** after the verb.

AFFIRMATIVE IMPERATIVE	
Aidez-*moi*.	Help me.
Dépêche-*toi*.	Hurry.
Buvez-*la*.	Drink it.
Répondons-*leur*.	Let us answer them.

NEGATIVE IMPERATIVE	
Ne *m'*aidez pas.	Do not help me.
Ne *te* dépêche pas.	Don't hurry.
Ne *le* buvez pas.	Do not drink it.
Ne *leur* répondons pas.	Let's not answer them.

Note

1. The verbs **écouter** (*listen to*), **regarder** (*look at*), **chercher** (*look for*), **attendre** (*wait for*), **demander** (*ask for*), and **payer** (*pay for*) take a direct object in French.

*L'*écoutez-vous?	Are you listening to him?
Attendons-*les*.	Let us wait for them.

2. The verbs **répondre** (*answer*), **obéir** (*obey*), and **désobéir** (*disobey*) take an indirect object in French.

Nous *lui* avons répondu.	We answered her.
Ne *leur* désobéissez pas.	Do not disobey them.

Reminder: Past participles of verbs conjugated with **avoir** and of *reflexive* verbs agree in gender and number with the *preceding direct object* (if there is one). (See Verb Lesson 9.)

Il **les** a regardé*s*.	He looked at them.
Elles **se** sont fâché*es*.	They got angry.

THE PRONOUN *Y*

The pronoun **y** always refers to things or places. It generally replaces **à** + noun, but may also replace other prepositions of position, such as **chez, dans, en, sous,** or **sur** + noun.

In English, **y** most commonly means *to it* (*them*), *in it* (*them*), *on it* (*them*), and *there* (when the place has already been mentioned). Sometimes the equivalent is not expressed in English.

Allez-vous **à la blanchisserie?** Oui, j'**y** vais.
Are you going to the laundry? Yes, I am (going there).

Répondez **à sa carte.** Répondez-**y.**
Answer his card. Answer it.

Les allumettes sont-elles **dans la boîte?** Oui, elles **y** sont.
Are the matches in the box? Yes, they are (in it).

Quel temps fait-il **en France?** Il **y** fait doux.
How is the weather in France? It is mild there.

THE PRONOUN *EN*

The pronoun **en** replaces **de** + noun, and generally refers to things. It is usually translated into English by *some, any, of it* (*them*), *from there.*

En is always expressed in French, even though its equivalent may not be expressed in English. **En** must be used when the noun is omitted after a number, an adverb or noun of quantity, or an idiom requiring **de.**

Voici **des framboises.** *En* voulez-vous?
Here are some raspberries. Do you want some?

Elle n'**en** a pas acheté.
She didn't buy any. (She bought none.)

N'**en** parlons plus.
Let's not speak of it any more.

Vient-il **de la ville?** Oui, il **en** vient.
Does he come from the city? Yes, he does (come from there).

Je cherche un taxi. *En* voilà un.
I'm looking for a taxi. There's one.

Avez-vous **de la monnaie?** Oui, j'**en** ai assez.
Have you any change? Yes, I have enough (of it).

Qui se sert **de cette plume?** Moi, je m'**en** sers.
Who is using this pen? I am.

Note

1. Like personal pronoun objects, **y** and **en** regularly precede the verb, except in the affirmative imperative, where they follow.

Ils **y** seront. Allons-**y**. They will be there. Let's go there.

N'**en** avez-vous pas? Prenez-**en**. Don't you have any? Take some.

2. There is no agreement of the past participle with a preceding **en**.

A-t-elle reçu des lettres? Non, elle Has she received any letters? No,
n'**en** a pas **reçu**. she hasn't.

EXERCICES

A. Copier chaque phrase en remplaçant les mots en italique par un pronom:

Exemple: Nous parlions *au médecin.* Nous lui parlions.

1. Avez-vous fermé *la porte?*
2. Mettez *les fleurs* sur la table.
3. Voici *votre montre.*
4. Qui a donné le jouet *au bébé?*
5. Ne voulez-vous pas prendre *des raisins?*
6. Cherchez *la femme.*
7. Vont-ils souvent *au cirque?*
8. L'enfant ne voulait pas boire *le lait.*
9. J'ai mangé la moitié *de l'orange.*
10. N'écoutez-vous jamais *ce programme?*
11. Répondons *à leurs lettres.*
12. Ne montre pas la photo *à Berthe.*
13. A-t-on payé *les billets?*
14. Ont-ils attrapé plusieurs *lapins?*
15. Dis *à nos amis* que nous arriverons en retard.

B. Écrire le pronom qui manque:

1. Qui étudie le russe? Les meilleurs élèves _____ étudient.
2. Étant fatiguée, elle _____ est assise sur le canapé.
3. Est-il content de ces cravates? Oui, il _____ est très content.
4. Où sont les fourchettes? _____ voilà.
5. Je ne vais pas à la campagne aujourd'hui. Il _____ fait trop froid.
6. Ce thé vient-il de Chine? Oui, il _____ vient.
7. Dépêche- _____, Maurice; nous devons partir tout de suite.
8. Où vous êtes-vous promené? Je _____ suis promené autour du lac.
9. Vous servez-vous du Guide Michelin? Oui, nous nous _____ servons.
10. Nous avez-vous reconnus? Non, je ne _____ ai pas reconnus.
11. Donnez-moi du bœuf. Combien _____ voulez-vous?
12. Si vous retrouvez mon crayon, gardez- _____.
13. Seront-ils chez eux ce soir? Oui, ils _____ seront.
14. Est-ce que tu m'appelles, maman? Non, je ne _____ appelle pas.
15. Obéit-il à ses parents? Bien entendu, il _____ obéit.

DOUBLE OBJECT PRONOUNS

Double object pronouns, like single object pronouns, are placed directly before the verb, except in the affirmative imperative.

ORDER OF OBJECT PRONOUNS BEFORE THE VERB

me					
te	le (l')				
se	la (l')	lui	y	en	VERB
nous	les	leur			
vous					

Ils *me la* vendent.	They sell it to me.
Je vais *le lui* montrer.	I'm going to show it to him.
Leur en avez-vous prêté?	Have you lent them any?
Nous *les y* avons rencontrés.	We met them there.
Il *y en* a plusieurs.	There are several.

Suggestion to the student: Memorize the following frequent combinations:

me le, me la, me les	*But:*
te le, te la, te les	le lui, la lui, les lui
nous le, nous la, nous les	le leur, la leur, les leur
vous le, vous la, vous les	

In the *affirmative imperative,* the object pronouns *follow* the verb and are connected to it, and to each other, by hyphens. The direct object precedes the indirect.

ORDER OF OBJECT PRONOUNS AFTER THE VERB
(AFFIRMATIVE IMPERATIVE)

	Direct	Indirect		
VERB	-le -la -les	-moi -toi -lui -nous -vous -leur	-y	-en

Envoyez-*le-moi.*	Send it to me.
Montrons-*les-lui.*	Let's show them to him.
Attendez-*nous-y.*	Wait for us there.

Note

The combinations **moi** + **en** and **toi** + **en** become **m'en** and **t'en**.

Prêtez-*m'en.*	Lend me some.
Va-*t'en.*	Go away.

EXERCICES

A. Mettre à la forme affirmative:

1. Ne la lui vendez pas.
2. Ne nous les envoyez pas.
3. Ne t'en va pas.

4. Ne me la dites pas.
5. Ne les leur rendons pas.

B. Copier les phrases en remplaçant les mots en italique par des pronoms:

Exemple: Passez *le sucre à Henri.* Passez-le-lui.

1. L'agent a arrêté *le voleur dans la rue.*
2. Lisez *ce conte aux enfants.*
3. Je te félicite *de tes notes excellentes.*
4. La domestique nous a apporté *les haricots verts.*
5. Envoyons-lui *son cadeau.*
6. Le journaliste se souvient-il *de la question?*
7. Porte *ces livres à la bibliothèque.*
8. Voulez-vous bien me réciter *le poème?*
9. La Garonne se jette *dans l'océan Atlantique.*
10. Donnez-nous un demi-kilo *de beurre.*

C. Traduire en français:

1. Lend it to me.
2. Do not lend them to her.
3. I will lend them to you.
4. Do not lend them any.
5. Aren't there any?

6. Lend him some.
7. I cannot lend you any.
8. Lend them to us.
9. Do not lend it to us.
10. I lent them to you (*fam.*).

D. Répondre aux questions suivantes par des phrases complètes en français. Dans les réponses, remplacer les mots en italique par des pronoms:

1. Avez-vous offert *du pain au mendiant?*
2. Le professeur enseignera-t-il *la biologie à ces étudiants?*
3. Qui a accompagné *vos amis en France?*
4. Combien *de timbres* vous a-t-il empruntés?
5. Quand allez-vous m'expliquer *le problème?*
6. Y a-t-il assez *d'argent* pour réaliser le projet?
7. Messieurs, voulez-vous que je vous écrive *ma réponse?*
8. Qui a donné *le pourboire au garçon?*
9. Depuis quand m'attendais-tu *dans la salle d'attente?*
10. Quand vous enverra-t-on *les chapeaux*, madame?

12. RELATIVE PRONOUNS

The most frequent relative pronouns are:

qui, *who, which, that:* subject of a verb; used for both persons and things

Où est l'enfant *qui* s'est fait mal?	Where is the child who hurt himself?
Le français est une langue *qui* nous plaît.	French is a language that pleases us.

que (qu'), *whom, which, that:* direct object of a verb; used for both persons and things

C'est l'actrice *que* nous avons vue hier soir.	She is the actress (whom) we saw last night.
Voici les phrases *qu'*il a traduites.	Here are the sentences (that) he translated.

qui, *whom:* object of a preposition; used only for persons

Philippe est l'ami avec *qui* j'étudie.	Philip is the friend with whom I study.
L'homme à *qui* vous parliez est millionnaire.	The man to whom you were speaking is a millionaire.

lequel (*mas. sing.*)
laquelle (*fem. sing.*)
lesquels (*mas. plur.*)
lesquelles (*fem. plur.*)   *which:* object of a preposition; used principally for things

C'est la porte par *laquelle* il est sorti.	That's the door through which he left.
Voici le bureau sur *lequel* j'ai laïssé mes lunettes.	Here is the desk on which I left my glasses.

dont, *of whom, of which, whose:* used for both persons and things

Connaissez-vous le sculpteur *dont* tout le monde parle?	Do you know the sculptor everyone is talking about?
Donnez-lui les choses *dont* elle a besoin.	Give her the things she needs (of which she has need).
C'est le garçon *dont* la mère est malade.	He is the boy whose mother is sick.
C'est le garçon *dont* je connais la mère.	He is the boy whose mother I know.

où, *where, in which, on which:* may be used to replace **dans, à, sur** + a form of **lequel;** used in expressions of location

C'est la ville *où* (dans laquelle) je   It is the city in which I was born.
suis né.

ce qui, *what* (= *that which*): subject of a verb
ce que (ce qu'), *what* (= *that which*): direct object of a verb
ce dont, *what* (= *that of which*): used with expressions taking **de**

Savez-vous *ce qui* s'est passé?   Do you know what happened?
*Ce qu'*il dit est vrai.   What he says is true.
Voici *ce dont* j'aurai besoin.   Here is what I will need.

Note: These forms are used after the pronoun **tout** to express *everything that, all that.*

tout ce qui est tombé   everything that fell
tout ce que vous avez dit   all you have said
tout ce dont je me sers   everything that I use

Note

1. The relative pronoun must always be expressed in French although it is sometimes omitted in English.

2. Since **que** is a direct object pronoun and precedes the verb, the past participle of a compound verb agrees with **que.** (See Verb Lesson 9.)

les pays **que** j'ai *visités*   the countries that I visited
la vache **qu'**il avait *vendue*   the cow that he had sold

SUMMARY OF RELATIVE PRONOUNS

PRONOUN	MEANING	USE
qui	who, which, that	subject, for persons and things
	whom	object of preposition, for persons
que (qu')	whom, which, that	object of verb, for persons and things
lequel, etc.	which	object of preposition, for things

dont	of whom, of which, whose	for persons and things
où	where, in which, on which	expressions of location
ce qui	what (= that which)	subject
ce que (ce qu')	what (= that which)	object of verb
ce dont	what (= that of which)	with expressions taking **de**

EXERCICES

A. Traduire en français les mots en italique:

1. Quelle est la chanson *that* elle chante?
2. A qui sont les meubles anciens *of which* vous m'avez parlé?
3. Je ne sais pas *what* vous voulez dire.
4. C'est l'architecte à *whom* nous avons téléphoné.
5. Voici la rue *in which* se trouve l'hôtel de ville.
6. Est-ce vous *who* m'avez trompé?
7. Il fait *everything that* il peut.
8. Elle a tué la mouche *which* la dérangeait.
9. Est-ce M. Legrand *whose* vous connaissez la femme?
10. Où est le stylo à bille avec *which* j'écrivais tout à l'heure?
11. Nous n'avons pas remarqué *what* était dans la salle.
12. As-tu retrouvé la gomme *that* tu cherchais?
13. C'est *all that* je me souviens.
14. Le plombier *whom* vous avez fait venir est arrivé.
15. Avez-vous décidé *what* vous aurez besoin?

B. Donner le pronom convenable pour compléter la phrase:

1. C'est le meilleur roman policier _____ j'aie jamais lu.
2. Ne croyez pas tout _____ Fernand vous dit.
3. Ils aiment le professeur _____ leur enseigne les mathématiques.
4. Le bâtiment _____ on voit le toit est le musée d'art.
5. Ils ont acheté la maison derrière _____ il y a un beau jardin.
6. Faites donc attention à _____ se passe autour de vous.
7. Voilà l'artiste _____ j'ai fait la connaissance.
8. Nous avons reçu les timbres _____ il nous a envoyés.
9. C'est moi _____ ai toussé.
10. L'élève a effacé _____ il avait écrit.
11. Seul votre médecin est qualifié pour vous prescrire les antibiotiques _____ vous avez besoin.
12. La jeune fille avec _____ tu dansais est charmante.
13. Voici l'usine _____ je travaille.

14. C'est un savant _____ le nom de famille est déjà célèbre.
15. Dis-moi _____ tu as fait!

C. Traduire en français:

1. the plane that just left
2. the son of whom they are proud
3. everything that happened
4. the peasants whom we saw
5. what is possible
6. the park toward which we were walking
7. the apartment in which she lives
8. the meals she had prepared
9. the dog you're afraid of
10. the wood that is burning
11. the writer whose books I have read
12. the bridge on which people used to dance
13. all that he wanted
14. the friend with whom I dined
15. the tree under which we were seated
16. what he complains about
17. the lady who is singing
18. the vacation of which I am dreaming
19. what we ate
20. everything he uses

Les caves de Roquefort

Au sud du **Massif Central**, la petite ville de **Roquefort** s'est acquis une réputation mondiale. C'est d'ici que provient le roquefort—le plus célèbre des fromages fabriqués avec du lait de brebis. Ce fromage est affiné dans des caves parcourues de courants d'air naturels, froids, et humides.

13. DEMONSTRATIVE ADJECTIVES AND PRONOUNS

DEMONSTRATIVE ADJECTIVES

The demonstrative adjectives are **ce, cet, cette** (*this, that*), and **ces** (*these, those*).

ce	before a masculine singular noun beginning with a consonant	*ce* moulin	this (that) mill
cet	before a masculine singular noun beginning with a vowel or silent **h**	*cet* appareil *cet* hiver	this (that) instrument this (that) winter
cette	before a feminine singular noun	*cette* revue	this (that) magazine
ces	before all plural nouns	*ces* moulins *ces* revues	these (those) mills these (those) magazines

Note

1. The demonstrative adjective must be repeated before each noun.

   ce lac et *cette* plage   that lake and beach
   ces aiguilles et *ces* épingles   these needles and pins

2. If it is necessary to distinguish between *this* and *that*, or between *these* and *those*, **ci** and **là** with hyphens are added to the nouns contrasted. To mean *this* or *these*, **-ci** is added; to mean *that* or *those*, **-là** is added.

   cette écriture-*ci* ou cette écriture-*là*   this handwriting or that handwriting
   ces poèmes-*là* et ces poèmes-*ci*   those poems and these poems

DEMONSTRATIVE PRONOUNS

The forms of the demonstrative pronoun **celui** are:

	MASCULINE	FEMININE
SINGULAR	celui	celle
PLURAL	ceux	celles

Celui and its forms are not used alone. They are generally used with one of the following: **de, -ci, -là, qui, que, dont.**

celui de, celle de, the one of	**ceux de, celles de,** the ones (those) of

Donnez-moi mon **billet** et *celui de* Gautier. — Give me my ticket and Walter's.

Il portait ses propres **livres** et *ceux de* sa sœur. — He was carrying his own books and his sister's (those of his sister).

celui-ci, celle-ci, this (one), the latter	**ceux-ci, celles-ci,** these, the latter
celui-là, celle-là, that (one), the former	**ceux-là, celles-là,** those, the former

Quelles **fleurs** préférez-vous, *celles-ci* ou *celles-là?* — Which flowers do you prefer, these or those?

Lamartine et **Balzac** étaient écrivains; *celui-ci* était romancier et *celui-là* poète. — Lamartine and Balzac were writers; the latter was a novelist and the former a poet.

celui qui, celle qui, the one that (subject)	**ceux qui, celles qui,** the ones (those) that
celui que, celle que, the one that (object)	**ceux que, celles que,** the ones (those) that
celui dont, celle dont, the one of which	**ceux dont, celles dont,** the ones of which

Ceux qui travaillent dur réussissent.   Those who work hard succeed.

La **maison** blanche est *celle qu'*ils   The white house is the one they are
vont acheter.   going to buy.

C'est *celui dont* je vous ai parlé.   This is the one I spoke to you about.

EXERCICES

A. Remplacer les mots en italique par un pronom démonstratif:

1. Est-ce votre clef? Non, c'est *la clef* de mon frère.
2. Donnez-moi une douzaine de *ces œufs-là*.
3. J'admirais *l'horloge* que vous veniez d'acheter.
4. Gardez vos valises; nous aimons *les valises* que nous avons.
5. *Ce vêtement-ci* porte une étiquette spéciale.
6. *Les vins* de Bourgogne sont célèbres.
7. *L'encre* dont vous vous servez est bleue.
8. Je doute que *ces élèves-ci* étudient beaucoup.
9. *Les robes* de Caroline ne lui vont pas bien.
10. Nous ne lisons pas *ce journal-là*.

B. Traduire en français les mots en italique:

1. *These* hors-d'œuvre sont délicieux.
2. Elle avait repassé mes mouchoirs et *John's*.
3. C'est un tigre semblable à *the one that* nous avons vu dans le jardin zoologique.
4. *That man* est aveugle tandis que *this one* est sourd.
5. *Those who* le connaissent ont une bonne opinion de lui.
6. Est-ce que la circulation de Paris est pire que *that of* New-York?
7. Denise et Martine sont mes cousines; *the latter* est plus diligente que *the former*.
8. Voyez-vous cette cathédrale? C'est *the one of which* nous vous avons parlé.
9. Quels patins achèteriez-vous, *these* ou *those*?
10. Voilà deux voitures: *the baker's* et la mienne.

C. Écrire la forme convenable de l'adjectif ou du pronom démonstratif:

1. Cet ingénieur-ci travaille mieux que _____ -là.
2. _____ que vous avez rencontrée est notre voisine.
3. Voici vos lunettes et _____ de votre sœur.
4. _____ auteur est _____ dont vous avez entendu parler.
5. _____ souliers sont _____ que nous préférons.
6. De toutes nos places, _____ -ci est la plus belle.
7. Prenez votre chapeau et _____ de Béatrice.
8. _____ femme est ma grand-mère; _____ qui vous parlait est ma tante.
9. Est-ce que le sien écrit aussi bien que _____ -ci?
10. _____ trottoir-ci est moins large que _____ des Champs-Élysées.

D. Traduire en français:

1. this hotel or that one
2. this trip and the one we took last year
3. those mountains and these
4. that cup and the one you broke
5. your letter and the ones that are on the table
6. our address and our friends'
7. these presents or the ones I received
8. my notebooks and Michael's
9. Send me that book; it is the one I need.
10. The former are Frenchmen; the latter are Spaniards.

14. INTERROGATIVES

Interrogatives are used to begin a question.

<table>
<tr><td rowspan="6">a.</td><td></td><td>who? whom? (persons)</td><td>what? (things)</td></tr>
<tr><td>subject of a verb</td><td>qui
qui est-ce qui</td><td>qu'est-ce qui</td></tr>
<tr><td>direct object
of a verb</td><td>qui
qui est-ce que (qu')</td><td>que (qu')
qu'est-ce que (qu')</td></tr>
<tr><td>after a preposition</td><td>qui</td><td>quoi</td></tr>
</table>

Qui le fera?
Qui est-ce qui le fera? }   Who will do it?

Qu'est-ce qui est tombé?   What fell?

Qui cherchez-vous?
Qui est-ce que vous cherchez? }   Whom are you looking for?

Que cherchez-vous?
Qu'est-ce que vous cherchez? }   What are you looking for?

A *qui* pensez-vous?   Of whom are you thinking?

A *quoi* pensez-vous?   Of what are you thinking?

Note

1. As an interrogative pronoun, **qui** may be used for persons in all three cases: as subject of a verb, as direct object of a verb, and after a preposition.

2. The **e** of **que** is dropped before a word beginning with a vowel; the **i** of **qui** is never dropped.

3. After the direct object forms **qui** and **que**, the word order is inverted; after the long forms, the word order is regular.

	whose?

b.	to show possession: **à qui**	to show relationship: **de qui**

A qui sont ces chaussures?　Whose shoes are these?
De qui êtes-vous la nièce?　Whose niece are you?

		which? what? (adjective)		which? which one(s)? (pronoun)	
		MAS.	FEM.	MAS.	FEM.
c.	SINGULAR	**quel**	**quelle**	**lequel**	**laquelle**
	PLURAL	**quels**	**quelles**	**lesquels**	**lesquelles**

Dans *quelle* **maison** demeurez-vous?　In which house do you live?

Quel est le **nom** de ce village?　What is the name of this village?

Lequel de ces **chapeaux** est le plus cher?　Which (one) of these hats is the most expensive?

Note

1. The adjective **quel** agrees with the noun it modifies. The pronoun **lequel** agrees in gender and number with the noun it replaces.

2. The only verb that may separate **quel** from its noun is **être.**

Quelle *était* la question?　What was the question?

3. In exclamations, **quel** means *what a!* or *what!*

Quelle machine!　What a machine!
Quelles figues délicieuses!　What delicious figs!

141

4. When **à** and **de** are used before forms of **lequel,** the usual contractions take place.

	MAS.	FEM.	MAS.	FEM.
SINGULAR	auquel	à laquelle	duquel	de laquelle
PLURAL	auxquels	auxquelles	desquels	desquelles

Auquel de tes amis as-tu écrit?	To which of your friends did you write?
De quels enfants est-il fier? *Desquels* est-il fier?	Of which children is he proud? Of which ones is he proud?

d. Other interrogative expressions:

Qu'est-ce que c'est?	What is it?
Qu'est-ce que c'est que cela?	What is that?
*Qu'est-ce que c'est qu'*une roue?	What is a wheel?

EXERCICES

A. Choisir les mots entre parenthèses qui complètent correctement les phrases:

1. (Qui, Qui est-ce que) tu as rencontré?
2. (Quoi, Quelle) est la température du corps humain?
3. (Qu'est-ce qui, Qu'est-ce qu') est tombé?
4. (A qui, De qui) est ce marteau?
5. (A quelles, Auxquelles) peut-on se fier?
6. (Qui est-ce qui, Qui est-ce que) nous aidera?
7. Par (quoi, que) peut-on le remplacer?
8. (Que, Qu'est-ce que) fabrique-t-on là-bas?
9. A (qui, qui est-ce qui) posez-vous cette question?
10. (Qu'est-ce que, Qu'est-ce qui) c'est qu'un orage?

B. Traduire en français les mots en italique:

1. Derrière *which one* des soldats marchiez-vous?
2. *What* cette terre pauvre produit?
3. *What a* bruit étrange!
4. *Whose* sont-ils les enfants?
5. De *what* vous occupez-vous?
6. *What* a-t-elle oublié?
7. *Which ones* sont les meilleures?
8. *What* vous amuse?
9. Chez *whom* vont-ils se réunir?
10. *What* sont ses raisons?

C. Écrire l'interrogatif convenable:

1. _____ est-ce qui a servi le repas? Leur domestique l'a servi.
2. _____ provinces ont-ils visitées?

3. _____ cachiez-vous? Je cachais une lettre personnelle.

4. _____ c'est? C'est un haut-parleur.

5. Avec _____ l'avez-vous fait? Nous l'avons fait avec une brosse.

6. _____ est cette belle soie? Elle est à moi.

7. _____ de ces deux couteaux as-tu besoin?

8. _____ est arrivé? Rien.

9. _____ est son métier? Il est coiffeur.

10. _____ il a allumé? Il a allumé la lampe.

D. Traduire en français:

1. Whom did he blame?

2. What is burning?

3. Which birds were singing?

4. Whose brother are you?

5. To which of the men did you speak?

6. Of which ones did you speak?

7. What is that?

8. Who is going to accompany me?

9. Of what is she afraid?

10. Which one of the ties did he choose?

11. What are they looking at?

12. Whose curtains are these?

13. Which is the page?

14. With whom were you chatting?

15. What is war?

Rose de portail

Pour orner les églises gothiques et y laisser pénétrer la lumière du jour, les artistes français construisaient des vitraux contenant des panneaux de verre coloré. Cette rose—une baie circulaire garnie de vitraux en compartiments— se trouve au-dessus du portail d'une cathédrale. Il n'est guère possible de reproduire la richesse des couleurs de ces admirables vitraux du Moyen Age.

15. DISJUNCTIVE PRONOUNS

moi, I, me	**nous,** we, us
toi, you (*fam.*)	**vous,** you
lui, he, him	**eux,** they, them (*m.*)
elle, she, her	**elles,** they, them (*f.*)

The disjunctive pronouns are used:

a. After a preposition:

vers **moi,** toward me
chez **elle,** at her house

après **vous,** after you
sans **eux,** without them

b. When the pronoun has no verb expressed:

Qui parle portugais? **Moi.**
Qui a-t-on blâmé? **Nous.**
Je gagne plus d'argent que **toi.**

Who speaks Portuguese? I (do).
Whom did they blame? Us.
I earn more money than you.

c. In a compound subject or object:

Vous et moi, nous partirons.
Je vous ai vus, **toi et elle.**
Eux et leurs enfants sont heureux.

You and I will leave.
I saw you and her.
They and their children are happy.

Note: Disjunctive pronouns of different persons are usually summarized by the conjunctive pronouns **nous** and **vous.**

d. For emphasis:

Moi, je gagne; **toi,** tu perds.
Cela leur fera plaisir, à **elles.**
Lui seul peut le faire.

I win; you lose.
That will please them.
He alone can do it.

e. After **ce + être:**

Qui est-ce? **C'est elle.**
Ce n'est pas **moi** qui l'ai fait.
Ce sont **eux** (**elles**).
Est-ce **vous?** Est-ce **eux?**

Who is it? It is she.
I'm not the one who did it.
They are the ones. (It is they.)
Are you the one? Are they the ones?

Note: The plural form **ce sont** is used only with **eux** and **elles.** The interrogative form is always **est-ce.**

f. With **-même** (**-mêmes**) to express the English -*self* (-*selves*):

Jean l'a vu **lui-même.**
Nous le ferons **nous-mêmes.**

John saw it himself.
We shall do it ourselves.

Note

Some French verbs take **à** with a disjunctive pronoun rather than an indirect object. Among them are **penser à** (*to think of*), **songer à** (*to think of*), and **être à** (*to belong to*), and reflexive expressions taking **à**, such as **se fier à** (*to trust*).

Je *pensais à* elle.	I was thinking of her.
Ce colis *est à* moi.	That package is mine.
Ils *se fient à* nous.	They trust us.

EXERCICES

A. Traduire en français les mots en italique:

1. *She* aussi aime les fleurs.
2. *He* reste ici; *I*, je m'en vais.
3. Je ne connais que *him*.
4. Qui a-t-on choisi? Pas *me*.
5. Tant mieux pour *her!*
6. Je l'ai goûté *myself*.
7. Votre frère parle comme *you*.
8. Nous ne voulons pas leur faire peur, à *them*.
9. Que pense-t-elle de *us?*
10. *You*, tu parles trop!

B. Écrire le pronom convenable:

1. Te moques-tu de moi? Mais non, je ne me moque pas de _____.
2. C'est _____ qui avons téléphoné à la police.
3. Ils l'ont fait _____ -mêmes.
4. _____, je le sais; et toi?
5. Est-ce que Catherine vous a aidé? Oui, grâce à _____, j'ai beaucoup accompli.
6. S'est-elle présentée à l'ambassadeur? Je crois qu'elle s'est présentée à _____.
7. Ce sont _____ que j'ai vues.
8. Virginie et _____, nous sommes parties ensemble.
9. Est-ce _____ qui aimez à dessiner?
10. Si André décide de ne pas y assister, tu peux y aller au lieu de _____.

C. Traduire en français:

1. The umbrella belongs to her.
2. They play but he works.
3. Were you thinking of us?
4. He will finish it himself.
5. They are not so pleasant as you.
6. She and I have already eaten.
7. Have you heard of him?
8. *I* do not lie.
9. Is she the one?
10. As for me, I enjoyed myself.

D. Répondre à chaque question par une phrase complète en français. Employer un pronom emphatique dans chaque réponse:

1. As-tu envie de chanter avec moi?
2. Est-ce Anne qui est entrée?
3. Sont-ils allés en Europe sans leur fils?
4. Vous fiez-vous à moi, monsieur?
5. Êtes-vous aussi jeunes que ces petites filles?
6. Chez qui vont-ils passer la semaine?
7. Est-ce vous, Gilbert?
8. Demeurent-ils près de leurs parents?
9. Est-ce que la concierge vous a salués, toi et ton père?
10. Pouviez-vous le soigner vous-mêmes?

16. PRONOUNS *CECI, CELA, CE*

CECI, CELA

The demonstrative pronouns **ceci** and **cela** refer to things indicated but not named.

ceci, this

Donnez-lui *ceci* de ma part.	Give him this for me.
Qui a fait *ceci?*	Who did this?

cela (ça), that

Cela (Ça) me fera plaisir.	That will please me.
Qu'est-ce que c'est que *cela (ça)?*	What is that?

Note: The form **ça** often replaces **cela** in conversation.

CE

The pronoun **ce** (**c'**), *it, he, she, this, that, they, these, those,* is used only with the verb **être.** Ce replaces **il, elle, ils,** and **elles** in the following cases:

a. Before a *modified noun:*

C'est un mouton.	It is a sheep.
C'est une affaire grave.	That's a serious matter.
Ce sont de vrais amis.	They are real friends.

But *unmodified:*

Il est pompier.	He is a fireman.

b. Before a *proper noun:*

Qui m'appelle? *C'est Jeanne.*	Who is calling me? It is Joan.
Quelle est la capitale de l'Angleterre? *C'est Londres.*	What is the capital of England? It is London.

c. Before a *pronoun:*

Je doute que *ce soit lui.*	I doubt that it is he.
Est-ce vous qui avez ri?	Are you the one who laughed?
Ce sont les nôtres.	They (These, Those) are ours.
C'était celle de sa mère.	It was his mother's.

d. Before a *superlative:*

C'est la plus jeune de la famille.	She is the youngest in the family.
C'est le moindre de mes soucis.	That's the least of my worries.

146

ϩ. In *dates:*

C'est aujourd'hui jeudi.	Today is Thursday.
Ce sera demain le deux mai.	Tomorrow will be May 2nd.

Note: In expressions denoting hour of the day, il is used.

Il est trois heures.	It is three o'clock.

ſ. Before a masculine singular *adjective* to refer to an *idea* or *action* previously mentioned. In this case, the English equivalent of **ce** is *it* or *that.* However, in referring to a preceding noun, il and **elle** are used.

Roger comprend bien le français. *C'est évident.*	Roger understands French well. That's obvious.
Puis-je vous aider? *C'est inutile.*	May I help you? It's useless.

But:

Regardez cette fleur. *Elle* est parfaite.	Look at that flower. It is perfect.

ɟ. Before an *adjective* + *à* + *passive infinitive.* (See Verb Lesson 13.)

C'est bon à savoir.	That's good to know.
C'est impossible à faire.	That's impossible to do.

Note: Impersonal il (= *it*) is used with **être** and an adjective before **de** + infinitive (See Verb Lesson 13) and before a clause beginning with **que.**

Il est impossible de faire cela.	It is impossible to do that.
Il est impossible que je le fasse.	It is impossible for me to do it.

EXERCICES

A. Donner le pronom convenable (**ce, c', il, elle, ils, elles**):

1. _____ est le musée d'histoire naturelle.
2. _____ sont revenues tard.
3. _____ est lui qui le fera.
4. _____ est écrivain.
5. _____ sont des climats froids.
6. _____ est Henri.
7. _____ n'était pas sa faute.
8. _____ est probable qu'elle m'a reconnu.
9. _____ est du sable blanc.
10. Est- _____ une machine à laver?
11. Connaissez-vous Albert? _____ est très timide.
12. _____ est celui de l'avocat.
13. _____ sont les meilleurs du monde.
14. _____ est utile de savoir nager.
15. _____ était la marine française.
16. _____ sont toujours heureuses.
17. L'État, _____ est moi.
18. _____ est cela.
19. La paix est précieuse. Oui, _____ est précieuse.
20. _____ est le Rhône.
21. _____ sera demain vendredi.
22. Tout le monde aime le beau temps. _____ est vrai.
23. _____ était M. Sorel.
24. De quelle couleur sont les arbres? _____ sont verts.
25. _____ est le dos du livre.
26. _____ est neuf heures et demie.

147

27. _____ est le plus intelligent de la classe.

28. Quel est cet oiseau? _____ est un aigle.

29. Où sont vos fils à présent? _____ sont en Europe.

30. _____ est un projecteur de cinéma sonore.

B. Traduire en français les mots entre parenthèses:

1. (that)   Partira-t-il malgré _____?
2. (It)   _____ n'est pas une méthode nouvelle.
3. (They)   _____ sont en guerre.
4. (They)   _____ sont des bateaux à moteur.
5. (it)   Est- _____ un aliment qui donne des forces?
6. (This)   _____ vous donnera la même impression.
7. (These)   _____ sont les miens.
8. (She)   _____ est actrice.
9. (She)   _____ est la seule qui reçoive tant de lettres.
10. (It)   _____ est mon tour.
11. (that)   Qu'est-ce que _____ prouve?
12. (He)   _____ est un savant illustre.
13. (they)   Achetez ces roses; _____ sont très jolies.
14. (That)   _____ n'est pas de la science-fiction.
15. (this)   Regardez _____.

16. (It)   _____ est Chamonix.
17. (They)   A qui sont ces gants? _____ ne sont pas à moi.
18. (This)   _____ est la plus difficile des questions.
19. (It)   _____ est la fête de maman.
20. (Those)   _____ sont les résultats de plusieurs années de recherches.

C. Traduire en français:

1. She is my grandmother.
2. Who gave you this?
3. He is a sculptor.
4. He is a well-known sculptor.
5. Today is June 10th.
6. Those are beautiful leaves.
7. He came back? That's interesting!
8. Do you prefer this or that?
9. It is easy to read that.
10. That is easy to read.

17. NEGATIVES

ne . . . pas, not	**ne . . . rien,** nothing
ne . . . pas du tout, not at all	**ne . . . personne,** no one, nobody
ne . . . point, not, not at all	**ne . . . ni . . . ni,** neither . . . nor
ne . . . jamais, never	**ne . . . que,** only
ne . . . plus, no more, no longer	**ne . . . aucun (aucune),** no, none
ne . . . guère, hardly, scarcely	**ne . . . nul (nulle),** no, none

a. In simple tenses, **ne** precedes the verb and pronoun objects; the second part of the negative follows the verb (or the subject pronoun in interrogative word order).

Son cœur *ne* battait *plus.*	His heart was no longer beating.
Nous *ne* les admirons *pas du tout.*	We don't admire them at all.
Ne vous faut-il *qu*'une heure?	Do you need only an hour?

b. In compound tenses, the second part of most negatives precedes the past participle.

Je *n*'aurais *point* passé mon temps à dormir.	I would not have spent my time sleeping.
Pourquoi Charles *n*'a-t-il *guère* étudié?	Why has Charles scarcely studied?
Malgré sa joie, elle *n*'avait *rien* dit.	In spite of her joy, she had said nothing.

c. However:

(1) **Personne** follows the past participle.

Elle *n*'a jamais trompé *personne.*	She has never deceived anyone.
Ils *n*'en ont parlé à *personne.*	They spoke to no one about it.

(2) **Que** precedes the word or words stressed, as does the word *only* in English.

Il *n*'a acheté *que* des petits pains.	He bought only rolls.
Elle *ne* m'avait téléphoné *que* deux fois.	She had telephoned me only twice.

(3) Each part of **ni . . . ni** precedes the word or words stressed.

L'eau *n'*était *ni* chaude *ni* froide.	The water was neither hot nor cold.
Je *n'*ai *ni* vu le film *ni* lu le roman.	I've neither seen the film nor read the novel.

(4) **Aucun** and **nul** precede the nouns they modify.

Cela *ne* posera *aucun* problème.	That will pose no problem.
Nul homme *ne* sait le faire.	No man can do it.
Il *ne* pouvait le trouver *nulle* part.	He couldn't find it anywhere.

(5) Both parts of the negative generally precede the infinitive.

Il s'était arrêté pour *ne pas* tomber.	He had stopped in order not to fall.
Il vaut mieux *ne rien* dire.	It is better to say nothing.

d. **Rien** and **personne** may be used as subjects of the verb. **Ne** remains in its usual place, before the verb.

*Rien n'*est arrivé.	Nothing happened.
Personne ne savait prononcer le mot.	No one knew how to pronounce the word.

e. **Ne** is used only with a verb, but the second part of a negative may be used alone, without a verb.

Ils *n'*y sont *pas* restés. Pourquoi *pas?*	They didn't stay. Why not?
Qu'a-t-elle répondu? *Rien du tout.*	What did she answer? Nothing at all.
Plus d'argent.	No more money.
Qui mérite le prix? *Ni* lui *ni* elle.	Who deserves the prize? Neither he nor she.

f. **Jamais** with a verb but without **ne** means *ever*.

Avez-vous *jamais* traversé la Manche?	Have you ever crossed the English Channel?

Jamais with a verb and **ne** means *never*. **Jamais** used without a verb also means *never*.

Non, je *ne* l'ai *jamais* traversée. *Jamais?*	No, I have never crossed it. Never?

g. **Ne** is sometimes used without **pas** with the verbs **cesser, oser, pouvoir,** and **savoir.** In this case, the verb is generally followed by an infinitive.

Elles *ne cessent* de bavarder.	They don't stop chattering.
Nous *n'osons* le lui dire.	We don't dare tell him.
Je *ne puis* vous comprendre.	I cannot understand you.
Il *ne sait* que faire.	He doesn't know what to do.

Note

1. The negative **ne . . . point,** although stronger than **ne . . . pas,** is comparatively infrequent.

2. **Ne . . . nul** is generally restricted to literary writing.

3. **Si** (*yes*), is used to contradict a negative statement or question.

Vous n'avez pas fini le travail. *Si,* je l'ai fini.	You haven't finished the work. Yes, I have.
Ne joue-t-elle pas du piano? Mais *si!*	Doesn't she play the piano? Why, yes!

4. The pronoun **personne** is masculine; the noun **personne** is feminine.

Personne n'est *venu.*	No one came.
Une seule personne est *venue.*	Only one person came.

5. The negative expression **ni . . . non plus** (*nor . . . either, neither*) may be used with a noun or disjunctive pronoun.

Jacques ne fume pas. *Ni Raoul non plus.*	James doesn't smoke. Neither does Ralph.
Elle n'a pas faim. *Ni moi non plus.*	She isn't hungry. Neither am I.

EXERCICES

A. Écrire chaque phrase à la forme négative en employant les mots entre parenthèses:

1.	(ne . . . pas)	Seriez-vous revenus?
2.	(ne . . . rien)	J'ai oublié.
3.	(ne . . . plus)	Pensez-y.
4.	(ne . . . jamais)	Avait-elle dansé?
5.	(ne . . . personne)	Il a attendu.
6.	(ne . . . aucun)	Elle en a vu.
7.	(ne . . . que)	Ils nous ont fait visite une fois.
8.	(ne . . . ni . . . ni)	Il peut entendre et voir.
9.	(ne . . . guère)	Nous l'avons reconnu.
10.	(ne . . . point)	La jeune fille a rougi.

B. Traduire en anglais:

1. Il n'en aurait jamais rien dit.
2. Moi, je ne nage pas du tout

3. Personne ne s'en doute. Personne?
4. Nous avons décidé de ne plus les attendre.
5. Aucune de ces choses ne m'appartient.
6. Il ne réussit à rien, même pas à écrire lisiblement.
7. Il n'y avait plus rien sur la table.
8. Elle ne les a guère remarqués. Ni moi non plus.
9. Avez-vous jamais mangé des escargots? Jamais.
10. Nul homme n'est prophète chez lui.
11. On ne peut rien refuser à une jolie femme.
12. Le ciel ne tombera sur la tête de personne.
13. Ils n'osent vous dire la vérité.
14. J'ai fait semblant de ne point comprendre.
15. Elle n'avait jamais aimé personne, ni sa mère, ni son père, ni aucun autre membre de sa famille.

C. Répondre négativement à chaque question par une phrase complète en français:

1. Qui a-t-elle invité à dîner?
2. Quand neige-t-il en Algérie?
3. Savez-vous que faire?
4. Y a-t-il du sel dans ce potage?
5. Quel livre a-t-il perdu?
6. Qu'est-ce qui a changé ici?

7. Vous êtes-vous jamais promené(e) dans le Bois de Vincennes?
8. Qui préfère le fromage à la viande?
9. Laquelle de ces robes lui va bien?
10. Qu'a-t-il caché?

D. Traduire en français les mots en italique:

1. Fumez-vous? *Not at all.*
2. *No one fell* sur la glace.
3. Il vaut mieux *not to run.*
4. La scène *lasted only* dix minutes.
5. Je *have no* intention d'y aller.
6. Il semble qu'il *doesn't stop* de manger.
7. N'obéit-il pas à sa mère? *Yes,* il lui obéit.
8. *Neither he nor she* est très sage.
9. *No more* de café, madame. Voulez-vous du thé?
10. Yvette n'a pas peur de lui. *Nor Helen either.*

18. INDEFINITES

Indefinites may be adjectives, pronouns, or both. A number of them have already been studied in previous grammar lessons. Some, however, need additional clarification. They are:

a. **aucun, aucune** } any, no, none
   aucuns, aucunes

Aucun may be used without **ne**. It is sometimes used with a noun for stress.

Avez-vous de l'argent? *Aucun.*	Have you any money? None.
Il réussira, sans *aucun* doute.	He will succeed, without any doubt.

b. **autre,** other

un autre, une autre, another (= a different)
encore un, encore une, another (= an additional)

Donnez-moi *un autre* verre; celui-ci est sale.	Give me another glass; this one is dirty.
Donnez-nous *encore un* verre; nous sommes trois.	Give us another glass; there are three of us.

l'un(e) l'autre, each other (of two)
les un(e)s les autres, one another (of more than two)

These expressions are used to show reciprocal action, especially with reflexive verbs.

Elles ne se parlent pas *l'une* à *l'autre.*	They don't speak to each other.
Ils s'aidaient *les uns les autres.*	They used to help one another.

Autres may be added to **nous** and **vous** as emphasis to distinguish one group from another.

Nous autres Américains . . . , We Americans . . .
Vous autres avocats . . . , You lawyers . . .

c. **chaque,** each, every (adjective)

chacun, chacune, each, each one, everyone (pronoun)

These indefinites, used only in the singular, stress the individual.

Chaque ouvrier a sa spécialité.	Each (Every) worker has his specialty.
Chacun des ouvriers a sa spécialité.	Each one (Everyone) of the workers has his specialty.

d. **on,** we, you, they, people, one

The subject pronoun **on** refers to an indefinite person or persons and always takes a third person singular verb. It has several possible equivalents in English. The active construction with **on** is often used in French where the English uses the passive. (See Verb Lesson 15.)

On prépare les repas dans la cuisine.	We prepare meals You prepare meals They prepare meals People prepare meals $\Big\}$ in the kitchen One prepares meals Meals are prepared

After certain monosyllables ending in a pronounced vowel sound, such as **et, ou, où,** and **si,** the form **l'on** may be used for the sake of pronunciation.

la salle où *l'on* danse	the room in which we dance
si *l'on* tire la corde	if you pull the cord

e. **quelque,** some
   quelques (*pl.*), some, a few $\Big\}$ adjective

   quelqu'un, quelqu'une, someone, somebody, anyone
   quelques-uns, quelques-unes, some, any, a few $\Big\}$ pronoun

Il y est resté pendant *quelque* temps.	He stayed there for some time.
Je vais prendre *quelques* billets.	I'm going to buy a few tickets.
Quelqu'un le lui a dit.	Someone told her so.
Ils m'ont prêté *quelques-uns* de leurs livres.	They lent me a few of their books.

f. **quelque chose** (*m.*), something, anything

   rien (*m.*), nothing

These pronouns are followed by **de** before an adjective.

Avez-vous remarqué *quelque chose de* mystérieux?	Did you notice anything mysterious?
Il n'a *rien* dit *d'*intéressant.	He said nothing interesting.

g. **soi,** oneself

This is the disjunctive pronoun for indefinite subjects, such as **chacun, on,** and **personne.**

Chacun pour *soi.*	Everyone for himself.
On ne doit pas penser toujours à *soi.*	One should not always think of oneself.

h. **tout,** all, everything

tous (*pl.*), all, everyone

In addition to being adjectives, **tout** and **tous** are used as pronouns.

Tout est bien qui finit bien.	All's well that ends well.
Ils partageront *tout.*	They will share everything.
Tous étaient présents.	Everyone was present. (They were all present.)

EXERCICES

A. Employer le pronom **on** pour traduire en français les mots en italique:

1. Comment *do you say* cela en russe?
2. A l'école *we used to work* dur.
3. *They eat* bien dans ce restaurant.
4. Savez-vous où *one can buy* de tels tricots?
5. *Is Spanish spoken* au Chili?
6. *They would have broken* la glace.
7. *People are never* satisfait.
8. *The door will be closed* avant la cérémonie.
9. *If you avoid* le danger, on y arrivera sain et sauf.
10. *The thief was caught* devant la banque.

B. Écrire le mot qui manque:

1. Vous m'avez donné quatre timbres, mais j'en ai besoin de cinq. Donnez-m'en _____ un.
2. Nous nous écrivions l'un à _____.
3. Pendant que vous étudierez, nous _____ garçons nous irons à la pêche.
4. Il se tient au courant de _____ ce qui se passe dans le monde.
5. Si cela ne vous plaît pas, prenez _____ chose d'autre.
6. Dans une boulangerie, _____ vend le pain.
7. Ces souliers ne me vont pas. Montrez-m'en une _____ paire.
8. Qu'est-ce qu'il y a? Rien _____ grave.
9. Tout le monde a une bonne opinion de lui. Certainement, il jouit de l'estime de _____.
10. Les hommes pensent toujours à eux-mêmes. Oui, chacun pense à _____.

C. Traduire en français les mots entre parenthèses:

1. (a few)   Nous comptons passer _____ semaines à Grenoble.
2. (any)   Elle a pleuré sans _____ raison.
3. (one another)   Les trois soldats blessés se soignaient _____.
4. (Each)   _____ province a ses coutumes.
5. (You)   _____ médecins, vous avez beaucoup à contribuer à l'humanité.
6. (all)   La pollution de l'air est un problème pour _____.
7. (some)   Je vais corriger _____ de mes fautes.
8. (Each one)   _____ travaille selon ses capacités.
9. (None)   Combien de frères avez-vous? _____.
10. (You)   _____ peut tromper quelqu'un tout le temps; _____ peut tromper tout le monde un certain temps; mais _____ ne peut tromper tout le monde tout le temps.

GRAMMAR REVIEW QUIZZES

A

Écrire le mot qui manque:

1. _____ musée voudriez-vous visiter cet après-midi?
2. Il a demeuré deux ans _____ Bruxelles.
3. J'ai lu le roman _____ vous avez parlé.
4. Ils _____ ont choisi cinq.
5. Regardez toutes ces lettres _____ je dois répondre.
6. _____ qui êtes-vous le fils?
7. _____ sera demain mercredi.
8. _____ de ces cahiers ne lui appartient.
9. Nous prendrons l'avion d'aujourd'hui _____ huit.
10. Ce n'est pas _____ qui ai frappé à la porte.

B

Compléter la phrase en traduisant en français les mots entre parenthèses:

1. (her best) Elle aurait mis _____ robe s'il avait fait beau.
2. (two hundred) Il y a _____ pages dans le livre.
3. (What a beautiful) _____ animal!
4. (Snow) _____ est blanche.
5. (ask him for it) Comptez-vous _____?
6. (woolen gloves) Quand je fais du ski, je porte toujours _____.
7. (everything that) Il fait _____ il peut.
8. (them) On ne peut rien faire pour _____.
9. (those) Ces rideaux-ci sont moins longs que _____.
10. (a few) Donnez-moi _____ de ces poires.

C

Choisir la réponse correcte:

1. Avez-vous jamais écrit (des, de) poèmes?
2. (Il, C') est étudiant.
3. Elle va partir pour Madrid (samedi, le samedi).
4. De (que, quoi) s'agit-il?
5. J'en ai fini moins (que, de) quinze.
6. Ces légumes coûtent deux francs (le, par) kilo.
7. (Qui, Qui est-ce qu') elle a rencontré?
8. Ils viennent (de, du) Danemark.
9. (Quelle, Laquelle) de ces cravates suggérez-vous que je porte aujourd'hui?
10. Ces roses sentent (bon, bonnes).

D

Écrire le mot qui manque:

1. Chez _____ vont-ils se réunir?
2. Il a été amené _____ États-Unis par ses parents.
3. Voici la maison _____ ils sont entrés.
4. Pense-t-elle à son avenir? Oui, elle _____ pense.
5. J'étais assise près d'une table _____ bois.
6. J'admire la bague _____ vous portez.
7. C'était le moment le plus dramatique _____ la pièce.

8. Sortez-vous d'ici? Oui, nous _____ sortons.

9. Je n'ai rien _____ autre à vous montrer.

10. _____ puis-je vous offrir?

E

Compléter la phrase en traduisant en français les mots entre parenthèses:

1. (No one) _____ le reconnaîtrait.

2. (milder than) Le printemps est _____ l'hiver.

3. (President Wilson) Quel président a précédé _____?

4. (him) Je suis tout à fait d'accord avec _____.

5. (on the 11th of August) Nous sommes arrivés _____.

6. (Most) _____ soldats sont revenus.

7. (Mary's) Mon manteau est plus chaud que _____.

8. (It is said) _____ c'est un peintre de talent.

9. (What is) _____ cela?

10. (the first two) Comment as-tu passé _____ jours?

F

Compléter la phrase en français:

1. Les enfants ont bu deux bouteilles _____ lait.

2. Il y a des personnes qui doivent la considération _____ elles jouissent à leur fortune et non à leur mérite.

3. L'herbe et les champs sont verts _____ printemps.

4. Ont-ils parlé de l'affaire? Oui, ils _____ ont parlé.

5. Dès qu'il vendra sa maison, il ira _____ Angleterre.

6. Est-ce qu'elle lui sert la soupe? Non, elle ne _____ sert pas.

7. Qui demeure avec lui dans cet appartement? Son frère _____ demeure.

8. Ne voyez-vous pas ce _____ est sur la table?

9. L'arbre sous _____ vous vous reposez est un chêne.

10. La jeune fille _____ yeux bleus est Françoise.

G

Choisir la réponse correcte:

1. J'ai reçu (de, des) bonnes nouvelles ce matin.

2. (Que, Qu'est-ce que) cherchez-vous dans l'armoire?

3. Les écoles françaises sont fermées (jeudi, le jeudi).

4. (C', Il) est essentiel de savoir lire.

5. Ces chaussettes sont (à, de) Joseph.

6. Il était six heures (du, au) soir.

7. Elle a acheté une livre et (demi, demie) de beurre.

8. Ici on ne vend que (de, des) chapeaux.

9. (Qu'est-ce qui, Qui est-ce que) est arrivé hier?

10. Les êtres humains ont bien (de, des) défauts.

H

Compléter la phrase en traduisant en français les mots entre parenthèses:

1. (fewer) Montrez-nous plus d'action et _____ paroles.

2. (The one who) _____ fait le pain s'appelle le boulanger.

3. (the heaviest) C'est la valise _____ que j'aie jamais portée.

157

4. (he)   Sa mère et _____ vont en ville.
5. (Fish)   _____ sont des animaux qui vivent dans l'eau.
6. (ate nothing)   La malade _____.
7. (General Washington)   _____ fut un de ses amis.
8. (1796)   Jean-Baptiste Corot est né en _____.
9. (it to them)   Voici la montre. Envoyez _____.
10. (How many)   _____ voyages ils ont faits!

I

Compléter la phrase en français:

1. Beaucoup _____ touristes vont _____ Nouvelle-Orléans pour célébrer le Mardi Gras.
2. Écoutez attentivement _____ je vous dis.
3. Allez-vous me montrer vos cadeaux? Oui, je vais _____ montrer.
4. Deux fois cinq cents font _____.
5. Avez-vous assez _____ papier? Oui, nous _____ avons trop.
6. Avant d'aller _____ Mexique, il a visité _____ Canada.
7. C'est un jour _____ je me souviendrai à jamais.
8. Pourquoi as-tu mal _____ yeux?
9. Voici un magasin dans _____ on peut acheter du thé et du café.
10. Y a-t-il beaucoup de gens _____ parlent provençal?

J

Compléter la phrase en traduisant en français les mots entre parenthèses:

1. (fresh)   Elle nous a envoyé des fleurs _____.
2. (than they)   Vous êtes plus forts _____.
3. (better than)   Vous chantez _____ moi.
4. (Gold and iron)   _____ sont des métaux utiles.
5. (that)   La vie de l'homme est plus longue que _____ du chien.
6. (Neither he nor she)   _____a rompu le silence.
7. (a friend of ours)   Antoine est _____.
8. (last month)   Ils avaient l'intention de partir _____.
9. (not to see)   Il a tourné la tête pour _____ l'accident.
10. (what)   Dites-moi _____ ils auront besoin.

Le Corbusier

Le Corbusier, dont le vrai nom est Édouard Jeanneret, est Suisse d'origine mais Français d'adoption. Le plus illustre des architectes français d'aujourd'hui, il a connu un grand succès en France et au-delà des frontières.

MASTERY STRUCTURE DRILLS

Rewrite the two sentences in each question as a single sentence in accordance with the instructions, making changes and omissions as necessary. Do *not* begin the sentence with the word or words in italics unless you are specifically told to do so.

SAMPLE QUESTION: Join by using *que:* Nous le ferons. C'est important.
ANSWER: Il est important que nous le fassions.

A

1. Join by using *que:* — Il va au cinéma. Je le défends.
2. Join by using *à:* — Elle m'aidera. Je choisirai des vêtements.
3. Begin with *En:* — J'ai reçu le télégramme. J'ai sauté de joie.
4. Join by using *quoique:* — Il parle rarement espagnol. Il le sait bien.
5. Join by using *dont:* — J'ai fait une grosse faute. J'en ai honte.
6. Join by using *que:* — Ce restaurant est climatisé. Je ne le crois pas.
7. Begin with *Si:* — Vous verrez Jean. Donnez-lui mes amitiés.
8. Begin with *Quand:* — Hélène revient. Nous sortirons.
9. Join by using *ni . . . ni:* — Elle n'a pas de plume. Elle n'a pas de crayon.
10. Join the two sentences: — Que voulez-vous? Je ne sais pas.

B

1. Begin with *Si:* — Il n'aurait pas plu. Nous serions partis.
2. Join by using *que:* — Il a pu le prouver. J'en doute.
3. Join by using *que:* — Elle n'a pas reçu les lettres. Je lui avais écrit.
4. Begin with *Au lieu de:* — Tu te taisais. Tu bavardais.
5. Join by using *pourvu que:* — J'achèterai la robe. On me l'enverra.
6. Begin with *Après:* — Elles rentrent. Elles n'ont plus envie de sortir.
7. Begin with *Dès que:* — Ils ont fini le travail. Ils se reposeront.
8. Join by using *de:* — Cesserez-vous jamais? Vous dites des mensonges.
9. Join by using *qui:* — Je cherche une maison. Elle est bien construite.
10. Join by using *ce dont:* — De quoi s'occupe-t-il? Le savez-vous?

C

1. Join by using *qui:* — Y a-t-il un bon étudiant ici? Il peut expliquer cet exemple.
2. Begin with *Lorsque:* — Nous avons soif. Nous buvons de l'eau.
3. Join by using *que:* — L'élève ne sait pas la leçon. Le maître le regrette.
4. Join the two sentences: — Je n'en suis pas sûr. Qu'a-t-il dit?
5. Join by using *par:* — Ils ont fini. Ils ont corrigé l'injustice.
6. Join by using *sans que:* — Ne partez pas. Je vous reverrai.
7. Begin with *Si:* — Je courrais. J'y arriverais à l'heure.
8. Join the two sentences: — Avez-vous retrouvé le portefeuille? Vous le cherchiez.
9. Begin with *En:* — Elle annonce la nouvelle. Elle pleure.
10. Join by using *dont:* — C'est la jeune fille. Je connais son père.

D

1. Begin with *Après:*   Nous nous amusons. Nous avons quitté le bal.
2. Join by using *que:*   Il n'arrivera pas à temps. Elle le craint.
3. Join by using *sans:*   Elle ne veut pas partir. Elle fera ses adieux.
4. Join the two sentences: Je vais vous montrer la rue. J'y suis né.
5. Begin with *Si:*   Il fera beau. Nous irons à la campagne.
6. Join by using *à moins que:*   Je ne vous parlerai pas. Vous le ferez.
7. Join by using *dont:*   C'est l'actrice. J'ai fait sa connaissance.
8. Begin with *Aussitôt que:*   Elle voit sa mère. Elle l'embrassera.
9. Join the two sentences: Quelles sont les provinces? Tu vas les visiter.
10. Join by using *que:*   Je lui dois de l'argent. Cela se peut.

E

1. Join by using *laquelle:*   Voilà la porte. Il est sorti par là.
2. Join by using *que:*   C'est l'histoire la plus drôle. Vous l'avez racontée.
3. Begin with *Après que:*   Vous êtes partis. Je pourrai étudier.
4. Join by using *que:*   Ils se sont fait mal. J'en ai peur.
5. Join the two sentences: De quoi a-t-il besoin? Le voici.
6. Join by using *jusqu'à ce que:*   Je compte étudier. Je l'apprendrai par cœur.
7. Begin with *Si:*   Ils seraient allés au concert. Ils se seraient amusés.
8. Join by using *ni . . . ni:*   Je ne suis pas pauvre. Je ne suis pas riche.
9. Join the two sentences: Ils ne pouvaient pas. Ils la finissaient.
10. Join by using *à:*   N'hésitez pas. Vendez les bijoux.

F

1. Join by using *de:*   Je le regrette beaucoup. Je vous ai dérangé.
2. Join by using *si:*   Il ne sait pas. Vous pourrez le faire.
3. Join by using *que:*   Ils sont très heureux. Le chien n'est pas mort.
4. Begin with *En:*   Elle a prononcé les mots. Elle a fait des erreurs.
5. Join by using *dont:*   Voici la brosse. Ils s'en servaient.
6. Begin the combination with *Si:*   Le bébé dormira. Nous ne le réveillerons pas.
7. Join by using *que:*   Ce meuble vaut cher. Est-ce possible?
8. Join by using *avant que:*   Offrez-leur quelque chose. Ils s'en vont.
9. Begin with *Quand:*   Vous voulez partir. Faites-le-moi savoir.
10. Join by using *ce qui:*   Qu'est-ce qui est arrivé? Nous ne savons pas.

G

1. Join by using *que:*   Tu boiras le lait. C'est nécessaire.
2. Begin with *Dès que:*   Je dois vous parler. Je vous donnerai un coup de téléphone.
3. Join by using *sans:*   Peut-on parler? On ouvre la bouche.
4. Begin with *En:*   Il a bâti la maison. Il s'est blessé.
5. Join the two sentences: Qu'a-t-elle acheté? Voici les gants.
6. Join by using *de peur que:*   Nous conduisons lentement. Il y aura un accident.
7. Begin with *Si:*   Vous étudieriez tous les jours. Vous seriez le premier de la classe.
8. Join by using *que:*   Il ne mentira pas. Je le préfère.
9. Join by using *avant de:*   Racontez-moi l'histoire. Allez-vous-en.
10. Join by using *qui:*   C'est moi. J'ai fermé la fenêtre.

H

1. Join by using *pour que:*   Fait-il assez chaud aujourd'hui? Ils vont à la plage.
2. Join by using *dont:*   Montrez-moi le portrait. Vous en êtes fier.
3. Join by using *que:*   C'est le meilleur roman. Je l'ai lu récemment.
4. Begin with *Si:*   Elle aurait chanté. J'aurais éclaté de rire.
5. Join by using *que:*   Louis ne m'a pas rendu visite. Je m'en étonne.
6. Begin with *Lorsque:*   Il a fini ses devoirs. Il se couchera.
7. Join by using *à:*   Nous sommes prêts. Mettons-nous en route.
8. Begin with *Après:*   Elle boit le thé chaud. Elle se sentira mieux.
9. Join by using *que:*   Attendez ici. Je reviendrai.
10. Join by using *où:*   Voilà l'immeuble. Ils y demeuraient.

I

1. Join by using *qui:*   Georges est l'ami. J'étudie avec lui.
2. Join by using *que:*   Ils sont déjà revenus. C'est possible.
3. Join by using *par:*   Nous commencerons. Nous jouerons au tennis.
4. Begin with *Si:*   Elle fera un voyage. Je l'accompagnerai.
5. Join by using *que:*   Le médecin ne veut pas. Le malade mourra.
6. Join by using *dont:*   Quel est le bruit? Elle s'en plaignait.
7. Join by using *ni . . . ni:*   Jacques ne parle pas anglais. Sa sœur ne parle pas anglais.
8. Begin with *Aussitôt que:*   Je reçois le colis. Je l'ouvrirai.
9. Begin with *En:*   Nous voyagions en Angleterre. Nous admirions le paysage.
10. Join the two sentences: Qu'avez-vous écrit? Effacez-le.

J

1. Join by using *afin que:*   Ils m'aideront. Je réussirai.
2. Begin with *Si:*   Vous vous lèveriez de bonne heure. Vous verriez le lever du soleil.
3. Join by using *avant de:*   Nous nous lavons. Nous nous habillons.
4. Join by using *que:*   La domestique va au marché. Il le faut.
5. Join by using *bien que:*   Nous irons à la pêche. Il pleut.
6. Join the two sentences: Qu'est-ce qui est dans la salle? Je ne l'ai pas remarqué.
7. Join by using *que:*   Il vivra une longue vie. Nous le souhaitons.
8. Join by using *dont:*   Nous connaissons l'architecte. Tout le monde parle de lui.
9. Join by using *de:*   Dépêchez-vous. Je le lui ai conseillé.
10. Begin with *Après:*   Remplissez-la. Donnez la tasse à Renée.

K

1. Join by using *où:*   C'est le moulin. Daudet y écrivit ses lettres.
2. Join by using *à:*   Elle l'a invité. Il peint son portrait.
3. Begin with *Après:*   Ils se promenaient. Ils se reposaient.
4. Join by using *que:*   Qui avez-vous rencontré? Est-ce Annette?
5. Join the two sentences: Je vais en Europe l'été prochain. Je le désire.
6. Join by using *que:*   Pierre s'est fait mal. C'est dommage.
7. Begin with *Si:*   Ils réfléchiraient plus. Ils se tromperaient moins.
8. Join by using *qui:*   Où est l'actrice? Vous lui parliez.
9. Begin with *En:*   Il jette la balle. Il perd son équilibre.
10. Join the two sentences: Je le lui avais demandé. Il m'attendait.

Part III—*Idioms*

1. IDIOMS WITH *AVOIR*

1. **avoir . . . ans,** to be . . . years old

   Quel âge a-t-elle? Elle *a* quatorze *ans.*
   How old is she? She is fourteen years old.

2. **avoir beau** + infinitive, to do (something) in vain (The reason that the action is *in vain* must be added.)

   Il *a beau* essayer; il ne réussira pas.
   He tries in vain; he will not succeed.
       Or:
   No matter how much he tries, he will not succeed.

3. **avoir besoin de,** to need

   De quoi *avez*-vous *besoin? J'ai besoin de* bas.
   What do you need? I need stockings.

4. **avoir envie de,** to feel like

   Nous *avons envie de* voyager.
   We feel like traveling.

5. **avoir honte (de),** to be ashamed (of)

   N'*as*-tu pas *honte de* ce que tu as fait?
   Aren't you ashamed of what you've done?

6. **avoir lieu,** to take place

   Le concert *aura lieu* samedi soir.
   The concert will take place Saturday evening.

7. **avoir mal à** (+ part of body), to have a pain in, have a (an) . . . -ache

   J'*ai mal aux* dents.
   I have a toothache.

8. **avoir peur (de),** to be afraid (of)

   Avez-vous *peur des* éclairs?
   Are you afraid of the lightning?

9. **avoir quelque chose,** to have something wrong

   Qu'a-t-il? Il n'a rien.
   What's wrong with him? Nothing is wrong with him.

   Qu'est-ce qu'il y a? (*Qu'y a-t-il?*)
   What's the matter?

   Il n'y a rien.
   Nothing is the matter.

10. **avoir de la chance,** to be lucky

   J'espère qu'elle *aura de la chance.*
   I hope she will be lucky.

11. **avoir de quoi** (+ infinitive), to have the means (material, enough) to

   Avez-vous de quoi écrire?
   Have you something to write with?

   Il n'*a* pas *de quoi* vivre.
   He hasn't enough to live on.

12. **avoir l'air** (+ adjective), to seem, look

   Mon cousin *avait l'air* content.
   My cousin looked pleased.

13. **avoir l'air de** (+ infinitive), to seem to, look as if

   Le bébé *a l'air de* dormir.
   The baby seems to be sleeping.

14. **avoir l'habitude de,** to be accustomed to

   Le fermier *a l'habitude de* se lever de bonne heure.
   The farmer is accustomed to getting up early.

15. **avoir l'idée de,** to have a notion to

   J'*ai eu l'idée de* lui dire la vérité.
   I had a notion to tell him the truth.

16. **avoir l'intention de,** to intend to

   *Ont-*ils *l'intention de* partir bientôt?
   Do they intend to leave soon?

17. **avoir l'occasion de,** to have the opportunity to

   Quand *aurez-*vous *l'occasion de* la voir?
   When will you have the opportunity to see her?

18. **avoir le temps de,** to have (the) time to

Nous n'*avons* pas *le temps de* vous parler.
We haven't time to speak to you.

19. **avoir la parole,** to have the floor (as a speaker)

Le sénateur *a la parole* ce matin.
The senator has the floor this morning.

20. Other idioms:

avoir chaud, to be warm (of persons)
avoir froid, to be cold (of persons)
avoir faim, to be hungry
avoir soif, to be thirsty
avoir raison, to be right
avoir tort, to be wrong
avoir sommeil, to be sleepy

Elle n'*a* ni *faim* ni *soif.*
She is neither hungry nor thirsty.

Est-ce que j'*ai raison* ou *tort?*
Am I right or wrong?

EXERCICES

A. Compléter les phrases en français:

1. Puisque j'avais _____, j'ai bu un verre d'eau fraîche.
2. Pour nous montrer ses films d'Europe, il aura _____ d'un projecteur.
3. Vous avez l' _____ malade. Qu' _____ -vous? J'ai _____ à la tête.
4. Le professeur avait _____ expliquer le problème; les élèves étaient trop jeunes pour le comprendre.
5. Je n'ai pas de _____ écrire. Pouvez-vous me prêter une plume et du papier?
6. Si le député veut parler à l'assemblée, il peut avoir la _____.
7. La cérémonie a eu _____ dans l'hôtel de ville.
8. Elle n'a pas toujours tort; quelquefois elle a _____.
9. Que désirez-vous faire ce soir, Jérôme? J'ai _____ d'aller au théâtre.
10. Il n'aime pas les expéditions de chasse parce qu'il a _____ des animaux sauvages.

B. Traduire en anglais:

1. Je n'ai pas besoin de vous le dire.
2. Ce garçon a l'air d'avoir faim.
3. Qu'a-t-elle? Elle n'a rien.
4. N'ayez pas peur de réciter en classe.
5. Elle avait l'idée de le féliciter.
6. Vous avez beau parler; je ne vous crois pas.
7. Il a envie d'aller à la pêche.
8. L'expérience scientifique eut lieu dans le laboratoire de l'université.

164

9. Auront-ils l'occasion de poser des questions?
10. S'il dépense tout son argent, il n'aura pas de quoi vivre.

C. Traduire en français les mots en italique:

1. Quel âge Michel a-t-il? Il *will be fifteen* demain.
2. L'ambassadeur *looks tired* ce matin.
3. *Have we time to* lui téléphoner?
4. *What's the matter,* mesdames?
5. S'ils gagnent le prix, ils *will be lucky.*
6. Elle *looks as though* ne pas écouter.
7. Avez-vous *an earache?*
8. Je *am neither warm nor cold.*
9. *Has he the means to* le faire?
10. *Do you feel like* jouer au tennis?

D. Répondre à chaque question par une phrase complète en français:

1. De quoi aurai-je besoin pour éclairer ma chambre?
2. Avez-vous souvent ou rarement mal à la gorge en hiver?
3. Où est-ce que l'accident a eu lieu?
4. Qu'est-ce qu'on doit faire quand on a sommeil?
5. As-tu l'habitude de lire beaucoup ou peu?
6. Quand est-ce que cette famille pauvre aura de quoi manger?
7. Guillaume est-il fier de ses mauvaises notes ou en a-t-il honte?
8. Quelle autre langue avez-vous l'intention d'étudier?
9. Y a-t-il quelque chose, Alfred?
10. A quelle heure est-ce que le docteur aura le temps de visiter mon frère malade?

Monument en Normandie

Ce monument à Ste-Marie-du-Mont (Utah Beach) se trouve sur le circuit des "Plages du Débarquement." C'est sur cette côte de la Normandie que les Alliés ont débarqué en 1944 pour libérer la France de l'occupation allemande.

2. IDIOMS WITH *FAIRE*

1. **faire** (with **il**)—used in expressions of weather

Quel temps fait-il?	How is the weather?
Il fait beau aujourd'hui.	The weather is fine (fair, good) today.
Il a fait mauvais hier.	The weather was bad yesterday.
Fait-il chaud ou *froid?*	Is it warm or cold?
Fera-t-il frais ou *doux* demain?	Will it be cool or mild tomorrow?
Il fait du soleil; il fait du vent.	It is sunny; it is windy.
Il fait jour.	It is light (daylight, daytime).
Il fait nuit.	It is dark (nighttime).
Il fait des éclairs.	It is lightning.
Il fait du tonnerre.	It is thundering.

2. **faire** + infinitive, to have something done

J'*ai fait écrire* deux lettres.
I had two letters written.

Je les *ai fait écrire.*
I had them written.

Note: In this construction, the pronoun object is used with the verb **faire** rather than with the following infinitive. The past participle, **fait,** does not follow the rule of agreement; it is invariable.

3. **faire à sa tête,** to do as one pleases

Elle *fait* toujours *à sa tête.*
She always does as she pleases.

4. **faire attention à,** to pay attention to

Il n'*a* pas *fait attention à* son père.
He didn't pay attention to his father.

5. **faire de la peine à,** to grieve, distress, trouble

Sa maladie *me fait de la peine.*
His illness distresses me.

6. **faire de son mieux**⎫
   faire son possible⎬ to do one's best

Nous *faisons* rarement *de notre mieux.*⎫
Nous *faisons* rarement *notre possible.*⎬ We rarely do our best.

166

7. **faire des emplettes,** to go shopping

Je dois *faire des emplettes* en ville.
I have to go shopping in town.

8. **faire des progrès,** to make progress

Font-ils *des progrès* en mathématiques?
Are they making progress in mathematics?

9. **faire exprès,** to do on purpose

Il sait que tu ne l'*as* pas *fait exprès.*
He knows you didn't do it on purpose.

10. **faire la connaissance de,** to become acquainted with, meet

Nous *avons fait la connaissance de* ce monsieur.
We have met that gentleman.

11. **faire la queue,** to stand on line

Ils *faisaient la queue* devant la gare.
They were standing on line in front of the station.

12. **faire la sourde oreille,** to turn a deaf ear, pretend not to hear

Quand on le gronde, il *fait la sourde oreille.*
When you scold him, he turns a deaf ear.

13. **faire mal à,** to hurt

Ne *faites* pas *mal à* cet oiseau.
Do not hurt that bird.

14. **faire peur à,** to frighten

Les avions à réaction ne *lui font* pas *peur.*
Jet planes do not frighten him.

15. **faire plaisir à,** to please, give pleasure to

La musique *leur fait plaisir.*
Music pleases them.

16. **faire sa malle,** to pack one's trunk

Je vais *faire ma malle* ce soir.
I'm going to pack my trunk tonight.

17. **faire savoir (à quelqu'un),** to let (someone) know

Faites-moi savoir sa réponse.
Let me know his answer.

18. **faire semblant de,** to pretend to, make believe

Ne *faites* pas *semblant d'*étudier.
Don't make believe you're studying.

19. **faire ses adieux,** to say goodbye

Avant le voyage il *fera ses adieux.*
Before the trip he will say goodbye.

20. **faire une partie de,** to play a game of

Voulez-vous *faire une partie de* cartes?
Do you want to play a game of cards?

21. **faire une promenade,** to take a walk, a ride

Nous *faisions une promenade* dans le parc.
We were taking a walk in the park.

Ils vont *faire une promenade* en voiture.
They are going to take an automobile ride.

22. **faire** }
    poser } **une question (à),** to ask a question

*Lui a-*t-on *fait (posé) une question* difficile?
Did they ask her a difficult question?

23. **faire un voyage,** to take a trip

Je compte *faire un voyage* en bateau.
I intend to take a boat trip.

24. **faire venir,** to send for

Faites venir un plombier. *Faites*-le *venir.*
Send for a plumber. Send for him.

EXERCICES

A. Traduire en anglais:

1. Vous a-t-il fait savoir ce dont il a besoin?
2. Elle fait toujours ses emplettes de Noël au milieu de décembre.
3. S'il fait plus frais demain, j'ai l'intention de me faire couper les cheveux.
4. Les souris ne font pas peur à Hélène; elle fait semblant de ne pas les voir.

5. On ne pourra pas vous blâmer si vous faites votre possible.
6. Je ne vous poserai plus de questions puisque vous faites la sourde oreille.
7. Quand vont-ils faire peindre leur appartement?
8. Personne ne vous fera mal si vous vous taisez.
9. Nous avons l'habitude d'aller à la plage quand il fait chaud.
10. Si elle faisait attention au professeur, elle ne lui ferait pas tant de peine.

B. Compléter en français:

1. Est-ce que le lac a gelé? Non, il ne fait pas assez _____.
2. C'est un enfant gâté qui veut toujours faire à sa _____.
3. Savez-vous s'il fera beau ou _____ demain?
4. Si vous faites de votre _____, vous réussirez.
5. La foule a fait la _____ pour attendre l'autobus.
6. Quel _____ fait-il? Il fait _____ soleil.
7. Est-ce qu'on a fermé les fenêtres? Oui, je les ai _____ fermer.
8. Écoute-moi, Antoine; ne fais pas la _____ oreille!
9. Connaissez-vous mon oncle? Mais oui, j'ai déjà fait la _____ de votre oncle.
10. Quelle nuit! Il fait du tonnerre et des _____.

C. Traduire en français les mots en italique:

1. Ne partez pas sans *saying goodbye*.
2. Je ne peux pas *do as I please*.
3. Pourquoi *does he pretend to be* riche?
4. Notre grand-mère pourra sortir *when the weather is milder*.
5. Quelle histoire *did he have read?*
6. *Are you making progress* en français?
7. Je doute qu'il *did it on purpose*.
8. Avant de partir pour l'Europe, *they packed their trunk*.
9. Voulez-vous *to go shopping* avec moi?
10. Est-ce que ce soulier *hurts you?*
11. *Let them know* la date de votre arrivée.
12. Votre attitude *grieves him*.
13. *Is it daytime or nighttime* à Paris maintenant?
14. Ayez la bonté de répondre à la question *that I asked you*.
15. *Let us take a walk* dans le Bois de Boulogne.

D. Répondre à chaque question par une phrase complète en français:

1. Pourquoi fait-on la queue devant ce guichet?
2. Est-ce que le travail vous fait peur?
3. Vont-ils faire une promenade en voiture ou à bicyclette?
4. Pourquoi voudriez-vous faire un voyage autour du monde?
5. Qui fait-on venir quand on est malade?
6. Préférez-vous faire une partie de golf ou de tennis avec moi?
7. Où comptent-ils faire bâtir leur maison?
8. Lequel des cours que tu suis te fait plaisir?
9. En quel mois fait-il d'ordinaire du vent?
10. Quand avez-vous fait la connaissance de votre meilleur(e) ami(e)?

169

3. REFLEXIVE EXPRESSIONS

1. **s'agir de** (used impersonally with **il**), to be a question of; to be about

   De quoi *s'agit-il?*
   What is it about?

   Il s'agit de sa santé.
   It is a question of his health.

2. **s'approcher de,** to approach

   Tous *s'approchent de* la cheminée.
   They all approach the fireplace.

3. **s'attendre à,** to expect

   Je ne *m'attends* pas *à* les voir.
   I do not expect to see them.

4. **se casser le bras (la jambe),** to break one's arm (leg)

   Elle *s'est cassé le bras* en tombant.
   She broke her arm falling.

5. **se charger de,** to take care of

   Le guide *se chargera de* tout.
   The guide will take care of everything.

6. **se demander,** to wonder

   Je *me demande* s'il pleuvra ce soir.
   I wonder whether it will rain tonight.

7. **se douter de,** to suspect

   Le paysan ne *se doutait de* rien.
   The peasant suspected nothing.

8. **s'en aller,** to go away

   Elle *s'en va. Allez-vous-en.*
   She is going away. Go away.

9. **s'étonner de,** to be astonished (surprised) at

   Je *m'étonne de* ses manières.
   I'm astonished at his manners.

10. **se fâcher contre,** to get angry with

Ne *vous fâchez* pas *contre* eux.
Do not get angry with them.

11. **se faire mal,** to hurt oneself, get hurt

La petite *s'est fait mal* au pied.
The child hurt her foot.

12. **se fier à,** to trust

Nous ne *nous fions* pas *à* lui.
We don't trust him.

13. **se marier avec,** to marry

Elle *s'est mariée avec* un millionnaire.
She married a millionaire.

14. **se mettre à,** to begin to

Pourquoi *s'est*-elle *mise à* pleurer?
Why did she begin to cry?

15. **se mettre en colère,** to get angry, lose one's temper

Mon professeur ne *se met* jamais *en colère.*
My teacher never gets angry.

16. **se mettre en route,** to start out

A quelle heure *se sont*-ils *mis en route?*
At what time did they start out?

17. **se moquer de,** to make fun of, laugh at

Ne *te moque* pas *de* moi.
Don't make fun of me.

18. **s'occuper de,** to attend to, look after

Je *m'occuperai de* l'affaire.
I shall attend to the matter.

19. **se passer de,** to do without

Elle peut *se passer de* gâteau.
She can do without cake.

20. **se rendre à,** to go to

Le facteur *s'est rendu à* la poste.
The postman went to the post office.

21. **se rendre compte de,** to realize

Vous rendez-vous *compte de* votre erreur?
Do you realize your mistake?

22. **se servir de,** to use

Le docteur voulait *s'en servir.*
The doctor wanted to use it.

23. **se souvenir de** }to remember
    se rappeler }

Elle *s'est souvenue de* la rue. } She remembered the street.
Elle *s'est rappelé* la rue. }

24. **se tirer d'affaire,** to get along

Je sais *me tirer d'affaire.*
I know how to get along.

EXERCICES

A. Traduire en anglais:

1. Il ne s'attendait pas à recevoir tant de lettres.
2. Si tu ne te fies pas à moi, va-t'en!
3. Je me chargerai de son bonheur pendant qu'il sera sous notre toit.
4. Les coqs se mirent à chanter.
5. Il y a toujours de quoi s'occuper.
6. Je me demandais s'ils s'étaient déjà mis en route.
7. Peut-on se tirer d'affaire à l'étranger si l'on ne parle pas la langue du pays?
8. Quand l'actrice s'est approchée de moi, je l'ai reconnue.
9. Se sont-ils rendus au théâtre? Je m'en doute.
10. S'il s'agit d'argent, je vous en prêterai.

B. Remplacer les mots en italique par une expression équivalente:

1. *J'ai commencé à* étudier la lecture.
2. *Vous rappelez-vous* l'été où j'ai fait votre connaissance?
3. *Elle s'est blessée* en travaillant dans la cuisine.
4. Allez-vous *épouser* cette belle dame?
5. *Il est question de* leur avenir.
6. *Je suis surpris de* ce qu'il a dit.
7. Pourquoi *vous fâchez-vous?*
8. Il a *employé* sa clef pour ouvrir la porte.
9. Comptent-ils *aller* à Reims la semaine prochaine?
10. *On rit de* sa casquette bizarre.

C. Traduire en français les mots en italique:

1. *He was going away* pour un long voyage.
2. De quoi *is it a question?*
3. Malgré tous ses travaux, la mère *looks after* ses enfants.
4. *I expect to* arriver en Italie avant eux.
5. *We were approaching* la Cité Universitaire.
6. *Do not get angry with me,* madame.
7. *Do you suspect* sa sincérité?
8. Le porteur *will take care of* nos bagages.
9. *We wonder* ce qui l'a tellement fatigué.
10. Comment *did he break his leg?*

D. Répondre à chaque question par une phrase complète en français:

1. Quand est-ce que la neige s'est mise à tomber?
2. Pouvez-vous vous passer de chocolat?
3. De quoi se sert-on pour écrire au tableau noir?
4. Aimes-tu qu'on se moque de toi?
5. Contre qui la dame s'est-elle fâchée?
6. Vous rendez-vous compte de ce que vous avez fait?
7. Quel temps faisait-il quand les voyageurs se sont mis en route?
8. Quand vous attendez-vous à remplacer vos vieux meubles par des neufs?
9. A quelle heure est-ce que je dois me rendre à l'école?
10. Vous souvenez-vous du nom de votre premier professeur de français?

Cigognes

La cigogne est le symbole de l'Alsace. Ces oiseaux migrateurs font souvent leur nid sur des cheminées ou des toits de maisons.

4. OTHER VERBAL IDIOMS—I

1. **adresser la parole à,** to address, speak to

   La reine *adressa la parole à* son ministre.
   The queen addressed her minister.

2. **aller,** to feel, be (of health)

   Comment *vas*-tu? Je ne *vais* pas très bien.
   How are you? I'm not feeling very well.

3. **aller à,** to fit, suit

   Ce pardessus gris *lui va* bien.
   That gray overcoat fits him well.

4. **aller à la pêche,** to go fishing

   J'ai envie d'*aller à la pêche.*
   I feel like going fishing.

5. **aller à la rencontre de** } to go to meet
   aller au-devant de

   Il *est allé à la rencontre de* sa femme. } He went to meet his wife.
   Il *est allé au-devant de* sa femme.

6. **apprendre par cœur,** to memorize

   Elle *a appris par cœur* tous leurs noms.
   She memorized all their names.

7. **assister à,** to attend, be present at

   Nous *assisterons à* la conférence.
   We shall attend the lecture.

8. **changer de,** to change (one thing for another of its kind)

   André ne *change* jamais *d'*avis.
   Andrew never changes his mind.

   Je dois *changer de* vêtements.
   I must change my clothes.

9. **demander quelque chose à quelqu'un,** to ask someone for something

   Demandez un pain frais *au boulanger.*
   Ask the baker for a fresh bread.

10. **donner sur,** to face, look out on

Ces fenêtres *donnent sur* la place.
These windows face the square.

11. **éclater de rire,** to burst out laughing

En l'entendant, ils *ont éclaté de rire.*
On hearing it, they burst out laughing.

12. **entendre dire que,** to hear that

Avez-vous *entendu dire qu'*elle est malade?
Have you heard that she is ill?

13. **entendre parler de,** to hear of

Il n'*a* jamais *entendu parler de* ce pays.
He has never heard of that country.

14. **en vouloir à,** to have a grudge against, be angry with

En voulez-vous *à* Jean? Oui, je *lui en veux.*
Have you a grudge against John? Yes, I have.

15. **envoyer chercher,** to send for

Je vais *envoyer chercher* ton père.
I'm going to send for your father.

16. **être à,** to belong to

A qui *sont* ces mouchoirs? Ils *sont à* moi.
Whose handkerchiefs are these? They belong to me. (They are mine.)

17. **être bien aise de,** to be very glad to

J'*étais bien aise de* retrouver mes diamants.
I was very glad to find my diamonds.

18. **être d'accord (avec),** to agree (with)

Nous ne *sommes* pas *d'accord avec* lui.
We do not agree with him.

19. **être de retour,** to be back

Quand le tailleur *sera*-t-il *de retour?*
When will the tailor be back?

20. **être en train de,** to be busy (doing something), be in the act of

Les élèves *sont en train d'*étudier.
The pupils are (busy) studying.

21. **être enrhumé,** to have a cold

Cette jeune fille *est* toujours *enrhumée.*
That girl always has a cold.

22. **être sur le point de,** to be about to

Nous *étions sur le point de* le faire.
We were about to do it.

23. **féliciter de,** to congratulate on

Le général les *a félicités de* leur courage.
The general congratulated them on their courage.

24. **finir par** (+ infinitive), to end by, finally do (something)

Ils *ont fini par* remarquer l'araignée.
They finally noticed the spider.

25. **jouer à,** to play (a game)

Aimez-vous *jouer aux* cartes?
Do you like to play cards?

26. **jouer de,** to play (a musical instrument)

Son frère *joue* bien *du* violon.
His brother plays the violin well.

27. **jouir de,** to enjoy (what one possesses)

Cet avocat *jouit d'*une bonne réputation.
That lawyer enjoys a good reputation.

EXERCICES

A. Compléter la phrase en français:

1. Au revoir, messieurs. Je suis sur le _____ de partir.
2. L'aventure était si comique que j'ai éclaté de _____.
3. Ce balcon donne _____ la rue.
4. Les deux amis jouaient _____ tennis.
5. Le chauffeur adressait la _____ à l'agent de police.
6. Roger tousse et éternue; il est probablement _____.
7. Notre professeur jouit _____ un grand respect.
8. Nous avons changé _____ train à Lyon.
9. Il faut apprendre l'alphabet par _____.
10. Avez-vous jamais entendu _____ de cet auteur?

B. Traduire en anglais:

1. A son arrivée, nous sommes allés au-devant de lui.
2. Si vous avez envie de manger du poisson, allons à la pêche.
3. Pourquoi a-t-il éclaté de rire quand elle s'est mise à jouer de la harpe?
4. D'abord Étienne m'en voulait, mais nous avons fini par devenir amis.
5. Les garçons sont sur le point de jouer au baseball.
6. Si elle ne va pas mieux ce soir, nous enverrons chercher le médecin.
7. Ces belles perles, dont tu as tant entendu parler, sont à ma mère.
8. Les fenêtres de ma chambre donnent sur la cour.
9. Nous serons bien aises d'assister au concert.
10. Quand il est enrhumé, il me demande toujours de l'aspirine.

C. Traduire en français les mots en italique:

1. Le diplomate *will attend* la cérémonie.
2. Elle *congratulated him on* son succès.
3. Nous étions *busy eating* quand la porte s'est ouverte.
4. La robe rouge *does not suit* bien à Monique.
5. Lorsque tu verras le Père Noël, *what will you ask him for?*
6. *I have heard* qu'ils sont maintenant d'accord.
7. La femme désire *to change her room.*
8. Après avoir beaucoup réfléchi, *he finally gave* la réponse correcte.
9. Irez-vous *to meet your father* quand il reviendra?
10. *He has no grudge against them*, mais il les évite.

D. Répondre à chaque question par une phrase complète en français:

1. Jouissez-vous d'une bonne santé?
2. Si nous allons à la pêche, quand serons-nous de retour?
3. Qu'est-ce que le facteur est en train de faire?
4. M'en voulez-vous?
5. En quelle saison les feuilles des arbres changent-elles de couleur?
6. Est-il facile ou difficile de jouer du piano?
7. Combien de chansons françaises avez-vous apprises par cœur?
8. Croyez-vous que ce manteau de laine m'aille bien?
9. Êtes-vous d'accord avec ce que j'ai dit?
10. A qui est la plume que vous avez à la main?

Vendanges (*Récolte du raisin*) en Bourgogne

La Bourgogne, région gastronomique, est un des grands centres vinicoles de la France. On y produit des vins d'une distinction incomparable. Les vendanges ont lieu en Bourgogne de septembre à octobre.

5. OTHER VERBAL IDIOMS—II

1. **manquer de** (+ noun), to lack

   Vous *manquez de* savoir-faire, monsieur!
   You lack tact, sir!

2. **manquer de** (+ infinitive)⎫
   faillir (+ infinitive)⎭ almost (do something)

   Elle *a manqué de* mourir.⎫
   Elle *a failli* mourir.⎭ She almost died.

3. **monter à cheval,** to go horseback riding

   En été nous *montons à cheval.*
   In the summer we go horseback riding.

4. **n'en pouvoir plus,** to be exhausted

   A la fin du jour je *n'en peux plus.*
   At the end of the day I'm exhausted.

5. **penser à**⎫
   songer à⎭ to think of

   Pensez-vous (*Songez*-vous) jamais *à* elle?
   Do you ever think of her?

6. **penser de,** to think of (= to have an opinion of)

   Que *pensez*-vous *de* moi?
   What do you think of me?

   Vous savez ce que je *pense de* vous.
   You know what I think of you.

7. **pleuvoir à verse,** to rain hard, pour

   S'il *pleut à verse,* je ne sors pas.
   If it pours, I don't go out.

8. **prendre garde de,** to be careful not to

   Prenez garde de casser le verre.
   Be careful not to break the glass.

9. **prendre le parti de,** to decide to, make up one's mind to

   Il *a pris le parti de* réussir.
   He made up his mind to succeed.

10. **prendre un billet,** to buy a ticket

J'*ai pris un billet* pour voir le film.
I bought a ticket to see the film.

11. **profiter de,** to profit by, take advantage of

Ils *ont profité de* mon absence.
They took advantage of my absence.

12. **remercier de,** to thank for

J'*ai remercié* le juge *de* sa bonté.
I thanked the judge for his kindness.

13. **rendre visite à (quelqu'un),** to pay (someone) a visit, visit (someone)

Nous allons *rendre visite à* nos cousins.
We are going to visit our cousins.

14. **ressembler à,** to resemble, look like

Tu *ressembles* beaucoup *à* ton père.
You look a great deal like your father.

15. **rire de,** to laugh at

On *a ri de* lui, pas de son histoire.
They laughed at him, not at his story.

16. **sauter aux yeux,** to be evident

Son intelligence *saute aux yeux.*
Her intelligence is evident.

17. **savoir bon gré à quelqu'un de quelque chose,** to be grateful to someone for something

Je *leur en sais bon gré.*
I'm grateful to them for it.

18. **tarder à,** to be long (late) in

Ne *tardez* pas *à* le faire.
Don't be long in doing it.

19. **tenir à,** to insist upon, be anxious to, value

Ils *tiennent à* payer la note.
They insist upon paying the bill.

Je *tiens* beaucoup *à* ce portrait.
I value this portrait highly.

20. **valoir la peine de,** to be worth while

Il ne *vaut* pas *la peine de* lui répondre.
It isn't worth while answering her.

21. **valoir mieux,** to be better

Il *vaudrait mieux* dire la vérité.
It would be better to tell the truth.

22. **venir à,** to happen to

Si je *viens à* le voir, je le lui donnerai.
If I happen to see him, I will give it to him.

23. **venir à bout de,** to succeed in, manage to

Ils *sont venus à bout de* gagner la bataille.
They succeeded in winning the battle.

24. **venir de,** to have just (used in present and imperfect tenses)

Ils *viennent de* recevoir les nouvelles.
They have just received the news.

Ils *venaient de* recevoir les nouvelles.
They had just received the news.

25. **vouloir bien,** to be willing, to do (something) kindly

Il *veut bien* me l'envoyer.
He is willing to send it to me.

Voulez-vous *bien* fermer la porte?
Will you kindly close the door?

26. **vouloir dire,** to mean

Que *voulez*-vous *dire?*
What do you mean?

27. **y être,** to understand, see the point

Vous *y êtes?* Oui, j'*y suis.*
You understand? Yes, I see the point.

EXERCICES

A. Compléter la phrase en français:

1. Pleut-il beaucoup? Mais oui, il pleut à _____.
2. Je pense _____ ce que vous venez de dire.
3. Pourquoi rient-ils _____ moi?
4. Demain nous allons monter _____ cheval.

5. Vaut-il la _____ d'assister à ce bal?

6. Voulez-vous vous reposer un peu? Oui, je n'en _____ plus.

7. Merci de tout ce que vous avez fait. Je vous en sais bon _____.

8. Qu'est-ce que les critiques pensaient _____ son premier roman?

9. Je doute qu'il manque _____ courage.

10. Avez-vous remarqué combien Colette ressemble _____ sa sœur?

B. Remplacer les mots en italique par une expression équivalente:

1. La différence *est évidente*.

2. A quoi *pensait-il?*

3. La vieille *a manqué de* tomber.

4. Que *signifie* ce mot?

5. Mme Lebrun *est très fatiguée*.

6. Est-ce clair? Oui, *je comprends*.

7. *Il avait décidé de* s'en aller.

8. *Nous n'avons pas d'*argent.

9. L'agent *réussit à* attraper le voleur.

10. Elle *a un grand désir de* rentrer.

C. Traduire en anglais:

1. Prenez garde de boire trop d'eau froide.

2. Elle tarde toujours à finir son travail.

3. Nous venons à rencontrer nos voisins chaque matin.

4. Vous sauront-ils bon gré de vos efforts?

5. Profitons du beau temps; allons à la plage.

6. Cela saute aux yeux, n'est-ce pas? Oui, j'y suis.

7. Il vaut la peine de dîner dans ce restaurant.

8. Viendra-t-elle à bout de battre le record?

9. Il ne faut pas rire de ses fautes.

10. Voulez-vous bien envelopper ce cadeau?

D. Répondre à chaque question par une phrase complète en français:

1. A quel membre de votre famille ressemblez-vous?

2. Pourquoi n'en pouvez-vous plus?

3. Où pouvons-nous prendre des billets pour voir "Faust"?

4. Qu'est-ce que tu viens de faire?

5. Quand puis-je vous rendre visite?

E. Traduire en français:

1. We almost lost the money.

2. It was pouring.

3. I made up my mind to work hard.

4. Francis has just visited his friends.

5. We are exhausted.

6. What do you think of her hat?

7. It is better to go horseback riding.

8. I took advantage of it.

9. She looks like her mother.

10. They are anxious to see him.

11. What does that mean?

12. He had just bought a ticket.

13. I am willing to help you.

14. The class was lacking books.

15. They thanked me for having come.

6. IDIOMS INTRODUCED BY *à*—I

1. **à** (with characteristic), with

   La dame *aux* cheveux blonds est ma tante.
   The lady with the blond hair is my aunt.

2. **à** (when one is *on* the means of transportation), on, by

   à bicyclette, on a bicycle, by bicycle
   à cheval, on horseback
   à pied, on foot

   Le mousquetaire quitta Paris *à cheval.*
   The musketeer left Paris on horseback.

3. **à** (with time expressions), goodbye until

   à bientôt, see you soon, so long
   à demain, see you tomorrow
   à samedi, goodbye until Saturday
   à ce soir, see you tonight
   au revoir, goodbye, see you again
   à tout à l'heure, see you in a little while

   Nous allons chez nous maintenant. *A lundi.*
   We're going home now. See you Monday.

4. **à cause de,** because of, on account of

   J'ai mal à la tête *à cause du* bruit.
   My head hurts because of the noise.

5. **à côté de,** next to, beside

   Il y avait une lampe *à côté de* moi.
   There was a lamp next to me.

6. **à force de,** by, by means of, by dint of (= by repeated efforts)

   A force de travailler, il a réussi.
   By (dint of) working, he succeeded.

7. **à partir de,** from ... on, beginning (with)

   A partir de ce moment, nous étions amis.
   From that moment on, we were friends.

8. **à propos de** ⎱ about, concerning
   au sujet de ⎰

   J'ai beaucoup lu *à propos* (*au sujet*) *de* l'art.
   I have read much about art.

9. **à droite,** on (to) the right

   A droite on voit la Seine.
   On the right you see the Seine.

10. **à gauche,** on (to) the left

    Tournez *à gauche* devant l'église.
    Turn to the left in front of the church.

11. **à demi** ⎱ half, halfway
    à moitié ⎰

    Elle a rempli le verre *à demi.*
    She filled the glass halfway.

    La pomme est *à moitié* mangée.
    The apple is half eaten.

12. **à jamais,** forever

    Je garderai *à jamais* votre lettre.
    I shall keep your letter forever.

13. **à merveille,** wonderfully well, marvelously

    Lucie chante *à merveille,* n'est-ce pas?
    Lucy sings wonderfully well, doesn't she?

14. **à part,** aside

    Il m'a pris *à part* pour me dire le secret.
    He took me aside to tell me the secret.

15. **à peine,** hardly, scarcely

    Le paysan savait *à peine* lire.
    The peasant could scarcely read.

16. **à présent,** now, at present

    Que font-ils *à présent?*
    What are they doing now?

183

17. **à travers,** through, across

Ce chemin mène *à travers* le parc.
This road leads across the park.

18. **à haute voix,** aloud, out loud

L'étudiant a récité le poème *à haute voix.*
The student recited the poem aloud.

19. **à voix basse,** in a low voice

Dans la bibliothèque on parle *à voix basse.*
In the library we speak in a low voice.

20. **à peu près,** nearly, about, approximately

Le préfet avait *à peu près* quarante ans.
The prefect was about forty years old.

21. **à quoi bon** (+ infinitive)? what's the use of?

A quoi bon se plaindre tout le temps?
What's the use of complaining all the time?

22. **à son gré,** at one's pleasure, as one pleases

J'agis toujours *à mon gré.*
I always act as I please.

23. **à tout prix,** at any cost

L'artiste compte l'achever *à tout prix.*
The artist intends to complete it at any cost.

24. **à vrai dire,** to tell the truth

A vrai dire, je m'en doutais.
To tell the truth, I suspected it.

EXERCICES

A. Remplacer les mots en italique par une expression équivalente:

1. Ils demeurent *maintenant* au Danemark.
2. *Vraiment,* je ne l'ai pas reconnu.
3. Vous dansez *d'une façon merveilleuse.*
4. L'armée a marché *par le milieu de* la forêt.
5. Il y avait *environ* dix livres sur le bureau.
6. Nous *ne* voyageons *guère.*
7. *En étudiant* sérieusement, il devint le premier de la classe.
8. Elle avait promis à son mari de l'aimer *pour toujours.*

9. J'ai beaucoup appris *au sujet de* la civilisation française.
10. Le fermier était *à demi* endormi.

B. Traduire en anglais:

1. On met la fourchette à gauche de l'assiette; le couteau et la cuiller à droite.
2. Nous tenons à les aider à tout prix.
3. Il m'a souri quoique je le connaisse à peine.
4. A quoi bon attendre ici plus longtemps? A demain.
5. Il y avait beaucoup de mines flottantes à cause de la guerre.
6. Quel est ce garçon aux yeux bleus et à la figure ronde?
7. Comptez-vous demeurer à jamais dans cette ville?
8. La tasse est à moitié pleine.
9. A partir d'aujourd'hui, je vais mettre de l'argent à part chaque semaine.
10. Il n'est pas nécessaire de vous dépêcher; vous pouvez faire le travail à votre gré.

C. Traduire en français les mots en italique:

1. Ne courez pas *across* la rue.
2. Ils y sont allés *on foot.*
3. *By dint of* forger, on devient forgeron.
4. Nous le ferons *at any cost.*
5. *To tell the truth,* j'ai oublié de mettre votre lettre à la poste.
6. Vous partez? Oui, *see you in a little while.*
7. J'arrange mes affaires *as I please.*
8. Parlez *in a low voice;* les enfants dorment.
9. Il a un téléphone *next to* son lit.
10. Connaissez-vous cet homme *with the black beard?*
11. *From tomorrow on* nous étudierons ensemble.
12. *What's the use of* lui en parler?
13. Dans une voiture américaine, la place du chauffeur est *on the left.*
14. Mon père lisait le journal *aloud.*
15. Je l'ai fait *because of* vous.

D. Répondre à chaque question par une phrase complète en français:

1. Qui est assis à côté de toi en classe?
2. Combien de temps nous faudra-t-il à peu près pour finir nos devoirs?
3. Avez-vous l'habitude de compléter les choses ou de les faire à demi?
4. Quelle histoire leur mère a-t-elle lue à haute voix aux petits enfants?
5. A propos de quoi vous a-t-on interrogé?

Malmaison—la chambre de l'impératrice Joséphine

Le château de la Malmaison, à l'ouest de Paris, fut le séjour de l'impératrice Joséphine, première femme de Napoléon Bonaparte. Actuellement c'est un musée napoléonien.

7. IDIOMS INTRODUCED BY *à*—II

1. **A la bonne heure!** Good! Fine!

   Je vous donnerai ma réponse demain. *A la bonne heure!*
   I'll give you my answer tomorrow. Fine!

2. **à la campagne,** in (to) the country

   Nous avons passé quinze jours *à la campagne.*
   We spent two weeks in the country.

3. **à l'école,** in (to) school

   Ceux qui étudient aiment à aller *à l'école.*
   Those who study like to go to school.

4. **à l'étranger,** abroad

   Ma sœur et son mari demeurent *à l'étranger.*
   My sister and her husband are living abroad.

5. **à la fin,** finally

   A la fin il s'est mis à pleuvoir.
   Finally it began to rain.

6. **à l'heure,** on time

   Est-ce que l'autobus est parti *à l'heure?*
   Did the bus leave on time?

7. **à cette heure,** at this (that) time

   Où allez-vous *à cette heure?*
   Where are you going at this time?

8. **à la fois,** at the same time

   Peut-on jouer et travailler *à la fois?*
   Can we play and work at the same time?

9. **à temps,** in time

   Il arrive *à temps* pour dîner.
   He arrives in time for dinner.

10. **à la main,** in one's hand

    Qu'est-ce que le bébé tient *à la main?*
    What is the baby holding in his hand?

11. **à la maison,** at home, home

Serez-vous *à la maison* ce soir?
Will you be home tonight?

12. **à la mode,** in style

Ses robes sont toujours *à la mode.*
Her dresses are always in style.

13. **à l'occasion de,** at the time of, on the occasion of

A l'occasion de son mariage, il a porté un complet bleu marin.
On the occasion of his marriage, he wore a navy blue suit.

14. **à la page . . . ,** on page . . .

La leçon commence *à la page* onze.
The lesson begins on page eleven.

15. **au contraire,** on the contrary

Ne sait-elle pas nager? *Au contraire,* elle nage très bien.
Can't she swim? On the contrary, she swims very well.

16. **au loin,** in the distance

On pouvait voir *au loin* le navire.
They could see the ship in the distance.

17. **au moins,** at least

Cela coûte mille dollars *au moins.*
That costs at least a thousand dollars.

18. **au bas de,** at the bottom of

Nous l'avons rencontré *au bas de* l'escalier.
We met him at the bottom of the staircase.

19. **au bout de,** at the end of, after

*Au bout d'*un mois, elle est rentrée.
At the end of a month, she came home.

20. **au courant de,** informed of

Le président est *au courant des* affaires étrangères.
The President is informed about foreign affairs.

Il m'a mis *au courant des* faits.
He acquainted me with the facts.

187

21. **au-dessous de,** below, beneath

Vous verrez mon nom *au-dessous du* vôtre.
You will see my name below yours.

22. **au-dessus de,** above, over

Un de mes amis demeure *au-dessus de* nous.
One of my friends lives above us.

23. **au fond de,** in the bottom of

Il y a de l'eau *au fond du* puits.
There is water in the bottom of the well.

24. **au haut de,** at the top of

Écrivez votre adresse *au haut de* la lettre.
Write your address at the top of the letter.

25. **au lieu de,** instead of

Réfléchissez un peu *au lieu de* parler.
Think a little instead of speaking.

26. **au milieu de,** in the middle of

Il s'est réveillé *au milieu de* la nuit.
He woke up in the middle of the night.

27. **au pied de,** at the foot of

Le concierge se tenait *au pied de* l'échelle.
The concierge was standing at the foot of the ladder.

EXERCICES

A. Traduire en anglais:

1. au fond de la mer
2. au lieu de se battre
3. au-dessus des nuages
4. au moins une douzaine
5. habillé à la mode
6. au pied de la colline
7. au bout de huit jours
8. au haut de l'arbre
9. au milieu du 18e siècle
10. à l'occasion de mon seizième anniversaire

B. Traduire en français les mots en italique:

1. *At least,* il a de l'esprit!
2. J'ai un stylo *in my hand.*
3. Peut-on lui téléphoner *at this time?*
4. Armand n'est pas paresseux; *on the contrary,* il est très diligent.
5. Qu'as-tu appris aujourd'hui *in school,* Paul?
6. L'aviateur voulait monter *above* l'atmosphère.
7. Nous allons *to the country* chaque été.

188

8. Êtes-vous *informed about* l'état de sa santé?
9. Il était *at the same time* souriant et grave.
10. *Finally*, ils ont décidé de partir.
11. Cette anecdote se trouve *on page eighty-two*.
12. Le médecin y est-il arrivé *in time?*
13. Nous avons vu les maisons couvertes de neige *below* nous.
14. Tout à coup, ils ont remarqué un avion *in the distance*.
15. Jacques n'arrive jamais *on time*.

C. Répondre à chaque question par une phrase complète en français:

1. Qui est-ce que je vois au bout de la rue?
2. Pourquoi tiens-tu à aller à l'école?
3. Quel village se trouve au pied du mont Blanc?
4. Quand comptez-vous aller à l'étranger?
5. Y a-t-il un chiffre au bas ou au haut de cette page?
6. Pouvez-vous chanter et manger à la fois?
7. Qu'est-ce qu'on avait mis au milieu de la table?
8. Garçon, que puis-je avoir au lieu de poisson?
9. Garde-t-elle ses chapeaux au-dessus ou au-dessous de ses robes dans l'armoire?
10. Qu'y a-t-il au fond de ce vase?

D. Traduire en anglais:

1. Veuillez me tenir au courant de tout ce qui se passe.
2. Si elle avait l'occasion d'aller à l'étranger, elle irait en Suisse.
3. La température descendit jusqu'à dix degrés au-dessous de zéro.
4. Tout est arrivé à la fois.
5. Je me brosse les dents au moins deux fois par jour.
6. Quel est ce bruit que j'entends au loin?
7. A six heures le soleil se levait au-dessus de l'horizon.
8. Le dentiste ne pouvait pas sauver la dent parce qu'elle n'avait pas été traitée à temps.
9. Si vous me faites savoir quand vous serez à la maison, je serai enchanté de vous rendre visite.
10. Jeanne désire attendre ici au lieu de faire la queue. A la bonne heure!

La basilique de Lourdes

Lourdes, dans les Pyrénées, est un lieu de pèlerinage célèbre. La basilique majestueuse attire chaque année des milliers de dévots et de malades en quête d'une guérison miraculeuse.

8. IDIOMS INTRODUCED BY *DE*

1. **d'abord,** first, at first

   D'abord essuyez vos larmes; puis nous parlerons.
   First dry your tears; then we will talk.

2. **d'ailleurs,** besides, moreover

   D'ailleurs, je ne peux pas mentir.
   Besides, I cannot lie.

3. **d'avance,** in advance, beforehand

   Nous les avons payés *d'avance.*
   We paid for them in advance.

4. **de bon appétit,** heartily, with a good appetite

   Je suis trop triste pour manger *de bon appétit.*
   I'm too sad to eat heartily.

5. **de bon cœur,** willingly, gladly

   Ses voisins l'ont aidé *de bon cœur.*
   His neighbors helped him willingly.

6. **de bonne heure,** early

   Le malade s'est couché *de bonne heure.*
   The patient went to bed early.

7. **de l'autre côté (de),** on the other side (of)

   Le château se trouve *de l'autre côté du* parc.
   The castle is on the other side of the park.

8. **du côté de,** in the direction of, toward

   Nous voyageons *du côté de* Bordeaux.
   We are traveling in the direction of Bordeaux.

9. **de mon côté,** for my part

   De mon côté, je préfère dîner en ville.
   For my part, I prefer to dine out.

10. **de jour en jour,** from day to day

    Vous écrivez mieux *de jour en jour.*
    You write better from day to day.

11. **de plus en plus,** more and more, -er and -er

Elle devient *de plus en plus* belle (*de plus en plus* faible).
She is becoming more and more beautiful (weaker and weaker).

12. **de temps en temps** } from time to time, occasionally
    de temps à autre

De temps en temps } on pouvait voir la bannière étoilée.
De temps à autre
From time to time, we could see the star-spangled banner.

13. **de nouveau** } again
    encore une fois

Il a examiné *de nouveau* (*encore une fois*) la voiture.
He examined the car again.

14. **d'ordinaire,** usually

D'ordinaire ce magasin ferme à six heures.
Usually this store closes at six o'clock.

15. **de parti pris,** deliberately

Lui ont-ils désobéi *de parti pris?*
Did they disobey her deliberately?

16. **de la part de,** on behalf of, from

Il est venu *de la part de* son maître.
He came on behalf of his master.

17. **de quelle couleur . . . ?** what color . . . ?

De quelle couleur est le sable?
What color is the sand?

18. **De rien.** } You're welcome. Don't mention it.
    Il n'y a pas de quoi.

Merci de tout ce que vous avez fait. *De rien.*
Thanks for all you've done. Don't mention it.

19. **de rigueur,** obligatory, required

A ce bal, le smoking sera *de rigueur.*
At that dance, a tuxedo will be obligatory.

20. **du matin au soir,** from morning till night

Mon cousin chante *du matin au soir.*
My cousin sings from morning till night.

191

21. du moins, at least

Elle est, *du moins*, très fière.
She is, at least, very proud.

EXERCICES

A. Traduire en anglais:

1. Elle regrette d'ordinaire d'avoir trop parlé.
2. De temps en temps elle fait des promesses qu'elle ne tient pas.
3. Ils auront toujours des réponses sincères de ma part.
4. Les idées d'Einstein intéressaient de plus en plus les savants du monde.
5. Ce fut un appartement assez confortable, du moins au commencement.
6. Quand mon frère est enrhumé, il tousse du matin au soir.
7. Nous l'invitons souvent à dîner chez nous parce qu'il mange de si bon appétit.
8. Il est évident d'ailleurs que vous manquez d'ambition personnelle.
9. De quel côté voulez-vous marcher? Du côté de la Madeleine.
10. Tu as beau le gronder; il refuse de se lever de bonne heure.

B. Remplacer les mots en italique par une expression équivalente:

1. Le visiteur a frappé *de nouveau* à la porte.
2. Il habiterait *volontiers* le quartier Latin.
3. Est-ce que les gants seront *obligatoires* ce soir?
4. *Généralement* nous y allons à bicyclette.
5. L'avion volait *vers* l'Espagne.
6. Je vous en remercie. *De rien.*
7. *Pour moi,* j'ai décidé de me spécialiser en musique.
8. *Quelquefois* notre téléphone ne marche pas.
9. Nous doutons qu'il l'ait fait *exprès*.
10. Je sais qu'il n'a pas beaucoup d'argent, mais a-t-il, *au moins*, de quoi vivre?

C. Traduire en français les mots en italique:

1. La cuisinière avait préparé le repas *in advance*.
2. Que j'ai faim! Je vais manger *heartily*.
3. On pouvait voir une rue étroite *on the other side of* la Seine.
4. Je vous expliquerai le problème *willingly*.
5. *Usually* elle accompagne son mari à la gare.
6. Vous faites des progrès remarquables *from day to day*.
7. On dit qu'il fera *colder and colder*.
8. *Occasionally* nous pouvions entendre le tonnerre au loin.
9. Je lui ai envoyé un cadeau *on behalf of* la classe.
10. *First* racontez-nous votre histoire.

D. Répondre à chaque question par une phrase complète en français:

1. Est-ce que la cravate est de rigueur dans ce restaurant?
2. De quelle couleur sont les petits pois?
3. Si nous sommes en France, quel pays se trouve de l'autre côté de la Manche?
4. Où allez-vous d'ordinaire le samedi matin?
5. Si je désire voir cette pièce de théâtre, qu'est-ce que je dois prendre d'abord?

9. IDIOMS INTRODUCED BY OTHER PREPOSITIONS

1. **autour de,** around

   On va lancer une fusée *autour de* la lune.
   They are going to launch a rocket around the moon.

2. **chez** (+ person), to (at) the house (place) of (the person)

   Il ne va pas *chez* lui; il va *chez* le coiffeur.
   He is not going home; he is going to the barber's.

3. **en** (when one is *inside* the means of transportation), by

   en automobile (*auto*), by automobile   *en chemin de fer,* by train
   en avion, by plane   *en voiture,* by car
   en bateau, by boat

   Préférez-vous y aller *en voiture* ou *en avion?*
   Do you prefer to go by car or plane?

4. **en arrière,** backward(s), behind

   Le soldat a fait un pas *en arrière.*
   The soldier took a step backward.

5. **en bas,** downstairs

   J'ai perdu mes clefs *en bas.*
   I lost my keys downstairs.

6. **en haut,** upstairs

   Connaissez-vous la famille qui demeure *en haut?*
   Do you know the family that lives upstairs?

7. **en effet,** (yes) indeed, as a matter of fact

   Attendez-vous depuis longtemps? *En effet,* j'attends depuis une heure.
   Have you been waiting long? Yes indeed, I've been waiting for an hour.

8. **en face de,** opposite

   Elle s'est assise *en face de* nous.
   She sat down opposite us.

9. **en famille,** as a family, within (in the privacy of) the family

   Nous avons dîné *en famille.*
   We dined as a family.

10. **en même temps,** at the same time

Les deux enfants pleuraient *en même temps.*
The two children were crying at the same time.

11. **en plein air,** in the open air, outdoors

Les garçons aiment jouer *en plein air.*
Boys like to play outdoors.

12. **en retard,** late (= not on time)

Je suis *en retard* de cinq minutes.
I'm five minutes late.

13. **en tout cas,** in any case, at any rate

En tout cas, vous n'avez rien à craindre.
In any case, you have nothing to fear.

14. **en ville,** downtown, in (to, into) town

Le samedi nous allons *en ville* avec nos camarades.
On Saturdays we go downtown with our friends.

15. **par conséquent,** therefore, consequently

Elle est partie pour l'Italie. *Par conséquent,* je ne la vois plus.
She has left for Italy. Consequently, I no longer see her.

16. **par exemple,** for example

Les fromages français sont excellents, *par exemple,* le camembert.
French cheeses are excellent, for example, Camembert.

17. **par hasard,** by chance

Si, *par hasard,* vous le retrouvez, faites-le-moi savoir.
If, by chance, you find it (if you happen to find it), let me know.

18. **par ici,** this way, in this direction

Passez *par ici,* s'il vous plaît.
Step this way, please.

19. **par là,** that way, in that direction

Par là on peut voir l'hôtel de ville.
In that direction you can see the city hall.

20. **par jour (semaine, mois,** etc.), a (per) day (week, month, etc.)

Ces ouvriers gagnent cent francs *par jour.*
Those workers earn a hundred francs a day.

21. sans doute, without doubt, undoubtedly

Ce tapis-ci est **sans doute** le plus joli.
This rug is undoubtedly the prettiest.

EXERCICES

A. Compléter la phrase en français:

1. Ils vont célébrer l'anniversaire _____ famille.
2. A-t-il l'habitude d'arriver à l'heure? Non, d'ordinaire il arrive en _____.
3. Garçon, une table pour quatre. _____ ici, s'il vous plaît.
4. Seront-ils en bas ou en _____?
5. Connaissez-vous M. Rolland? En _____, j'ai fait sa connaissance la semaine dernière.
6. Nous y allons _____ chemin de fer.
7. Regardez devant vous, pas en _____.
8. Où allez-vous? Nous allons _____ nous.
9. Elle fait des emplettes deux fois _____ semaine.
10. Ne rentrons pas tout de suite. Restons encore quelques minutes en _____ air.

B. Traduire en français les mots en italique:

1. Attendez-moi. Je ne veux pas rester *behind.*
2. De mon côté, je préfère les sports, *for example,* l'alpinisme.
3. Ta tante est-elle encore au bord de la mer? Non, elle est de retour *in town.*
4. Où a-t-il couru? *That way.*
5. C'est un de vos amis, *without doubt.*
6. Nous l'avons rencontré hier *by chance.*
7. Mes amis m'attendaient *downstairs.*
8. Les feuilles continuent à tomber *around us.*
9. Ils voyageaient au Canada *by car.*
10. *In any case,* nous partirons de bonne heure.
11. Edmond ne se sentait pas bien. *Therefore,* il ne pouvait pas assister au concert.
12. Cela s'était passé *within the family.*
13. La cloche sonne une fois *an hour.*
14. Ils ont passé le mois de juillet *outdoors.*
15. *At the same time,* nous essayions de vendre notre maison.

C. Répondre à chaque question par une phrase complète en français:

1. Combien d'heures par jour dormez-vous?
2. Qu'est-ce qui tourne autour de la Terre?
3. Qui demeure en face de vous?
4. Chez qui va-t-on pour se faire arracher une dent?
5. Aimeriez-vous mieux traverser l'océan Atlantique en bateau ou en avion?

10. MISCELLANEOUS IDIOMS AND EXPRESSIONS

1. **bien entendu,** of course

   Aimez-vous les sciences? *Bien entendu,* je suis un cours de chimie à présent.
   Do you like the sciences? Of course, I'm taking a course in chemistry now.

2. **bon gré mal gré,** whether one wants to or not, willy-nilly

   Tu le feras *bon gré mal gré.*
   You will do it whether you want to or not.

3. **bon marché,** cheap
   meilleur marché, cheaper

   Cette crème dentifrice est *bon marché,* mais l'autre est *meilleur marché.*
   This toothpaste is cheap, but the other one is cheaper.

4. **bon pour,** good (kind) to

   Nos professeurs sont toujours *bons pour* nous.
   Our teachers are always good to us.

5. **Cela m'est égal.** That makes no difference to me. That's all the same to me.

   A quelle heure voulez-vous partir? *Cela m'est égal.*
   At what time do you want to leave? That makes no difference to me.

6. **Cela ne fait rien.** That does not matter. That makes no difference.

   Je doute qu'il nous attende. *Cela ne fait rien.*
   I doubt that he will wait for us. That does not matter.

7. **c'est-à-dire,** that is to say

   Nous avons visité la plus belle ville du monde, *c'est-à-dire,* Paris.
   We visited the most beautiful city in the world, that is to say, Paris.

8. **C'est entendu.** It's agreed. All right.

   Si tu as froid aux mains, mets tes gants de laine. *C'est entendu.*
   If your hands are cold, put on your woolen gloves. All right.

9. **en huit jours,** in a week
   en quinze jours, in two weeks

   L'étudiant a appris toutes les règles *en huit jours.*
   The student learned all the rules in a week.

10. **et ainsi de suite,** and so forth

Étudiez le vocabulaire, les verbes, les idiotismes, *et ainsi de suite.*
Study the vocabulary, verbs, idioms, and so forth.

11. **faute de,** for lack of

*Faute d'*attention, Jacques a eu un zéro en arithmétique.
For lack of attention, James received a zero in arithmetic.

12. **grâce à,** thanks to

Grâce à vous, nous n'avons payé que la moitié du prix.
Thanks to you, we paid only half the price.

13. **il y a . . . , . . .** ago

On me l'a envoyé *il y a* longtemps.
They sent it to me a long time ago.

14. **Il y avait une fois . . . ,** Once (upon a time) there was (were) . . .

Il y avait une fois un grand méchant loup.
Once there was a big, bad wolf.

15. **Jamais de la vie!** Never! Out of the question!

Voulez-vous vendre le chef-d'œuvre? *Jamais de la vie!*
Do you want to sell the masterpiece? Never!

16. **le long de,** along

Nous admirions les beaux arbres *le long du* canal.
We admired the beautiful trees along the canal.

17. **n'importe,** never mind, no matter

J'ai oublié mon tricot. *N'importe,* je vous prêterai le mien.
I forgot my sweater. Never mind, I'll lend you mine.

18. **peu à peu,** little by little, gradually

Peu à peu il apprend à étudier.
Little by little he is learning to study.

19. **Plaît-il?** What did you say? Would you mind repeating? I beg your pardon.

—La cloche a déjà sonné, Pierre.
"The bell has already rung, Peter."

—*Plaît-il,* monsieur?
"What did you say, sir?"

20. **quant à,** as for

> *Quant à* moi, je préfère flâner sur les quais.
> As for me, I prefer to stroll on the quays.

21. **que** ⎫
    comme ⎬ how (in exclamations)

> *Que* vous êtes joli! *Comme* il fait froid!
> How pretty you are! How cold the weather is!

22. **tant bien que mal,** rather badly, after a fashion, so-so

> Savez-vous patiner? *Tant bien que mal.*
> Can you skate? After a fashion.

23. **tant mieux,** so much the better

> J'ai ma propre voiture. *Tant mieux!*
> I have my own car. So much the better!

24. **tant pis,** so much the worse

> Il ne fait que jouer. *Tant pis* pour lui.
> All he does is play. So much the worse for him.

25. **tous (les) deux,** both

> Nous avons vu notre oncle et notre tante. *Tous les deux* se portent bien.
> We saw our uncle and aunt. Both are feeling fine.

26. **tout à coup,** suddenly

> *Tout à coup* il commença à pleuvoir.
> Suddenly it began to rain.

27. **tout à fait,** entirely, quite

> Le toit est *tout à fait* couvert de neige.
> The roof is entirely covered with snow.

28. **tout à l'heure** ⎰ just now, a little while ago (referring to immediate past)
    ⎱ in a little while, presently (referring to immediate future)

> Elle a nettoyé la chambre *tout à l'heure.*
> She cleaned the room just now.
> Elle nettoiera la chambre *tout à l'heure.*
> She will clean the room in a little while.

29. **tout de même** ⎫
    quand même ⎬ just the same

> Elle n'est pas très intelligente, mais il va l'épouser *tout de même.*
> She isn't very intelligent, but he is going to marry her just the same.

30. **tout de suite** ⎫
    à l'instant ⎬ immediately, at once

Ils m'ont téléphoné *tout de suite.*   Ramassez ce papier *à l'instant*
They telephoned me immediately.   Pick up that paper at once.

EXERCICES

A. Compléter la phrase en français:

1. Sa fortune avait disparu peu _____ peu.
2. Cette cravate n'est pas chère; elle est _____ marché.
3. _____ à coup, il a décidé de rompre avec les traditions.
4. Comment vous portez-vous ce matin? Tant bien _____ mal.
5. Soyez bon _____ cet enfant; il est malade.
6. Son visage exprime toutes les émotions: la joie, la tristesse, la honte, la peur, et ainsi de _____ .
7. _____ les deux sont tombés dans l'eau. ·
8. Chaque soir nous étudions bon gré _____ gré.
9. Comment! Ils ont l'intention de vous rendre visite avec leurs enfants? _____ pis pour vous!
10. _____ d'argent, il ne pouvait pas payer la note.

B. Traduire en anglais:

1. Quant à nous, nous devrons quand même partir.
2. Il y avait une fois trois souris aveugles.
3. Pourra-t-elle oublier son enfance malheureuse? Jamais de la vie!
4. Il faut que tout le monde dorme bon gré mal gré.
5. Votre santé n'est jamais tout à fait la même chaque jour. ·
6. On peut peindre le portrait en quinze jours.
7. Peu à peu, le palais tombait en ruine.
8. J'y suis arrivé à temps, grâce à ma bicyclette.

9. —Garçon, apportez-moi un café noir.—Plaît-il, madame?—N'importe, j'ai changé d'avis.
10. Nous aimons les fruits d'été, c'est-à-dire, les fraises, les melons, les pêches, et ainsi de suite.

C. Remplacer les mots en italique par une expression équivalente:

1. Il va pleuvoir *dans un instant.*
2. *Naturellement,* nous avons commandé un bon repas dans le restaurant.
3. L'armée avait entouré *graduellement* les troupes ennemies.

4. Cette robe coûte beaucoup d'argent, mademoiselle. *Cela ne me fait rien.*

5. *De mon côté,* j'ai envie de prendre un bain de soleil.

6. On peut *quand même* se demander comment cette machine fonctionne.

7. *Que* votre fils est diligent!

8. Nous ne sommes pas *entièrement* satisfaits de cette peinture.

9. *Je viens de déjeuner.*

10. On nous avait envoyé la nouvelle *à l'instant.*

D. Traduire en français les mots en italique:

1. Je vous verrai ce soir à l'Opéra. *It's agreed.*

2. Il n'y a pas de taxes à payer. *So much the better!*

3. Leur mère les a grondés *both.*

4. On a construit la maison *in a week.*

5. Sait-il danser? *After a fashion.*

6. Elle n'en est pas *quite* sûre.

7. *Thanks to* notre professeur, nous avons réussi à l'examen.

8. J'ai cassé un verre. *That does not matter.*

9. *For lack of* une bonne réponse, la femme s'est tue.

10. Je me suis fait mal *a month ago.*

E. Répondre à chaque question par une phrase complète en français:

1. A qui parliez-vous tout à l'heure dans la rue?

2. Où le bon vin est-il meilleur marché, en France ou en Amérique?

3. Connaissez-vous quelqu'un qui soit tout à fait content?

4. Quels beaux édifices est-ce que les touristes visitent le long de la Loire?

5. Après une opération sérieuse, guérit-on tout de suite ou peu à peu?

IDIOM REVIEW QUIZZES

A

Traduire en français l'expression entre parenthèses:

1. (Instead of) café, je vais prendre du thé.

2. Connaissez-vous ce garçon (with the black hair)?

3. (She was pretending to) être princesse.

4. (In any case), nous avons décidé de ne pas le faire.

5. As-tu remarqué le tableau (above) la chaise?

6. La viande devient (more and more) chère chaque mois.

7. A quelle heure (do you expect) Cécile?

8. Il y avait une bonne route (along) la rivière.

9. Pourquoi (have you a grudge against) votre voisin?

10. Je me demande si (she suspects) la vérité.

B

Choisir le mot ou l'expression qui complète le sens de la phrase:

1. Les voyageurs partiront (à la bonne heure, de bonne heure) dimanche matin.

2. Je sais ce que vous pensez (à, de) moi.

3. Puisqu'il est trop gros, il (se passe, se charge) de sucre.

4. Avez-vous (fait, eu) nettoyer la chambre?

5. Après une journée de travail, je (saute aux yeux, n'en peux plus).

6. Elle (s'agit, est en train) d'ouvrir le courrier.
7. Bien entendu, nous avons entendu (parler, dire) de Jean-Jacques Rousseau.
8. Je comprends (à peu près, à travers) tout ce que le professeur a dit.
9. Que vous jouez bien (de, à) la clarinette!
10. Après l'orage, elle est rentrée (à merveille, à moitié) morte.

C

Traduire en français l'expression entre parenthèses:

1. (Do you realize the) possibilités de la science?
2. Je vais les punir (both).
3. Chaque fois qu'on lui parle (she changes her mind).
4. Le thermomètre est (below) cent degrés.
5. (He had just discovered) la cause de la maladie.
6. Vous avez l'air malade. (What is wrong with you?)
7. J'essaie toujours de (do my best).
8. Il avait stationné le camion (on the other side) du pont.
9. La situation changeait (from day to day).
10. (They were accustomed to) dîner tard.

D

Donner une expression équivalente à celle en italique:

1. On lui a demandé de se taire *immédiatement*.
2. Tout le monde *a commencé à* chanter.
3. *Quelquefois* nous le rencontrons dans le métro.
4. *Tu parles en vain;* nous refusons de suivre tes conseils.
5. *Après* une demi-heure, il s'était endormi.
6. Je vais *envoyer chercher* le père de cet enfant.
7. Juliette *a épousé* un poète bien connu.
8. Si vous marchez *vers* la banque, vous trouverez l'hôtel.
9. Le pêcheur *a failli* tomber dans la mer.
10. Nous allons *être présents à* la réunion demain soir.

E

Traduire en français l'expression entre parenthèses:

1. Elle s'est assise (next to) nous sur le banc.
2. La fenêtre de ma chambre (looks out on) la rue de Rivoli.
3. En jouant dans la cour, la jeune fille (broke her arm).
4. (What's the use of) acheter une montre qui ne marche pas?
5. (Do not make fun of) une personne parce qu'elle est vieille!
6. (From today on) ils vont être très sages.
7. (I am grateful to him for) tout ce qu'il a fait pour moi.
8. Nous étions (about to) sortir quand le téléphone a sonné.
9. Le matin (she does not feel like) se lever.
10. (Gradually) il commençait à perdre ses craintes.

11. SOME COMMON PROVERBS

1. **A force de forger on devient forgeron.**
   Practice makes perfect.

2. **A l'œuvre on connaît l'ouvrier.**
   A workman is known by his work.

3. **L'appétit vient en mangeant.**
   The more you have, the more you want.

4. **Les bons comptes font les bons amis.**
   Short reckonings make long friends.

5. **Chose promise est chose due.**
   Promises should be kept.

6. **Contentement passe richesse.**
   Contentment is better than riches.

7. **Dis-moi qui tu hantes, je te dirai qui tu es.**
   A man is known by the company he keeps.

8. **Il faut battre le fer pendant qu'il est chaud.**
   Strike while the iron is hot.
   Make hay while the sun shines.

9. **Il n'est pire eau que l'eau qui dort.**
   Still waters run deep.

10. **Le mieux est l'ennemi du bien.**
    Leave well enough alone.

11. **Ne vendez pas la peau de l'ours avant de l'avoir tué.**
    Don't count your chickens before they're hatched.

12. **Ne remettez pas au lendemain ce que vous pouvez faire aujourd'hui.**
    Never put off till tomorrow what you can do today.

13. **Noblesse oblige.**
    Rank imposes obligation.

14. **On connaît ses amis au besoin.**
    A friend in need is a friend indeed.

15. **Quand le chat n'y est pas, les souris dansent.**
    When the cat is away, the mice will play.

16. **Qui ne risque rien, n'a rien.**
    Nothing ventured, nothing gained.

17. **Si jeunesse savait, si vieillesse pouvait.**
    If youth but knew and age could do.

18. **Tout vient à point à qui sait attendre.**
    Everything comes to him who waits.

19. **L'union fait la force.**
    In union there is strength.

20. **Un "tiens" vaut mieux que deux "tu l'auras."**
    A bird in the hand is worth two in the bush.

EXERCICES

A. Compléter le proverbe:

1. Contentement passe
2. Tout vient à point
3. Les bons comptes
4. Si jeunesse savait,
5. Le mieux est l'ennemi

6. Quand le chat n'y est pas,
7. A l'œuvre on connaît
8. Ne remettez pas au lendemain
9. Chose promise est
10. Noblesse

B. Donner le proverbe français qui exprime chacune des idées suivantes:

1. Le bonheur est plus précieux que l'argent.
2. Un succès ne peut s'obtenir sans quelque risque.
3. Plus on a, plus on veut avoir.
4. Posséder peu, mais sûrement, vaut mieux qu'espérer beaucoup, sans certitude.
5. Les jeunes manquent d'expérience; les vieillards, de force.
6. On juge une personne d'après la société qu'elle fréquente.
7. Avec du temps et de la patience, on obtient ce que l'on désire.

8. On risque de tout perdre en voulant trop gagner.
9. Quand le professeur est absent, les élèves profitent de leur liberté.
10. On est obligé de faire ce qu'on a promis.

C. Écrire le proverbe équivalent en anglais:

1. Il n'est pire eau que l'eau qui dort.
2. A force de forger on devient forgeron.
3. Ne vendez pas la peau de l'ours avant de l'avoir tué.
4. On connaît ses amis au besoin.
5. Dis-moi qui tu hantes, je te dirai qui tu es.
6. Un "tiens" vaut mieux que deux "tu l'auras."
7. L'appétit vient en mangeant.
8. Qui ne risque rien, n'a rien.
9. L'union fait la force.
10. Il faut battre le fer pendant qu'il est chaud.

D. Donner le proverbe français qui s'applique à chaque situation:

1. Si je dois emprunter de l'argent, je le rends le plus tôt possible.
2. En regardant le tableau qu'il avait peint, on savait que Gauguin était un grand artiste.
3. Malgré les mauvaises manières de la foule, l'ambassadeur resta calme et poli.
4. Travaillons ensemble, messieurs, et nous réussirons!
5. Pierre joue au tennis tous les jours; c'est la raison qu'il est expert.
6. Son mari lui a donné un collier de perles; maintenant elle désire un collier de diamants.
7. Je doute qu'il soit diligent; ses amis n'étudient jamais.
8. Elle a voyagé trente kilomètres par la neige pour voir son amie à l'hôpital.
9. Cet homme est d'apparence inoffensive, mais on dit que c'est un criminel dangereux.
10. Ma mère est bien aise d'avoir fait ses emplettes jeudi; vendredi il a plu à verse.

Tirage de sérums à l'Institut Pasteur

Il est impossible de compter les vies que l'Institut Pasteur a sauvées depuis sa création. L'Institut a contribué à arrêter toutes les grandes épidémies qui ravageaient encore le monde il y a moins d'un siècle. L'Institut possède des filiales en France, dans les territoires d'outre-mer, et à l'étranger.

Part IV—*Composition*

SUGGESTIONS FOR WRITING COMPOSITIONS IN FRENCH:

1. Plan each composition before you write it. Draw up an outline of your ideas.

2. Organize the ideas by arranging them in a logical sequence.

3. Attempt to crystallize your thoughts in French. Use vocabulary that you have already acquired. To give the flavor of the foreign language, be sure to include idiomatic expressions.

4. Devise an effective topic sentence. The last sentence should be an appropriate conclusion. To make either of these sentences more dramatic, a question, an exclamation, or even a proverb may be used.

5. Show your command of the language by using varied vocabulary. Use synonyms, where possible, to avoid repetition. Variety is essential in good composition writing.

6. Vary the sentence structure to avoid monotony. Include constructions such as those connected with the present participle, **depuis, quand, après,** the subjunctive, and **"si"** clauses.

7. Use connectives such as **par conséquent, d'ailleurs, à vrai dire, néanmoins, bien entendu,** and relative pronouns to achieve coherence, make transitions smooth, and give the composition a mature tone.

8. Reread the composition after you have written it. Check particularly the spelling, accentuation, and agreement.

WRITING LETTERS IN FRENCH:

1. The date is written as follows:

le 1er avril 1964
le 9 février 1965

2. Some salutations used in writing to relatives and friends are:

Cher Louis,	Mes (très) chers parents,
Chère Louise,	Mon cher cousin,
Mon cher ami,	Ma chère tante,
Chère amie,	

3. Some endings used in such letters are:

Votre ami (dévoué),	Salutations empressées,
Votre fils reconnaissant,	Amicalement vôtre,
Votre nièce affectueuse,	A bientôt,
Bien cordialement,	Dans l'espoir de vous lire bientôt,
Cordialement à vous,	Je vous serre bien cordialement la main.
Affectueusement,	Recevez mes meilleurs souvenirs.
Bien à vous,	Je vous embrasse de tout mon cœur.

EXAMPLE OF A GUIDED COMPOSITION:

The exercises in guided composition provide a variety of questions to prepare the student for writing a well-ordered and coherent composition. Following these exercises is a list of other topics suitable for free composition.

To assist the student in writing guided compositions, an example of a question and a suggested answer are given below.

QUESTION:

Write a letter in French to a friend about the homework you do each night. Include the information called for in the following outline:

a. how much time the homework takes

b. how you feel about doing the assignment

c. where you work and why

d. what preparations you make before starting

e. what interruption sometimes occurs

f. how you cope with such a situation

g. what action you take if you cannot do part of the assignment

h. what you do to prevent boredom when the assignment is very long

i. you are hoping to hear from your friend soon

SUGGESTED ANSWER:

Springfield, le 6 mai 1966

Cher Gérard,

Je n'ai guère le temps de vous écrire car je dois passer plus de deux heures et demie chaque soir à faire mes devoirs. Puisqu'il est nécessaire de travailler dur pour réussir, j'étudie diligemment.

Pour éviter le bruit de la télévision, c'est dans ma chambre que je travaille la plupart du temps. Avant de commencer, je m'assure que j'ai tout ce qu'il me faut, surtout des bonbons à manger. De temps à autre, un de mes amis paresseux, qui aime bavarder au lieu d'étudier, me donne un coup de téléphone. Mais comme je n'ai pas envie de mettre mon père en colère, je ne cause pas trop longtemps.

Si je trouve impossible de faire une partie des devoirs, je téléphone à Étienne qui, me semble-t-il, a appris tous les livres par cœur. Afin de ne pas m'ennuyer quand les devoirs sont très longs, j'interromps mon travail pendant quelques minutes pour me quereller avec mon frère cadet. Voilà la façon dont je fais mes devoirs, moi!

Espérant recevoir bientôt de vos nouvelles, je vous salue bien cordialement.

Votre dévoué,
Victor

EXERCISES IN GUIDED COMPOSITION

A. En vous laissant guider par les suggestions et le vocabulaire suivants, écrivez une composition de cent mots environ sur le sujet suivant:

PORTRAIT D'UNE GRANDE VILLE

a. Pourquoi on devrait visiter cette ville
b. Les quartiers divers qui s'y trouvent
c. Les curiosités et les monuments à voir
d. Les avantages et les désavantages qu'elle offre
e. Pourquoi je l'aime (je ne l'aime pas)

vocabulaire utile

habiter une ville moderne
demeurer dans une ville cosmopolite, à Chicago
une rue tranquille, calme, silencieuse, à sens unique
une avenue large, fréquentée, animée, bruyante
un bâtiment = un édifice
se presser = se dépêcher
une église, la bibliothèque, la banque, la poste, le musée, la fabrique
le gratte-ciel (les gratte-ciel), une université, le théâtre, le cinéma
le parc, le jardin zoölogique, le restaurant, le grand magasin, la gare
le marché, le trottoir, le pont, la statue, une grande place
un habitant, un agent de police, un autobus, le taxi, le métro

le bac, ferry	**le kiosque,** newsstand
la banlieue, suburb	**le quai,** wharf
le centre, downtown district	**stationner une voiture,** to park a car
la circulation, traffic	**toutes les commodités modernes,** all modern
écraser, to run over	conveniences
la foule, crowd	**traverser la chaussée avec précaution,** to
le guichet, box office, ticket window	cross the street carefully
l'hôtel de ville, city hall	**la vitrine,** shop window, showcase
un immeuble, apartment house	

idiotismes utiles

au loin = à une grande distance	**en face de**
avoir lieu	**faire des progrès**
donner sur = avoir vue sur	**il s'agit de = il est question de**
du matin au soir	**prendre un billet**

B. You have to purchase a gift for someone for a special occasion. Write an account in ten sentences describing the circumstances. Include in your composition the answers to the following questions:

a. What is the occasion?
b. About how much money do you intend to spend?
c. Where will you shop?
d. What two gifts might be suitable?
e. What will you ask the salesperson about the merchandise?

f. Supposing the recipient already owns the item chosen, what will you do?
g. How will the gift be delivered?
h. What message will you enclose with the gift?
i. How would you like to receive a similar gift?
j. Why?

C. Vous venez de recevoir de votre correspondant(e) français(e) une lettre dans laquelle il (elle) vous pose les questions suivantes. Écrivez une lettre à votre correspondant(e) dans laquelle vous répondez à toutes ces questions:

a. Comment et à quelle heure arrivez-vous à l'école chaque jour?
b. Que faites-vous d'ordinaire en route?
c. Pourquoi cette école vous plaît-elle?
d. Quelle amélioration suggérez-vous qu'on y fasse?
e. Quels cours suivez-vous cette année?
f. Quelle classe aimez-vous le mieux? Pourquoi?
g. Quelles sont les qualités de votre professeur préféré?
h. A quelles activités scolaires après les classes prenez-vous part?
i. Que comptez-vous faire après avoir reçu votre diplôme?

D. You are going out with a friend next Saturday evening. In connected paragraph form, explain the situation with particular reference to the following points:

a. how the appointment was arranged
b. whom you are going with and where you will meet
c. the outfit you intend to wear
d. where you expect to go and for what reason
e. what expenses will be involved
f. what refreshments you will probably have
g. what change there will be in your plans if the weather is bad
h. what kind of time you expect to have
i. what makes you think so
j. at what time you have to be home

E. Écrivez en français, d'après le plan suivant, une composition de 100 mots environ sur un voyage réel ou imaginaire:

a. Où êtes-vous allé?
b. Quand avez-vous fait ce voyage?
c. Comment et pourquoi l'avez-vous fait?
d. Quels préparatifs avez-vous dû faire?
e. Décrivez un endroit ou une ville qui vous a plu.
f. Racontez une aventure intéressante qui vous est arrivée.
g. Dites ce que vous avez aimé le mieux et pourquoi.

F. En vous laissant guider par les suggestions et le vocabulaire suivants, écrivez une composition de 100 mots environ sur le sujet suivant:

POURQUOI J'AIME L'HIVER

a. Le temps qu'il fait
b. La façon dont vous vous habillez
c. Comment vous vous amusez
d. Pourquoi vous (ne) préférez (pas) l'hiver aux autres saisons

il fait froid, il fait du vent, il neige, il gèle
geler = transformer en glace
la neige couvre la terre
la chute de neige, snowfall

glisser, to slide
glissant, slippery
le flocon de neige, snowflake

mettre des vêtements chauds
le pardessus, le manteau, une paire de gants

porter des sous-vêtements de laine
le cache-nez, muffler

le sport d'hiver
jeter des boules de neige
patiner sur la glace
se promener en traîneau, to go sleighing

les vacances de Noël
faire un bonhomme de neige
faire du ski

idiotismes utiles

avoir froid aux mains
en plein air
manger de bon appétit
tenir à = avoir un grand désir de

s'amuser à = prendre plaisir à
se faire mal = se blesser
s'enrhumer = contracter un rhume
se porter bien = aller bien

G. Write a letter to a friend relating what happened when someone was recently ill in your family. The letter is to consist of nine grammatically complete sentences in French, containing the information given below. Be sure to include in your letter the date, the salutation, and the complimentary close.

a. what symptoms the patient had
b. when you sent for the doctor
c. what you did to help the patient before the doctor came
d. what the doctor did
e. the doctor's diagnosis and prescription
f. the patient's reaction to the visit
g. how long the illness lasted
h. how the illness changed the family routine
i. what finally happened to the patient

H. Après beaucoup de réflexion, vous avez choisi votre carrière (career) future. Expliquez votre décision en traitant les points suivants:

a. la carrière que vous avez choisie
b. la raison de votre choix
c. les cours dont vous aurez encore besoin
d. le temps qu'il vous faudra
e. les possibilités d'avancement
f. un avantage de cette carrière
g. un désavantage possible
h. l'argent que vous espérez gagner
i. ce qui vous fait croire que vous réussirez à cette carrière
j. ce que votre famille pense de votre choix

I. You often help at home with the family chores. Write in connected paragraph form an account of what you do, including the following information:

a. what chores you usually help with
b. why you do them
c. how you feel about doing them
d. what particular job you had to do last week
e. how long it took you to do it
f. what you will probably do next week
g. what benefits are derived from your work
h. what you sometimes wish you were doing instead
i. what would happen if you refused to help
j. what you generally do when the chores are finished

J. Écrivez à votre oncle une lettre dans laquelle vous décrivez un accident dont vous avez été témoin (witness). Expliquez chacun des points suivants:

a. ce qui est arrivé
b. ce qui l'a causé
c. où et quand l'accident a eu lieu
d. les autres témoins
e. les dommages
f. les secours dont on avait besoin et pourquoi
g. votre rôle dans l'accident
h. le résultat de l'accident
i. ce que l'accident vous a enseigné

K. En vous laissant guider par les suggestions et le vocabulaire suivants, écrivez une composition de 100 mots environ sur le sujet suivant:

UNE JOURNÉE AU BORD DE LA MER

a. Les moyens de transport dont vous vous servez
b. Description générale de la plage
c. Les personnes qu'on y trouve
d. Ce que vous faites pour vous amuser
e. Comment vous vous sentez après l'excursion

vocabulaire utile

prendre le train, le métro	aller en voiture, en autobus
une plage longue, large, étendue	la vague haute, high wave
une mer calme, agitée	la coquille, shell
un océan profond	le parasol, beach umbrella
l'eau de mer	la promenade, boardwalk
le sable blanc, propre, sale	la serviette de bain, bath towel
le costume de bain	la foule
se baigner; le baigneur	plonger, to dive; le plongeur
nager; le nageur	un coup de soleil, sunburn
aller à la pêche; le pêcheur	basané, sunburned
le vendeur de limonade	prendre une douche, to take a shower
la vendeuse de glaces	faire un pique-nique

au soleil, in the sun
à l'ombre, in the shade

manquer de se noyer, to almost drown
A chacun son goût.

se mettre en route
n'en pouvoir plus = éprouver une grande fatigue
le long de
Tout est bien qui finit bien.

L. One of your friends has been talking to you about purchasing a car someday. Write him (her) a letter on the subject of what you would do if you had a car of your own. Discuss the following points:

a. what make and color car you would buy
b. how large a car you would choose and why
c. how you would learn to drive
d. under what circumstances you would use the car
e. when you would not drive it
f. what trips you might take
g. how you would take care of it
h. where you would park it at night
i. how you and your family would benefit from your having the car

---

M. Vous avez assisté récemment à une réunion sociale. Décrivez-la en expliquant les points suivants:

a. l'occasion de la réunion
b. le lieu et l'heure
c. les vêtements que vous avez portés
d. les invités
e. quelques-uns des divertissements
f. ce qu'on a servi
g. un incident intéressant
h. pourquoi un des invités est parti de bonne heure
i. le retour chez vous
j. votre impression de la soirée

N. You have been given the choice of a pet for your birthday. In connected paragraph form, write the ideas on this subject that you might enter in a diary. Include the following information:

a. why you want this pet
b. what kind of pet you will choose
c. where you will keep it
d. how you will take care of it
e. what you will teach it to do
f. what you will buy for it
g. what problem may arise from owning it
h. how this pet will change your daily routine
i. how your friends will share the pet with you
j. if you can no longer keep the pet, what you will do with it

O. Dans une lettre, invitez un ami à faire une excursion à bicyclette avec vous. Discutez tous les points suivants:

a. la date et la longueur de temps de l'excursion
b. le but de l'excursion
c. l'itinéraire
d. les curiosités que vous comptez visiter
e. les bagages et les vêtements qu'il vous faudra
f. les frais (expenses)
g. les logements
h. les repas
i. le retour

TOPICS FOR FREE COMPOSITION

1. Ce que je fais pour être en bonne santé
2. En voyageant on apprend beaucoup
3. Si je visitais la France
4. Rira bien qui rira le dernier
5. Ma vie de famille
6. C'est moi qu'on blâme toujours
7. Les premiers pas sont difficiles
8. C'était vendredi le treize
9. Mon meilleur ami (Ma meilleure amie)
10. Si on m'avait écouté
11. Un souvenir de mon enfance
12. Ma possession la plus précieuse
13. Une surprise agréable
14. Un incident dans notre classe
15. Vouloir, c'est pouvoir
16. Le moment le plus embarrassant de ma vie
17. Un rêve que j'ai fait
18. Les quatre saisons
19. Une lettre à une connaissance française mentionnant des incidents intéressants de votre vie quotidienne et vos plans pour l'avenir
20. Vous êtes allé(e) visiter un musée (ou un marché). En rentrant, vous notez l'impression générale que vous avez eue.

Part V—*Civilization*

1. LA GÉOGRAPHIE DE LA FRANCE

Le pays qu'on appelle souvent "la douce France" ou "la belle France" occupe une position favorable dans le continent européen, entre deux des mers les plus importantes du monde: la Méditerranée et la Manche. La France est un pays extrêmement varié. Elle est remarquable par la diversité et l'harmonie de ses aspects: le climat, le relief, le paysage, le sol, les ressources naturelles, et les produits.

POSITION GÉOGRAPHIQUE, CLIMAT

Située en pleine zone tempérée, entre le 42e et le 51e degré de l'hémisphère nord, la France est presque à égale distance de l'équateur et du pôle nord. Paris est sous la même latitude que Montréal.

Grâce à cette latitude, à son relief de moyenne élévation, à l'influence modératrice du Gulf Stream qui réchauffe ses côtes, et à la proximité de quatre mers, la plus grande partie de la France jouit d'un climat doux. Cependant, le climat devient plus rigoureux, mais sans passage brusque, quand on s'éloigne de la mer. Puisque les mers qui entourent la France régularisent les températures et les pluies, la France est, en général, bien arrosée (watered); il n'y a presque pas de région tout à fait sèche.

SUPERFICIE, POPULATION, LIMITES

La France a une superficie (area) de 551.000 kilomètres carrés (= 213.000 milles carrés). Quoiqu'elle soit plus petite que l'état du Texas, la France est le pays le plus grand de l'Europe à l'ouest de l'Union Soviétique.

La France a une population d'environ 46.000.000 d'habitants, y compris la Corse.

Le pays a la forme d'un hexagone régulier, c'est-à-dire, d'une figure géométrique à six faces. Trois de ces faces sont des frontières maritimes, baignées par les plus importantes mers européennes. La France est bornée au nord par **la Manche** et **la mer du Nord**, à l'ouest par **l'océan Atlantique**, au sud par **la mer Méditerranée**. Les côtes de la France présentent les aspects les plus variés.

Les trois autres faces de l'hexagone ont des frontières continentales. La France est bornée par six pays: au nord-est par **la Belgique** et **le Luxembourg**; à l'est par **l'Allemagne**, **la Suisse**, et **l'Italie**; au sud par **l'Espagne**.

Cinq des faces de l'hexagone sont des frontières naturelles. La seule qui est artificielle se trouve au nord-est, s'étendant du Rhin à Dunkerque.

Relief

214

MONTAGNES

Il y a cinq massifs montagneux en France. Les Alpes, les Pyrénées, et le Jura sont des montagnes jeunes. Leur altitude est haute et leur relief très accidenté (jagged). Ces montagnes servent de frontières à la France. Les Vosges et le Massif Central sont des massifs anciens. Ce sont des montagnes peu élevées dont les sommets ont été arrondis par l'érosion.

1. **Les Alpes,** les montagnes les plus élevées, s'étendent entre la France, l'Italie, et la Suisse. C'est dans les Alpes que se trouve le plus haut sommet de l'Europe, **le mont Blanc** (4.807 mètres = 15.780 pieds).

2. **Les Pyrénées** forment une barrière naturelle entre la France et l'Espagne. Moins hautes que les Alpes, les Pyrénées ont de nombreux pics élevés et aigus.

3. **Le Jura,** une chaîne moins élevée, s'étend du Rhin aux Alpes. C'est la frontière principale entre la France et la Suisse.

4. **Les Vosges** se trouvent en Alsace, près de l'Allemagne.

5. **Le Massif Central,** ou **le Plateau Central,** est le vaste ensemble de hautes terres du centre de la France. C'est la chaîne de montagnes la plus ancienne où se trouvent de nombreux volcans éteints qu'on appelle "puys." **Les Cévennes** font partie du Massif Central.

La France a un relief assez varié et généralement modéré. La distribution des montagnes est favorable aux communications intérieures et extérieures. Les plaines occupent plus de la moitié de la superficie du pays. Des régions très fertiles et bien cultivées sont: au nord **le bassin parisien,** la plaine la plus vaste; au sud-ouest **le bassin aquitain;** et au sud **la vallée du Rhône.**

FLEUVES

1. **La Seine,** le fleuve de Paris, est le plus navigable et le plus utilisé des fleuves français. Elle naît dans le centre de la France, coule à travers la Normandie, et se jette dans la Manche près du Havre.

2. **La Loire** est le plus long fleuve de France mais le moins utile au point de vue économique. Elle prend sa source dans le Massif Central et se jette dans l'Atlantique. La vallée de la Loire est célèbre par ses châteaux magnifiques.

3. **La Garonne,** le plus court fleuve important, prend naissance dans les Pyrénées et après Bordeaux se jette dans l'Atlantique, où elle s'élargit dans **la Gironde,** un véritable bras de mer. C'est un fleuve médiocre pour la navigation mais qui produit beaucoup d'énergie hydro-électrique.

4. **Le Rhône** est un fleuve rapide et puissant. Descendant des Alpes suisses, il traverse le lac Léman (lac de Genève), reçoit **la Saône** à Lyon, et se jette dans la Méditerranée près de Marseille. Le vaste delta que forme ce fleuve à son embouchure s'appelle **la Camargue.** Les barrages (dams) énormes qu'on a construits sur le Rhône, tels que Génissiat et Donzère-Mondragon, fournissent de grandes quantités d'énergie hydro-électrique.

5. **Le Rhin,** un des plus longs fleuves d'Europe, sépare la France de l'Allemagne.

Les fleuves et les rivières navigables sont unis par de nombreux canaux, dont le plus célèbre est le vieux canal du Midi. Ce canal relie la Méditerranée avec la Garonne et, par conséquent, avec l'Atlantique.

Le réseau fluvial (river system) français sert de moyens de transport, d'irrigation, et de source d'énergie hydro-électrique.

EXERCICES

A. Identifier les montagnes et les fleuves en choisissant le numéro correspondant de la carte:

les Alpes	les Pyrénées
la Garonne	le Rhin
le Jura	le Rhône
la Loire	la Seine
le Massif Central	les Vosges

B. Mettre en relation les lettres sur la carte avec les frontières suivantes:

l'Atlantique	le Luxembourg
l'Allemagne	la Manche
la Belgique	la Méditerranée
l'Espagne	la mer du Nord
l'Italie	la Suisse

C. Pour chaque expression de la première colonne, donner la lettre du nom correspondant de la seconde colonne:

1. courant d'eau chaude	*a.* la Garonne
2. frontière principale entre la France et l'Italie	*b.* la Camargue
3. rivière qui se jette dans le Rhône	*c.* les Alpes
4. montagnes anciennes en Alsace	*d.* le bassin parisien
5. île française dans la Méditerranée	*e.* le Massif Central
6. plaine vaste	*f.* le Gulf Stream
7. delta du Rhône	*g.* la Seine
8. volcans éteints	*h.* la Corse
9. fleuve le plus navigable	*i.* Donzère-Mondragon
10. chaîne de montagnes la plus ancienne	*j.* la Saône
11. barrage sur le Rhône	*k.* les Vosges
12. fleuve qui prend naissance dans les Pyrénées	*l.* les puys

D. Vrai ou faux?

1. Le climat français est le plus rigoureux près de la mer.
2. Généralement la France reçoit une quantité suffisante de pluie.
3. Le paysage et le sol de la France sont très variés.
4. Paris se trouve sous la même latitude que Boston.
5. Génissiat est le nom d'un grand canal.
6. L'étendue de la France est inférieure à celle de l'état du Texas.
7. Les hautes montagnes françaises se trouvent sur les frontières continentales.
8. La Seine se jette dans la Manche près du Havre.
9. Le canal du Midi relie la France et l'Espagne.
10. Les montagnes françaises empêchent la communication intérieure.

E. Compléter en français:

1. La France est presque à égale distance du pôle nord et de _____.
2. Les Cévennes font partie du _____.

3. On peut voir de nombreux _____ magnifiques dans la vallée de la Loire.
4. _____ des faces de l'hexagone français sont des frontières maritimes.
5. La France compte environ _____ millions d'habitants.
6. Les Alpes culminent au _____, le point le plus élevé de l'Europe.
7. _____ est la frontière principale entre la France et la Suisse.
8. La France est située tout entière dans la zone _____.
9. _____ est le fleuve le plus long mais le moins utile de France.
10. La seule frontière artificielle s'étend au nord-est, entre Dunkerque et le _____.
11. _____, qui prend naissance dans les Alpes suisses, est un fleuve qui fournit des quantités énormes d'énergie hydro-électrique.
12. Les Pyrénées séparent la France de _____.
13. Après Bordeaux, la Garonne s'élargit dans un estuaire, la _____.
14. Le bassin _____ se trouve au sud-ouest de la France.
15. _____, qui prend sa source dans le centre de la France, traverse la Normandie.

Le Puy

Le Massif Central est une région géologique d'origine volcanique. Dans la ville pittoresque du Puy se dressent trois énormes rochers de basalte. Au sommet du rocher Saint-Michel se voit une chapelle de style roman. Cette ville est un centre important de la dentelle.

2. L'AGRICULTURE, L'INDUSTRIE, LE COMMERCE

1. L'agriculture et l'industrie contribuent presque également à la prospérité française. Le grand nombre de fermes, petites et moyennes, empêchait, pour la plupart, l'application du moteur mécanique à l'agriculture. Pourtant, de profondes transformations sont en cours. On est en train de substituer une agriculture intensive et commercialisée, basée sur des techniques modernes, à l'ancienne agriculture traditionnelle. L'agriculture se caractérise par un mouvement d'expansion.

   Le sol, qui est généralement fertile, suffit à rendre la France presque indépendante en matière d'alimentation. Les plaines et les bassins des fleuves sont les régions les plus fertiles. Grâce à la diversité des sols et des climats, les produits français sont très variés.

2. Le blé, dont on fait le pain—la nourriture fondamentale des Français—est le plus important des produits agricoles. Les Français sont de grands mangeurs de pain. On cultive aussi une abondance d'autres céréales et une variété de fruits et de légumes. La principale plante industrielle est la betterave à sucre (sugar beet). Les bois et les forêts, qui couvrent environ un cinquième de la superficie totale du pays, fournissent une bonne quantité de bois pour l'industrie.

3. La viticulture (vine-growing) est une des grandes richesses agricoles de la France, et les vignes en font le premier pays du monde en ce qui concerne la production du vin. La France fournit un tiers de la production mondiale de vins. Quelques-uns des vins plus renommés sont **le champagne, le bourgogne, et le bordeaux. Le cognac,** une eau-de-vie (brandy) distillée du vin; les nombreuses liqueurs—**la chartreuse, la bénédictine, le cointreau**—et les apéritifs qui stimulent l'appétit— **le dubonnet, le byrrh**—sont très estimés. D'autres boissons produites en France sont le cidre, surtout de Normandie et de Bretagne, la bière, et les eaux minérales, comme celles de Vichy et de Vittel.

4. Après la culture des plantes alimentaires et de la vigne, la principale ressource agricole est l'élevage, la production animale. La France, connue pour l'excellence de ses animaux—vaches, bœufs, moutons, chèvres, porcs, chevaux, volaille (poultry)—est devenue un grand pays d'élevage. Les provisions de viande d'excellente qualité et de produits laitiers augmentent chaque année. La Normandie, en particulier, est une région laitière très riche. Les Français sont experts dans la fabrication des fromages, dont les plus connus sont **le brie, le camembert, le gruyère, le port-salut,** et **le roquefort,** qui est fabriqué avec du lait de brebis.

Agriculture

5. Les Français se nourrissent aussi des produits de la mer. L'industrie de la pêche est active sur les côtes, spécialement en Bretagne.

Grâce à toutes ces richesses de la terre et de la mer, les industries alimentaires fleurissent en France.

6. De plus, le sol fertile de la Côte d'Azur fournit des quantités énormes de fleurs qu'on envoie à Grasse, où l'on extrait les essences parfumées. La fabrication des parfums est achevée à Paris, centre des cosmétiques. Quelques-uns des parfumeurs réputés dans le monde entier sont: **Caron, Chanel, Coty, Fragonard, Guerlain, Lanvin,** et **Patou.**

7. L'industrie française est très variée, depuis la production de machines lourdes jusqu'à la fabrication d'instruments de précision délicate, depuis l'immense usine moderne jusqu'à l'atelier du petit artisan. En général, les ouvriers français sont des artistes qui, préférant la bonne qualité à la grande quantité, sont fiers de leur travail: une combinaison d'originalité et d'habileté artistique. Pour maintenir sa position dans la compétition internationale, la France intensifie ses efforts dans le domaine des recherches scientifiques et des applications industrielles.

Industries

8. Les industries les plus importantes sont les industries métallurgiques et les industries textiles. Les principaux établissements de l'industrie lourde se trouvent dans l'Est, en Lorraine, près des riches mines de fer, et dans le Nord, autour de Lille, près des gisements de houille (coal deposits). Dans ces deux régions, on produit surtout du matériel roulant (wagons, locomotives). La métallurgie prospère aussi dans le Massif Central—Saint-Étienne, Le Creusot—où l'on produit des machines, des bicyclettes, et des armes.

La France possède une abondance de fer, mais elle est relativement pauvre en charbon. Elle occupe le premier rang en Europe dans la production du fer. C'est le cinquième pays du monde pour la production de l'acier.

En Provence, il y a des gisements considérables de bauxite, le minerai (ore) dont on tire l'aluminium. En effet, la France a le premier rang au monde pour l'extraction de la bauxite. On fabrique l'aluminium dans les Alpes et dans les Pyrénées, où se trouvent des usines hydro-électriques. De vastes dépôts de potasse (potash) sont situés en Alsace.

9. Puisque la France n'a pas assez de charbon, elle a construit des barrages (dams) le long des fleuves pour se servir de l'énergie hydro-électrique. Elle utilise ses torrents pour produire de l'électricité. La France est riche en *houille blanche*, c'est-à-dire la force motrice des chutes d'eau. On tend de plus en plus à exploiter ces ressources, si abondantes dans les montagnes. De grands barrages, comme ceux de **Génissiat** et de **Donzère-Mondragon,** ont été construits sur le Rhône, le plus puissant des fleuves français. La France développe de l'énergie atomique dans des laboratoires et des usines. C'est le premier pays de l'Europe occidentale en ce qui concerne la production de l'uranium. Quoiqu'il y ait peu de pétrole en France, il y en a des gisements importants au Sahara. Le gaz naturel du bassin d'Aquitaine contribue aussi aux besoins de l'économie française. De plus, dans la France d'aujourd'hui, le soleil, les vagues de la mer, et les marées sont devenus d'autres sources d'énergie.

10. Après les industries métallurgiques, les industries textiles sont les plus importantes de la France. Ces industries fleurissent surtout au Nord-Est, près de Lille. Rouen, en Normandie, est aussi un centre textile. La France fabrique des textiles de laine, de coton, et de lin (linen) aussi bien que des textiles synthétiques. Lyon est le centre de la production de la meilleure soie française, naturelle et artificielle.

11. Dans les industries mécaniques—la production de machines et d'appareils divers—ainsi que dans la construction électrique et électronique, l'activité française est remarquable. L'application de la haute technique de ces industries n'a pas été limitée au territoire français. Les Français ont réalisé dans divers pays à l'étranger des œuvres de grande importance.

12. La région de Paris est le centre des plus importantes usines françaises d'automobiles. On exporte des voitures françaises dans toutes les parties du monde. Les quatre marques principales sont: **Citroën, Peugeot, Renault, et Simca.** A Clermont-Ferrand, centre de la production du caoutchouc, on fabrique des pneus.

13. La plupart des usines d'avions sont également situées dans la région parisienne. La plus grande ligne d'aviation européenne, Air France, met la France en communication avec les autres pays du monde.

14. Il y a des constructions navales surtout dans les régions des ports de l'Atlantique—Saint-Nazaire, Nantes, Bordeaux—et de la Manche— Cherbourg, Le Havre, Boulogne. Les Français ont construit de grands paquebots transatlantiques. Le paquebot "France" de la Compagnie Générale Transatlantique peut transporter plus de 2.000 passagers.

15. L'industrie chimique prend une importance de plus en plus considérable. Par conséquent, la France est maintenant un pays exportateur de produits chimiques et pharmaceutiques. La production du verre et des matières plastiques est toujours en augmentation.

16. Paris est la capitale de la haute couture (fashions). C'est ici que la mode féminine est devenue un art. Quelques-uns des couturiers les plus connus sont: **Balenciaga, Balmain, Chanel, Dior, Fath, et Patou.**

17. Dans un pays où l'art et l'industrie s'unissent, les ouvriers bien qualifiés peuvent se distinguer dans les métiers qui exigent de l'élégance et de la délicatesse—les industries de luxe. Les Français ont une renommée universelle pour la perfection de leurs produits. Paris fabrique une grande quantité d'articles de luxe: bijoux, argenterie, objets en cuir, tapisseries des Gobelins, objets d'art, produits photographiques, instruments de précision. D'autres villes aussi doivent leur réputation à des spécialités:

> **Alençon**—dentelles
> **Aubusson** et **Beauvais**—tapis
> **Baccarat**—cristallerie
> **Besançon**—montres et horloges
> **Grenoble**—gants
> **Limoges** et **Sèvres**—porcelaine de luxe

18. Le tourisme, surtout le tourisme étranger, mérite une mention spéciale puisqu'il contribue beaucoup à l'économie française.

19. La France importe des matières premières (raw materials) pour ses industries: pétrole, laine, coton, soie, caoutchouc; et des produits alimentaires: café, cacao, fruits tropicaux.

Elle exporte: tissus (fabrics), vêtements, automobiles, avions, minerai de fer, bauxite, potasse, produits chimiques et pharmaceutiques, articles de luxe, parfums, et produits alimentaires—vins, fromages, conserves (canned foods).

Les importations dépassent les exportations.

20. Les activités économiques sont liées aux moyens de transport intérieurs et extérieurs: le réseau fluvial, le réseau routier, les chemins de fer, la navigation maritime, et la navigation aérienne.

21. On est en train d'améliorer le réseau fluvial—l'ensemble des fleuves, des rivières, et des canaux. Les nombreux canaux qui relient les fleuves et les rivières permettent un transport économique de marchandises lourdes. Les principaux ports fluviaux sont Paris, Rouen, Strasbourg, et Lyon.

22. La France possède un excellent réseau routier. On modernise les voies et l'on crée un ensemble d'autoroutes (superhighways). Les principales routes nationales rayonnent de Paris vers les frontières. Sur les routes, généralement bordées d'arbres, on voit des milliers de bicyclettes et de motocyclettes.

23. **La S.N.C.F. (Société Nationale des Chemins de Fer),** agence du gouvernement, administre les chemins de fer français. Le réseau forme une toile d'araignée (spider's web) autour de Paris, d'où partent toutes les grandes lignes. Ce réseau relie la capitale avec les ports de mer et les autres pays d'Europe. Les trains français sont les plus rapides du monde. Les voitures ont deux classes, et d'ordinaire elles sont divisées en compartiments.

24. Certains autres moyens de communication en France sont également la responsabilité du gouvernement central. Les postes, les télégraphes, et les téléphones **(P.T.T.),** par exemple, sont administrés par l'État. On peut acheter les timbres dans les bureaux de tabac autant que dans les bureaux de poste. En France, le tabac est un monopole du gouvernement.

25. Sa situation stratégique a fait de la France une puissance maritime. Les ports de mer sont nombreux. Le gouvernement subventionne (subsidizes) les grandes lignes de navigation, dont la plus importante est **la Compagnie Générale Transatlantique** (French Line).

26. Les communications aériennes sont assurées par **la Compagnie Air France** et quelques compagnies privées. Le plus fort trafic est à destination de l'étranger et de la Communauté. **Orly,** près de Paris, est le plus grand aéroport international de la France.

27. La France, qui fait partie du **Marché Commun,** joue un rôle important dans la vie économique de l'Europe.

EXERCICES

A. Pour chaque expression de la première colonne, donner la lettre du nom correspondant de la seconde colonne:

1. liqueur célèbre	*a.* Le Creusot
2. fromage français	*b.* cidre
3. produit de Vichy	*c.* Renault
4. centre de métallurgie	*d.* brie
5. maison de haute couture	*e.* bauxite
6. essences pour la parfumerie	*f.* Dior
7. voiture française	*g.* eau minérale
8. constructions navales	*h.* Saint-Nazaire
9. boisson de Normandie	*i.* Grasse
10. exportation française	*j.* bénédictine

B. Vrai ou faux?

1. Il y a en France un bon équilibre entre la vie agricole et la vie industrielle.
2. En général, le sol fournit aux Français les moyens suffisants de se nourrir.
3. La France est le troisième pays du monde pour la production des vins.
4. Les Français cultivent une variété de fruits et de légumes.
5. Pour la plupart des ouvriers français, la quantité compte plus que la qualité.
6. La France est un grand pays d'élevage.
7. Les principales industries françaises sont l'industrie automobile et le tourisme.
8. La France possède beaucoup de charbon mais peu de fer.
9. La France est exportatrice de produits chimiques et de produits alimentaires.
10. La production française de machines et d'appareils électriques est presque négligeable.
11. La France doit importer de l'uranium.
12. Les importations françaises dépassent les exportations.
13. Une grande partie de la richesse française provient des métiers de luxe.
14. Il y a deux classes dans les trains français.
15. La principale région industrielle se trouve au centre de la France.

C. Identifier:

1. centre de l'industrie automobile
2. région laitière très riche
3. principale ligne de navigation française
4. région qui fournit des quantités énormes de fleurs
5. fromage fabriqué avec du lait de brebis
6. aéroport international de France
7. région où se trouvent de vastes dépôts de potasse
8. agence qui administre les chemins de fer
9. ville principale des industries textiles
10. grande ligne française d'aviation

D. Compléter en français:

1. Le plus important des produits agricoles de France est _____.
2. Les plaines et les bassins des _____ sont les régions les plus fertiles.
3. La _____ est une industrie très active sur les côtes bretonnes.
4. Les plus riches mines de fer sont en _____.
5. Le champagne, le _____, et le bordeaux sont des vins renommés.
6. Grâce à ses fleuves puissants, la France est riche en houille _____.

7. Après les industries _____, les industries _____ sont les plus importantes de France.
8. P.T.T. est l'abréviation de _____, télégraphes, et _____.
9. Au Sahara, il y a des gisements importants de _____.
10. Les usines d'avions se trouvent dans la région de _____.
11. La France importe surtout des matières _____ pour ses industries.
12. Les _____ qui relient les fleuves et les rivières permettent de transporter à bon marché des cargaisons lourdes.
13. Les routes françaises sont généralement bordées de (d') _____.
14. Les principaux ports fluviaux sont _____, _____, Strasbourg, et Lyon.
15. Le réseau des chemins de fer forme une toile d'araignée autour de _____.

E. Donner le nom d'une ville française connue pour chacune des spécialités suivantes:

1. soie
2. pneus
3. articles de luxe
4. cristallerie
5. tapis

6. montres et horloges
7. haute couture
8. gants
9. dentelles
10. porcelaine

La cueillette des fleurs

A cause du soleil et de la douceur du climat, des fleurs de toutes sortes poussent sur la Côte d'Azur. Des quantités de ces fleurs sont envoyées aux usines de Grasse, où l'on extrait l'essence de parfum contenue dans les pétales.

3. LES PROVINCES

Avant la Révolution de 1789, la France était composée de 32 **provinces.**
Chacune avait ses propres mœurs (customs), ses propres traditions culturelles,
et ses traits particuliers.

Quoique la France soit aujourd'hui divisée en **départements,** les Français
ont encore l'habitude d'employer les noms des anciennes provinces, surtout
en parlant de leur terre natale. Chaque province avait un costume régional
qu'on porte même aujourd'hui à l'occasion d'une fête. La coiffe et les sabots
se voient encore de nos jours dans certaines parties de la France.

Voici quelques-unes des provinces les mieux connues:

1. **La Bretagne** est la péninsule au nord-ouest de la France qui s'avance
   dans l'Atlantique. Une grande partie de sa population est d'origine
   celte, et aujourd'hui encore il y a ceux qui parlent **breton,** l'ancienne
   langue de cette province. Dans cette région de faible altitude, baignée
   de trois côtés de la mer et arrosée de pluies abondantes, les habitants
   vivent surtout de la mer. Les marins et les pêcheurs bretons ont
   toujours joué un grand rôle dans les traditions maritimes de la France.
   Dans la marine militaire et la marine marchande se trouve un grand
   nombre de Bretons.

   Les Bretons sont généralement conservateurs et superstitieux.
   A l'occasion des **pardons,** fêtes religieuses, on porte le costume tra-
   ditionnel. La Bretonne se distingue surtout par sa **coiffe** blanche.
   Il y a en Bretagne de grandes pierres historiques, isolées ou alignées
   l'une derrière l'autre, dont la signification est demeurée mystérieuse.

2. **La Normandie** est située au nord-ouest de la France, sur les côtes de la
   Manche. Avec son climat humide, c'est une région de fermes fertiles
   et de pâturages (pastureland). La Seine coule à travers cette province.
   Le long des côtes, il y a plusieurs ports de commerce et de pêche ainsi
   que des plages bien connues. Les belles vaches de la Normandie
   produisent le lait qui sert à fabriquer le beurre et les fromages normands
   de renommée mondiale. Il y a aussi en Normandie de grands centres
   industriels. Deux événements importants sont liés à l'histoire de la
   Normandie: la conquête de l'Angleterre en 1066 par Guillaume le
   Conquérant, duc de Normandie, et le débarquement libérateur des
   forces alliées en 1944.

Provinces

3. **L'Ile-de-France,** dans le bassin parisien, est une région fertile et industrialisée. Avec sa capitale, Paris, ce fut le véritable cœur administratif du pays et le berceau (cradle) de la monarchie française. La langue parlée en Ile-de-France est devenue la langue officielle de France.

4. **L'Alsace** et **la Lorraine** se trouvent au nord-est de la France. Pendant de nombreuses années, la France et l'Allemagne se disputèrent ces deux provinces. L'Alsace est principalement une région agricole. La Lorraine, avec ses mines de fer les plus riches d'Europe, est importante au point de vue industriel.

5. **La Provence,** la province ensoleillée, se trouve au sud-est. Elle est bornée par le Rhône, les Alpes, et la Méditerranée. Puisque le climat y est doux la plupart du temps, on y voit toute une végétation exotique.

228

Les fleurs, qui poussent en toute saison, sont une des richesses de la terre. Entre Marseille et la frontière italienne se trouve le littoral célèbre qui s'appelle **la Côte d'Azur (la Riviera)** à cause du bleu intense du ciel et de la Méditerranée. En certaines saisons, un vent violent, froid, et sec—**le mistral**—souffle du nord et descend la vallée du Rhône. En Provence, on trouve des monuments romains bien conservés. Même aujourd'hui beaucoup de Provençaux parlent **provençal,** la langue des anciens troubadours.

6. Dans la vallée de la Loire se trouvent trois anciennes provinces: **la Touraine, l'Orléanais,** et **l'Anjou.** Cette région s'appelle "le pays des châteaux" parce qu'aucune autre région ne possède tant de châteaux sur une étendue si limitée. **Azay-le-Rideau, Blois, Chambord,** et **Chenonceaux** sont les plus connus de ces beaux châteaux. En Touraine, "le jardin de la France," on produit une grande quantité de fruits et de légumes.

7. **La Bourgogne** et **la Champagne** sont deux provinces fertiles où l'on cultive la vigne. Les vins de ces provinces sont estimés dans le monde entier.

8. **L'Auvergne,** au centre du Massif Central, est une province de terres volcaniques. On y trouve les **puys,** des volcans éteints. C'est une région vouée essentiellement à l'élevage.

9. **La Savoie,** à la frontière d'Italie, est la province principale des Alpes françaises. En Savoie, connue pour la beauté de son paysage, se trouve le mont Blanc.

10. **La Flandre, l'Artois,** et **la Picardie,** au nord de la France, sont des plaines fertiles et des régions industrielles. La Flandre, qui forme la frontière avec la Belgique, est la région industrielle la plus importante de la France.

11. D'autres provinces dont les noms sont bien connus sont **la Gascogne** et **le Languedoc,** dans le Midi. La région qu'on appelle "le pays basque" se trouve près des Pyrénées et près de l'Atlantique. Les Basques parlent une langue différente et compliquée dont l'origine est un mystère. Ils ont donné au monde le **béret** et leur jeu régional, la **pelote** (jai alai).

EXERCICES

A. Identifier la province:

1. Dans cette province se trouvent les mines de fer les plus riches d'Europe.
2. A cause de sa production de fruits et de légumes, on appelle cette province "le jardin de la France."
3. Située sur la Manche et l'Atlantique, cette péninsule tire ses principales ressources de la mer et de la vie maritime.

4. Cette province, près de la Belgique, est une région industrielle très importante.
5. Une région de fermes riches et de pâturages, cette province a des plages célèbres sur la Manche.
6. On y trouve beaucoup de monuments romains bien conservés.
7. Cette province du Massif Central est une région d'origine volcanique.
8. C'est la province principale des Alpes françaises.
9. Cette province, dont Paris fut la capitale, est une région fertile et industrialisée.
10. Cette province est bornée par le Rhône, la Méditerranée, et les Alpes.

B. Vrai ou faux?

1. Chacune des trente-deux provinces avait ses propres traditions culturelles.
2. La Normandie est une région purement agricole.
3. L'Alsace est importante principalement au point de vue industriel.
4. Les Bretons sont généralement conservateurs.
5. La Touraine, l'Orléanais, et l'Anjou se trouvent dans la vallée du Rhône.
6. En Provence on peut voir un grand nombre de pierres historiques alignées l'une derrière l'autre.
7. L'élevage est l'industrie principale de l'Auvergne.
8. Blois et Chenonceaux sont en Bourgogne.
9. L'Artois et la Picardie sont des plaines fertiles et des régions industrielles.
10. Le pays basque se trouve près des Pyrénées.

C. Compléter en français:

1. La _____ coule à travers la Normandie.
2. Les _____, qui poussent toute l'année, sont une des richesses de la Provence.
3. La femme bretonne porte une _____ blanche sur la tête.
4. Les célèbres _____ d'Azay-le-Rideau et de Chambord attirent chaque année un grand nombre de touristes.
5. C'est la langue de _____ qui est devenue la langue officielle de la nation française.
6. Deux provinces dont les vins sont renommés dans le monde entier sont _____ et _____.
7. Le _____ est le nom de la fête religieuse des Bretons.
8. C'est en _____, connue pour la beauté de ses montagnes, que se trouve le mont Blanc.
9. En 1066, Guillaume le Conquérant, duc de _____, traversa la Manche et envahit l'Angleterre.
10. Deux provinces souvent disputées par la France et l'Allemagne sont _____ et _____.

D. Pour chaque expression de la première colonne, donner la lettre du nom correspondant de la seconde colonne:

1. berceau de la monarchie française	*a.* Bretons
2. puys	*b.* Provençaux
3. habitants d'origine celte	*c.* Côte d'Azur
4. béret et pelote	*d.* Ile-de-France
5. littoral méditerranéen	*e.* Normandie
6. débarquement des armées alliées en 1944	*f.* vallée de la Loire
7. langue des anciens troubadours	*g.* Auvergne
8. vent froid qui descend la vallée du Rhône	*h.* Basques
9. pays des châteaux	*i.* mistral
10. Marseillais	*j.* provençal

4. PARIS

A l'origine, Paris s'appelait **Lutèce.** C'était le village des Parisii, tribu gauloise, qui ont donné leur nom à la ville. Lutèce se trouvait sur une île qu'on appelle aujourd'hui **l'île de la Cité,** "le berceau de Paris."

Paris, la capitale politique, économique, et intellectuelle de la France, est situé au centre du bassin parisien. La "Ville Lumière" est le cerveau (brain) du pays. C'est le centre de la vie artistique et littéraire, le premier centre commercial et industriel de la France, le centre de la mode féminine, et le premier port français de navigation intérieure. Paris compte environ 3.000.000 d'habitants.

La Seine divise la ville en deux parties: la rive droite et la rive gauche. **La rive droite,** au nord, est plus grande et plus animée. C'est le centre des affaires—maisons de commerce, grands magasins—et de la vie mondaine— grands boulevards, théâtres, restaurants. C'est sur la rive droite que se trouve **Montmartre.**

Le Quartier latin, où les étudiants parlaient latin au Moyen Age, et **Montparnasse** sont sur **la rive gauche.** C'est au Quartier latin—le centre de l'enseignement—qu'on trouve la plupart des grandes écoles: la Sorbonne, le Collège de France, l'École Polytechnique, l'École de Médecine, et l'École Normale Supérieure. Montparnasse et Montmartre sont connus comme centres de la vie bohémienne. Quelques-uns des cafés bien connus de Montparnasse sont **le Dôme, les Deux Magots,** et **le Café de Flore.**

Le Pont-Neuf, construit au XVIe siècle, est le plus ancien et le plus renommé des nombreux ponts de Paris. Il traverse la Seine à l'île de la Cité.

Pour son administration, Paris est divisé en 20 **arrondissements.** C'est une ville de beauté, célèbre pour ses monuments magnifiques, ses musées, ses églises, et ses jardins.

MUSÉES

1. **Le musée du Louvre,** dans l'ancien palais royal, est le plus important musée d'art de France. C'est un des musées les plus vastes et les plus riches du monde. On peut y voir des chefs-d'œuvre tels que *la Joconde* (portrait de Monna Lisa) de Léonard de Vinci, *la Vénus de Milo,* et *la Victoire de Samothrace.*

2. **L'Hôtel des Invalides,** construit par Louis XIV pour les anciens combattants blessés, contient le tombeau de Napoléon et un musée militaire.

Paris

3. **Le Panthéon,** au Quartier latin, était à l'origine une église construite en l'honneur de sainte Geneviève, patronne de Paris. Il sert maintenant de mausolée à de nombreux Français illustres: Voltaire, Rousseau, Hugo, Zola. Par conséquent, on l'appelle souvent le "Westminster Abbey de France." L'édifice porte l'inscription: "Aux grands hommes la Patrie reconnaissante." Les murs intérieurs du Panthéon sont décorés de peintures dont les plus célèbres, par Puvis de Chavannes, représentent la vie de sainte Geneviève.

4. **Le musée de Cluny,** au Quartier latin, est consacré à l'art du Moyen Age. Il renferme aussi des ruines de bains romains.

ÉGLISES

1. La cathédrale de **Notre-Dame de Paris,** dans l'île de la Cité, est une merveille de l'architecture gothique. Commencé au XIIᵉ siècle, c'est le plus bel édifice religieux de la ville.

2. L'élégante église de **la Madeleine,** avec sa majestueuse colonnade, a l'aspect d'un temple grec.

3. **Le Sacré-Cœur** est une église blanche qui ressemble à une mosquée. Bâtie au XIXᵉ siècle sur la colline de Montmartre, l'église domine la ville. De là, la vue sur Paris est magnifique.

4. **La Sainte-Chapelle,** dans l'île de la Cité, est célèbre par ses beaux vitraux (stained-glass windows) en couleurs superbes. C'est saint Louis (Louis IX) qui l'a fait construire au XIIIᵉ siècle pour servir de chapelle à la famille royale et pour abriter (protect) des reliques précieuses. On appelle l'église "le bijou de l'architecture gothique."

5. L'église romane (Romanesque) de **Saint-Germain-des-Prés,** au Quartier latin, est une des plus anciennes de Paris.

JARDINS ET BOIS

1. **Le bois de Boulogne,** ancienne forêt, est le vaste parc public du côté ouest de Paris. On y trouve des lacs, des jardins de fleurs, deux champs de courses (race tracks), et des restaurants.

2. **Le jardin des Tuileries** était autrefois un jardin particulier des rois de France. Ce parc, avec ses nombreuses statues, est situé près de la Seine, entre le Louvre et la place de la Concorde.

3. **Le jardin du Luxembourg,** sur la rive gauche, est un rendez-vous favori d'étudiants.

4. Dans **le bois de Vincennes,** au sud-est de Paris, il y a un jardin zoologique célèbre.

PLACES

1. **La place de la Concorde** est la plus grande et la plus belle de Paris. C'est ici qu'on a guillotiné des centaines de Français, y compris Louis XVI et Marie-Antoinette, pendant la Révolution. Au milieu de la place se trouvent l'obélisque égyptien de Louqsor, entre deux belles fontaines, et des statues qui représentent huit des grandes villes de France.

2. **La place de l'Étoile** s'appelle ainsi parce que les douze avenues qui rayonnent autour de **l'Arc de Triomphe** dessinent une étoile. Napoléon avait ordonné de construire cet arc gigantesque pour commémorer ses victoires. Sous l'arc, où brûle la flamme éternelle, se trouve **le tombeau du Soldat Inconnu,** mort pour la France pendant la première guerre mondiale. Le célèbre bas-relief, *la Marseillaise*, chef-d'œuvre de l'artiste Rude, décore une des faces de l'arc.

3. **La place de l'Opéra** est située au cœur de la ville. Le grandiose **Opéra,** qui date de 1875, domine l'animation de la place. L'édifice splendide, avec ses façades sculptées, son grand escalier en marbre, et son foyer somptueux, est l'œuvre de Charles Garnier. Au coin de la place se trouve **le Café de la Paix,** rendez-vous international, où l'on entend parler toutes les langues du monde.

4. **La place Vendôme** est le centre des magasins élégants. Au milieu de la place s'élève **la colonne Vendôme,** avec ses spirales de bronze où sont representées des scènes des campagnes militaires de Napoléon. Au sommet de la colonne se voit la statue de l'empereur.

5. C'est sur **la place de la Bastille** que se trouvait autrefois la vieille prison que les Français ont prise et détruite en 1789. Aujourd'hui au centre de la place se dresse **la colonne de Juillet,** élevée à la mémoire des Parisiens tués dans la révolution de juillet 1830.

AUTRES MONUMENTS ET CURIOSITÉS

1. **La Tour Eiffel** est le monument parisien le plus universellement connu. Construite en acier par l'ingénieur Alexandre Gustave Eiffel pour l'Exposition de 1889, elle a une hauteur de 336 mètres, y compris la cabine de télévision. On peut monter au sommet par les ascenseurs ou les escaliers. Les deux restaurants servent de bons repas. La tour est utilisée comme poste émetteur de T.S.F. et de télévision.

2. **La Sorbonne,** fondée en 1253 par Robert de Sorbon, chapelain de saint Louis, est la partie la plus ancienne de l'Université de Paris. C'est la Faculté des lettres et des sciences de l'université.

3. **Le palais de Chaillot,** qui date de 1937, est un des meilleurs exemples de l'architecture moderne. Le palais contient plusieurs musées et un théâtre. L'Assemblée des Nations-Unies s'y est réunie.

4. **La Cité Universitaire,** composée d'un grand nombre de bâtiments, est la section résidentielle de l'Université de Paris. Des étudiants français et étrangers y demeurent. La Cité encourage la compréhension mutuelle entre les jeunes gens de tous les pays du monde et facilite l'organisation de leur vie d'étudiant.

5. **La Conciergerie** est l'ancienne prison dans l'île de la Cité. C'est ici qu'un grand nombre de victimes de la Révolution, y compris Marie-Antoinette, ont passé leurs dernières heures.

6. **Les Halles,** le grand marché central, reçoivent des provisions de toutes les régions pour alimenter la population de Paris.

7. Quelques-uns des grands magasins de Paris sont: **les Galeries Lafayette, le Bon Marché,** et **le Printemps.**

8. Il y a deux palais célèbres près de Paris. Situé dans un immense parc est le magnifique palais de **Versailles,** construit au XVIIe siècle pour Louis XIV. Dans **la Galerie des Glaces,** on a signé le traité de Versailles en 1919. Le château de **Fontainebleau,** entouré d'une belle forêt, était la retraite préférée de Napoléon.

RUES

1. **L'avenue des Champs-Élysées** est la promenade large et splendide qui s'étend de la place de la Concorde à la place de l'Étoile. Le long de cette avenue—un centre de commerce et de divertissement—se trouvent des boutiques, des magasins d'automobiles, des maisons de couture, de grands hôtels, des théâtres, et des cinémas.

2. **L'avenue de l'Opéra, la rue de la Paix, la rue Royale,** et **la rue St-Honoré** sont connues pour leurs boutiques élégantes.

3. Sous les arcades de **la rue de Rivoli,** qui s'étend parallèlement à la Seine, il y a des magasins de luxe, qui attirent des milliers de touristes.

4. Les grands boulevards sont de larges avenues bordées d'arbres qui forment des artères de Paris. **Le boulevard St-Michel** est la rue principale du Quartier latin. D'autres boulevards également bien connus sont les boulevards **Montmartre, Montparnasse, Haussmann, des Capucines, de la Madeleine,** et **des Italiens.**

5. Les **quais** sont les rues qui bordent les deux rives de la Seine. C'est ici que **les bouquinistes,** dont les boîtes garnissent les parapets, vendent des livres d'occasion (second-hand).

TRANSPORTS

La situation commerciale de Paris est excellente. C'est le premier port fluvial de la France et le centre du réseau routier. Toutes les grandes lignes des chemins de fer passent par la ville, où il y a six gares. Deux aéroports desservent la ville: **Orly,** le grand aérodrome international, et **Le Bourget.** La ville est donc reliée au reste du pays et aux points les plus éloignés du monde.

Pour voyager dans la ville même, il y a deux moyens de transport publics:

1. **Le métro (Métropolitain),** le chemin de fer souterrain, a des voitures de première et de seconde classe. Bien que les portières se ferment automatiquement, on doit les ouvrir avec la main.

2. Un réseau d'autobus dessert la ville entière et les banlieues (suburbs). A chaque arrêt, il y a une machine qui distribue des tickets numérotés. Par conséquent, il n'est pas nécessaire de faire la queue: les passagers montent dans l'autobus suivant l'ordre des numéros indiqués sur les tickets.

Si l'on prend un des **bateaux-mouches** qui descendent et remontent la Seine, on peut faire une belle excursion sur le fleuve et admirer plusieurs des monuments historiques de la ville.

EXERCICES

A. Pour chaque expression de la première colonne, donner la lettre du nom correspondant de la seconde colonne:

1. Aux grands hommes la Patrie reconnaissante	*a.*	bois de Vincennes
2. tribu gauloise	*b.*	Sacré-Cœur
3. chapelain de saint Louis	*c.*	Versailles
4. jardin zoologique	*d.*	Parisii
5. église romane du Quartier latin	*e.*	place de la Bastille
6. palais de Louis XIV	*f.*	bois de Boulogne
7. centre de magasins de luxe	*g.*	Panthéon
8. auteur de peintures murales	*h.*	Eiffel
9. colonne de Juillet	*i.*	Rude
10. lacs, champs de courses, restaurants	*j.*	Bon Marché
11. sculpteur de bas-relief sur l'Arc de Triomphe	*k.*	Puvis de Chavannes
12. Café de la Paix	*l.*	St-Germain-des-Prés
13. grand magasin	*m.*	place Vendôme
14. église blanche de Montmartre	*n.*	Sorbon
15. ingénieur du XIXe siècle	*o.*	place de l'Opéra

B. Compléter en français:

1. Au temps des Romains, Paris s'appelait _____.
2. La population de Paris est d'environ _____ millions d'habitants.
3. On appelle la capitale de la France la "Ville _____."
4. Les grandes écoles, telles que l'École Polytechnique et l'École de Médecine, se trouvent sur la rive _____.
5. On peut voir *la Joconde, la Vénus de Milo,* et *la Victoire de Samothrace* si on visite le _____.
6. Le roi _____ fit bâtir la Sainte-Chapelle.
7. Les étalages de bouquinistes se trouvent le long des _____, les rues qui bordent la Seine.
8. _____ et _____ sont les deux aéroports de Paris.
9. Le Panthéon sert de mausolée aux Français illustres, tels que _____ et _____.
10. La flamme éternelle brûle sur le tombeau _____.
11. Le château de _____, dans une belle forêt près de Paris, était une résidence favorite de Napoléon.
12. Trois rues connues pour leurs boutiques élégantes sont _____, _____, et _____.
13. _____ s'étend de la place de la Concorde à la place de l'Étoile.
14. La _____, composée de nombreux bâtiments, est le domicile d'étudiants français et étrangers.
15. L'obélisque de Louqsor et les huit statues de villes françaises se trouvent sur la place _____.

C. Identifier le monument:

1. le musée d'art médiéval au Quartier latin
2. l'édifice qui contient le tombeau de Napoléon Ier
3. le grand marché central de Paris
4. "le bijou de l'architecture gothique"
5. l'église en forme de temple grec
6. l'ancienne prison dans l'île de la Cité où Marie-Antoinette passa ses dernières heures
7. le monument qui se trouve au milieu de la place de l'Étoile
8. le palais moderne contenant plusieurs musées et un théâtre
9. la colonne, avec des spirales de bronze, dominée par la statue de Napoléon
10. le monument en acier, très élevé, utilisé comme poste émetteur de télévision

D. Vrai ou faux?

1. Paris est divisé en vingt arrondissements.
2. Douze avenues rayonnent de la place de la Bastille.
3. L'Opéra est l'œuvre de l'architecte Charles Garnier.
4. Paris est un grand port fluvial.
5. Pour prendre un autobus à Paris, on fait la queue.
6. Le Printemps est un beau jardin.
7. La Cité Universitaire encourage la compréhension mutuelle entre les étudiants de tous les pays.
8. On a signé le traité de 1919, qui a mis fin à la première guerre mondiale, dans les Galeries Lafayette.
9. Le Sacré-Cœur ressemble à une mosquée.
10. La rive gauche est le centre principal du commerce parisien.

E. Compléter les paragraphes suivants en français:

Le matin, après la visite du Louvre, nous avons traversé le plus ancien des ponts de Paris, le _____, pour voir le centre de l'enseignement, le Quartier _____, sur la rive _____. Le calme des petites rues contraste avec l'animation du boulevard _____, la rue principale du quartier. Nous avons visité la _____, la plus ancienne partie de l'Université de Paris. Ensuite, nous sommes entrés dans le _____ pour y admirer les peintures murales qui représentent la vie de _____, patronne de Paris. Plus tard, pour nous reposer un peu, nous nous sommes assis sur un banc au jardin _____, rendez-vous favori d'étudiants.

L'après-midi, nous avons pris un de ces bateaux-_____ qui descendent et remontent la _____. Quelle promenade inoubliable! La place _____, la plus grande de Paris, offre au visiteur de belles perspectives. Puis nous avons vu près du fleuve le jardin _____, ancien jardin des rois de France. En nous approchant de l'île _____, le berceau de Paris, nous avons reconnu ce chef-d'œuvre de l'architecture gothique, la cathédrale _____. Enfin, n'en pouvant plus, nous avons pris le _____, le chemin de fer souterrain, pour retourner à l'hôtel.

Le tourisme à Paris

Ses richesses naturelles et artistiques font de la France un grand pays de tourisme. L'ensemble des activités concernant l'accueil des touristes étrangers en France joue un rôle important dans la vie économique du pays.

5. AUTRES VILLES FRANÇAISES

Les six villes principales de la France au point de vue de la population sont: Paris, Marseille, Lyon, Toulouse, Bordeaux, et Nice.

PORTS

1. **Marseille,** sur la Méditerranée, près de l'embouchure du Rhône, est la deuxième ville de France et son plus grand port de mer. Marseille, qui relie la France à l'Afrique du Nord et à l'Orient, est aussi un centre industriel très actif.

Villes

239

2. **Le Havre,** à l'embouchure de la Seine, est le plus grand port sur la Manche. C'est le principal port de débarquement des paquebots trans-atlantiques. Par ce port se fait la plus grande partie du trafic qui est tourné vers l'Amérique du Nord.

3. **Bordeaux,** à l'embouchure de la Garonne, est un port actif, surtout dans le commerce des vins renommés de la région.

4. **Nantes,** à l'embouchure de la Loire, est un centre de constructions navales.

5. D'autres ports maritimes sont:

      sur la Manche: **Cherbourg** (port militaire), **Boulogne, Calais, Dunkerque**

      sur l'Atlantique: **Brest** (port militaire), **Saint-Nazaire, La Rochelle**

      sur la Méditerranée: **Toulon** (port militaire), **Sète**

VILLES INDUSTRIELLES

1. **Lyon,** au confluent du Rhône et de la Saône, est la troisième ville de France. C'est une ville commerciale et le centre principal des industries de la soie et de la rayonne.

2. **Lille,** au nord-est de la France, est le grand centre de l'industrie textile. La ville est renommée aussi pour la fabrication de machines.

3. **Strasbourg,** sur le Rhin, est une ville industrielle et un port fluvial important. Cette ancienne capitale de l'Alsace est connue pour son pâté de foie gras. Dans la magnifique cathédrale gothique se trouve la célèbre horloge astronomique.

4. **Reims,** le centre de la préparation du champagne, possède une des plus belles cathédrales gothiques de France, un chef-d'œuvre d'architecture et de sculpture. Dans cette cathédrale, on couronnait les rois de France.

    D'autres villes connues pour leur cathédrale gothique sont **Chartres** et **Amiens.**

5. **Nancy,** ancienne capitale de la Lorraine, et **Metz,** également en Lorraine, se trouvent dans la région des industries du charbon et de la métallurgie.

6. **Rouen,** sur la Seine en Normandie, est une ville industrielle et un port fluvial. Jeanne d'Arc y fut brûlée en 1431.

7. **Grenoble,** au sud-est, est le centre principal de la fabrication des gants.

8. **Toulouse,** sur la Garonne, est le centre industriel et commercial de la région.

9. **Clermont-Ferrand,** dans le centre du pays, est la métropole française du caoutchouc. On y fabrique des pneus.

STATIONS D'ÉTÉ ET D'HIVER

1. **Nice,** la plus grande ville de la Côte d'Azur, et la ville avoisinante de **Cannes** sont deux stations balnéaires (seaside resorts) qui attirent beaucoup de touristes, surtout en hiver et au printemps.

2. **Chamonix,** situé au pied du mont Blanc, est un centre important d'alpinisme (mountain climbing) et de sports d'hiver.

3. **Deauville** et **Trouville** sont des plages populaires sur la Manche.

4. **Vichy** est la grande station thermale (spa) dans le Massif Central. Ses eaux minérales sont exportées aux quatre coins du monde. La ville était le siège du gouvernement français pendant la deuxième guerre mondiale.

   D'autres stations thermales sont **Évian, Vittel,** et **Aix-les-Bains.**

5. **Biarritz,** dans le pays basque, est une station balnéaire sur l'Atlantique, près de l'Espagne.

VILLES HISTORIQUES

1. **Carcassonne** se trouve dans le Midi de la France. Célèbre par les remparts qui l'entourent, c'est le meilleur exemple d'une ville fortifiée du Moyen Age.

2. **Le Mont-Saint-Michel,** qu'on appelle "la Merveille de l'Occident," est situé sur un îlot rocheux de la Manche, entre les côtes de la Bretagne et de la Normandie. C'est une forteresse médiévale dominée par une abbaye bénédictine en style gothique.

3. **Avignon,** ville provençale sur le Rhône, est renommé pour son **palais des Papes.** Ce palais était la résidence papale au XIVe siècle. **Le pont Saint-Bénézet** est bien connu, grâce à la vieille chanson fameuse.

4. **Nîmes** et **Arles,** deux villes méridionales, conservent quelques-uns des plus beaux monuments romains de France. A Nîmes se trouvent **la Maison Carrée,** temple romain, et les arènes. Pas loin de la ville, on peut voir **le pont du Gard,** aqueduc romain. A Arles aussi il y a un théâtre antique et les arènes.

5. **Lourdes,** dans les Pyrénées, est le lieu de pèlerinage (pilgrimage) le plus célèbre de France. Ce grand centre religieux attire chaque année des milliers de catholiques du monde entier. **Lisieux,** en Normandie, est un autre lieu de pèlerinage.

EXERCICES

A. Pour chaque description de la première colonne, donner la lettre de la ville correspondante de la seconde colonne:

1. ancienne capitale de la Lorraine	*a.* Marseille
2. centre de l'industrie de la soie	*b.* Reims
3. ville normande où Jeanne d'Arc mourut	*c.* Lyon
4. premier port de mer, sur la Méditerranée	*d.* Strasbourg
5. ville industrielle sur le Rhin	*e.* Bordeaux
6. station balnéaire de la Côte d'Azur	*f.* Nancy
7. grand port au sud-ouest, actif dans le commerce des vins	*g.* Le Havre
8. lieu de pèlerinage en Normandie	*h.* Rouen
9. centre de la préparation du champagne	*i.* Lisieux
10. port transatlantique à l'embouchure de la Seine	*j.* Cannes

B. Vrai ou faux?

1. A cause de la douceur de leur climat, Nice et Cannes attirent beaucoup de touristes en hiver.
2. On peut voir la célèbre horloge astronomique dans la cathédrale de Chartres.
3. On fabrique un grand nombre de machines à Lille.
4. Nancy et Metz sont des ports fluviaux.
5. La ville de Carcassonne est dominée par une abbaye bénédictine.
6. Biarritz est sur l'Atlantique, près de l'Espagne.
7. La Maison Carrée d'Arles fut un temple romain.
8. Toulouse, sur la Garonne, est une ville industrielle et commerciale.
9. Au point de vue de la population, Bordeaux est plus grand que le Havre.
10. Le pont du Gard, près de Nîmes, est un aqueduc du Moyen Age.

C. Compléter en français:

1. Les trois plus grandes villes de la France sont Paris, _____, et _____.
2. Lyon se trouve au confluent de la Saône et _____.
3. _____, dans le Massif Central, est le centre de l'industrie du caoutchouc.
4. Trois ports sur la Manche sont_____, _____, et _____.
5. Le palais des Papes se trouve à _____.
6. Le port de Marseille relie la France à l'Afrique du Nord et à _____.
7. Le Mont-Saint-Michel est situé sur un îlot de la _____, entre la _____ et la _____.
8. Deux ports militaires sont _____ et _____.
9. Reims et Amiens sont célèbres par leur _____ gothique.
10. _____ et _____ sont des plages populaires sur la Manche.
11. La ville de _____ était le siège du gouvernement français pendant la deuxième guerre mondiale.
12. _____, situé au pied du mont Blanc, est un centre de sports d'hiver.
13. Deux villes méridionales connues pour leurs beaux monuments romains sont _____ et _____.
14. Nantes, à l'embouchure de la _____, est un centre de constructions _____.
15. La Rochelle et Saint-Nazaire sont des ports sur _____.

D. Identifier la ville:

1. centre principal de la fabrication des gants
2. station balnéaire du pays basque

3. "la Merveille de l'Occident"
4. ancienne capitale de l'Alsace
5. grand centre de l'industrie textile
6. le plus grand port sur la Manche
7. lieu de pèlerinage le plus célèbre de France
8. ville principale de la Riviera
9. le meilleur exemple d'une ville fortifiée du Moyen Age
10. grande station thermale dans le Massif Central

Portail royal—Cathédrale de Chartres

La cathédrale de Chartres, un mélange de style roman et gothique, est ornée de centaines de sculptures remarquables. Les statues, qui représentent des personnages de la Bible, sont vêtues à la mode du XIIᵉ siècle.

6. LA CINQUIÈME RÉPUBLIQUE FRANÇAISE ET LA COMMUNAUTÉ

1. En 1958, les Français ont approuvé une nouvelle constitution préparée par le gouvernement du général de Gaulle. Cette constitution, qui marque la naissance de **la Cinquième République** française, a créé une **Communauté** fondée sur l'égalité et la solidarité des peuples qui la composent. Elle assure une stabilité et une continuité au gouvernement. Les pouvoirs du Président sont plus étendus que ceux prévus par la constitution précédente. Charles de Gaulle a été élu premier Président de la Cinquième République.

2. La France est une république indivisible, laïque (secular), démocratique, et sociale. Elle garantit l'égalité devant la loi de tous les citoyens sans distinction d'origine, de race, ou de religion. Elle respecte toutes les croyances. Le suffrage est universel, égal, et secret. Tous les citoyens français âgés de plus de 21 ans des deux sexes ont le droit de voter.

3. **L'Exécutif** se compose du Président de la République et du Gouvernement dirigé par le Premier Ministre.

4. **Le Président de la République** représente l'autorité suprême de la nation. C'est le véritable chef du gouvernement. Il assure le fonctionnement régulier des pouvoirs publics ainsi que la continuité de l'État. Il est élu pour sept ans. Le référendum de 1962 a aboli l'ancien collège électoral en approuvant l'élection des futurs Présidents de la République au suffrage universel. Le Président de la République préside la Communauté, nomme le Premier Ministre et, sur la proposition de celui-ci, les autres membres du Gouvernement (le Conseil des Ministres). Il promulgue les lois. Il est le chef des armées. Il peut soumettre au référendum des projets de loi. Il peut, après consultation du Premier Ministre et des présidents des assemblées, prononcer la dissolution de l'Assemblée Nationale. En période de crise, il peut exercer des pouvoirs exceptionnels. Sa résidence officielle est **le palais de l'Élysée,** à Paris.

5. **Le Gouvernement,** composé du Premier Ministre et de ses ministres, assure l'exécution des lois. **Le Premier Ministre,** nommé par le Président, dirige l'action du Gouvernement. Avec **le Conseil des Ministres,** il détermine (formulates) et conduit la politique (policy) de la nation. Il est responsable de la défense nationale. Le Gouvernement est responsable devant l'Assemblée Nationale. Pourtant, la difficulté de renverser le Gouvernement en assure la stabilité. Il n'est pas permis aux ministres d'être membres du Parlement. Par conséquent, les ministres sont exempts de la pression politique.

6. **Le Parlement,** qui possède le pouvoir législatif, comprend **l'Assemblée Nationale** et **le Sénat.** Les députés à l'Assemblée Nationale sont élus au suffrage direct pour cinq ans. Les sénateurs, élus pour neuf ans au suffrage indirect, représentent les départements et les Français établis hors de France. Le Parlement vote la loi et autorise la déclaration de guerre. L'Assemblée Nationale ne peut obliger le Gouvernement à démissionner (resign) que si une motion de censure est votée à la majorité absolue des députés.

7. **Le Conseil Constitutionnel** a pour rôle d'assurer le respect de la constitution. Ce conseil veille à (watches over) la régularité de l'élection du Président de la République et des opérations de référendum. Il se prononce sur la conformité des lois à la constitution.

8. Le pouvoir judiciaire est indépendant des autres pouvoirs. L'autorité judiciaire, garantie par la constitution, est la gardienne de la liberté individuelle. **La Cour de Cassation,** qui siège à Paris, est le tribunal suprême.

9. Le territoire français est divisé en 90 **départements** au point de vue administratif. **Le préfet,** qui est nommé par le Gouvernement, est à la tête du département. Il est assisté d'un **conseil général,** élu au suffrage universel. Chaque département est divisé en **arrondissements,** subdivisés à leur tour en **cantons** et **communes.**

10. L'emblème national est le drapeau tricolore: bleu, blanc, et rouge. L'hymne national, *la Marseillaise,* fut composé en 1792 par **Rouget de Lisle.** La devise de la République est *Liberté, Égalité, Fraternité*— la devise même de la Révolution française. Le quatorze juillet— l'anniversaire de la prise de la Bastille par le peuple de Paris en 1789— est la date de la fête nationale française. La Bastille, prison royale, représentait le symbole de la tyrannie de l'ancien régime. On peut voir la clef de la Bastille à Mount-Vernon; c'est La Fayette qui l'a donnée à George Washington. Pour célébrer la fête nationale, on danse dans les rues. Il y a aussi des revues militaires, des cérémonies au tombeau du Soldat Inconnu, et des représentations gratuites aux théâtres.

11. **La Communauté,** instituée par le peuple français et les peuples des territoires d'Outre-Mer qui ont approuvé le référendum de 1959, comprend actuellement sept États membres:

(1) la République Française
  a. la France continentale
  b. les départements d'Outre-Mer—la Martinique, la Guadeloupe, la Guyane, et la Réunion

    c. les territoires d'Outre-Mer, avec une représentation au Parlement français et autonomie administrative—la Côte française des Somalis, la Polynésie française, les Comores, Saint Pierre-et-Miquelon, et la Nouvelle-Calédonie

(2) la République Centrafricaine
(3) la République du Tchad
(4) la République du Congo (Brazzaville)
(5) la République Gabonaise
(6) la République Malgache (Madagascar)
(7) la République du Sénégal

Toutes ces nouvelles républiques africaines (voir la carte à la page 54) ont été admises à l'Organisation des Nations-Unies.

12. La Communauté est constituée d'États membres qui jouissent de l'autonomie et qui s'administrent eux-mêmes. Elle a pour organes un conseil exécutif, un Sénat, et une cour arbitrale. Le conseil exécutif est présidé par **le Président de la Communauté,** qui est le Président de la République. Un État membre peut devenir indépendant et quitter la Communauté.

13. La France continue sans cesse à aider les autres États membres de la Communauté à se développer. Elle contribue l'aide technique et financière qu'il leur faut. On se rend compte de ce que le développement économique de la Communauté assurera le progrès social et l'ordre politique. Les services de santé et de l'enseignement et ceux de la recherche et des travaux publics ont fait des progrès remarquables.

EXERCICES

A. Vrai ou faux?

1. La France est une république constitutionnelle.
2. Le Premier Ministre est le chef des armées.
3. Le Parlement vote les lois, le Président les promulgue, et le Gouvernement en assure l'exécution.
4. L'Assemblée Nationale est responsable devant le Gouvernement.
5. Les ministres du Gouvernement peuvent être membres du Parlement.
6. Les sénateurs sont élus au suffrage direct.
7. Le Premier Ministre est responsable de la défense nationale.
8. Le canton est plus grand que l'arrondissement.
9. Il est relativement facile de renverser un Gouvernement français.
10. La constitution française garantit l'indépendance de l'autorité judiciaire.
11. Le préfet est élu au suffrage universel.
12. La clef de la Bastille se trouve dans la ville de Washington, D.C.
13. La République française est un membre de la Communauté.
14. Le Président de la Communauté est élu par le conseil exécutif.
15. Les États membres jouissent de l'autonomie et peuvent quitter la Communauté pour devenir indépendants.

B. Choisir la réponse convenable entre parenthèses:

1. Le (Président de la République, Premier Ministre) peut prononcer la dissolution de l'Assemblée Nationale.
2. Les députés à l'Assemblée Nationale sont élus au suffrage (direct, indirect).
3. Le (Premier Ministre, Parlement) autorise la déclaration de guerre.
4. Quand la République est menacée d'une manière grave et immédiate, le (Premier Ministre, Président de la République) peut prendre des mesures exceptionnelles.
5. (La Cour de Cassation, Le Conseil Constitutionnel) veille à la régularité des opérations de référendum.
6. Le préfet est le chef d'un (arrondissement, département).
7. Les nouvelles républiques de la Communauté se trouvent en (Asie, Afrique).
8. La France est composée de (90, 32) départements.
9. Les pouvoirs du Président de la République sont (plus, moins) étendus aujourd'hui qu'en 1958.
10. Tous les citoyens français âgés de plus de (18, 21) ans ont le droit de voter.

C. Compléter en français:

1. Aujourd'hui la France vit sous la _____ République depuis 1789. En 1958, _____ a été élu le premier Président de la nouvelle République.
2. L'Exécutif de la République Française se compose du _____ et du Gouvernement dirigé par le _____.
3. Le _____ est le véritable chef de la nation. Il est élu pour _____ ans au suffrage universel. C'est lui qui nomme le _____ et, sur la proposition de celui-ci, les autres membres du _____.
4. Les deux Chambres du Parlement sont _____ et _____.
5. La résidence officielle du Président à Paris est le palais de _____.
6. Les députés sont élus pour _____ ans; les sénateurs, pour _____ ans.
7. La Cour de _____, qui est le tribunal suprême, siège à Paris.
8. Pour faire démissionner le Gouvernement, il faut qu'une motion de censure soit votée à la _____ absolue des députés de l'Assemblée Nationale.
9. Chaque département est divisé en _____.
10. L'emblème national français est le drapeau _____: bleu, blanc, et rouge.
11. En 1792, _____ a composé l'hymne national, *la* _____.
12. La devise de la République Française est _____, _____, _____.
13. Le _____ juillet marque l'anniversaire de la prise de la _____ par les Parisiens en _____. Pour célébrer cette fête, on danse dans les _____.
14. A l'heure actuelle, le Président de la Communauté est M. _____.
15. Le Premier Ministre de la France est M. _____.

7. LA VIE QUOTIDIENNE

1. RELIGION

La plupart des Français sont catholiques, mais il n'y a pas de religion officielle en France. La Cinquième République respecte toutes les croyances.

2. ENSEIGNEMENT

L'instruction en France est obligatoire pour tous les enfants de six à seize ans. L'enseignement public est gratuit (free) et laïque. Il est administré par le ministère (ministry) de l'Éducation nationale, et à cet effet la France est divisée en 19 régions, appelées **Académies.** A côté des écoles publiques, il y a des établissements privés, généralement catholiques, et contrôlés par le même ministère. La réforme introduite en 1960 cherche à donner à chaque élève un enseignement en rapport avec ses aptitudes.

L'enseignement préscolaire, donné dans des écoles maternelles ou dans des classes enfantines aux enfants de moins de six ans, n'est pas obligatoire. L'enseignement élémentaire, donné dans **les écoles primaires,** est commun à tous les enfants français. Les jours de congé sont le jeudi et le dimanche. Les deux années du "cycle d'observation"—de onze à treize ans—sont destinées à découvrir de bonne heure et à developper les aptitudes particulières des enfants. Après ces deux années, les familles des élèves choisissent entre plusieurs formes différentes d'enseignement.

L'enseignement secondaire pour les meilleurs élèves, donné dans **les lycées** et **les collèges,** mène au **baccalauréat.** Le lycée est subventionné (supported) par l'État; le collège, par le gouvernement local ou par des particuliers. Les matières enseignées dans ces écoles préparent à une culture générale.

L'enseignement supérieur se donne dans les facultés des universités et dans les "grandes écoles," des écoles de spécialisation qui préparent aux carrières supérieures de l'administration, de l'enseignement, de l'industrie, du commerce, de l'armée, de la marine, etc. Parmi les grandes écoles, citons: **l'École Normale Supérieure** (où sont préparés les professeurs de l'enseignement secondaire et supérieur); **l'École Polytechnique** (qui forme des ingénieurs civils); **l'École des Beaux-Arts; l'École des Mines;** et les écoles militaires—**l'École Interarmes** (autrefois l'École militaire de Saint-Cyr), qui est le "West Point" de France; **l'École Navale;** et **l'École de l'Air.**

3. RÉCRÉATIONS

a. Les sports ont conquis une place importante en France, où l'on trouve aujourd'hui des milliers de sociétés sportives. Parmi les sports favoris, il faut mentionner le football (qui ressemble au *soccer* américain), le cyclisme, l'alpinisme (les ascensions en montagne), le ski, la natation, la pêche, et le tennis. Chaque année les sports sous-marins deviennent de plus en plus à la mode. Les Français, qui aiment vivre en plein air, font beaucoup de camping. Il y a aussi des sports régionaux: du pays basque vient la **pelote**; le jeu de **boules** est populaire surtout dans le Midi.

La course de bicyclettes la plus célèbre est **le Tour de France,** qui se dispute tous les ans en juillet. Cette épreuve internationale, qui dure plus de trois semaines, est sans doute l'événement sportif auquel les Français s'intéressent le plus.

b. **Le café** joue un rôle social dans la vie quotidienne (de tous les jours) des Français. C'est un lieu social où l'on rencontre ses amis. Au café, les clients peuvent lire le journal, écrire des lettres, ou jouer aux cartes. La plupart des cafés ont aussi des terrasses en plein air sur le trottoir, où sont placées des tables et des chaises.

c. Le théâtre, le cinéma, l'opéra, le ballet, et les concerts attirent un grand nombre de Français. Paris est le centre de la vie théâtrale, mais il y a des centres dramatiques dans toutes les parties de la France. Les théâtres nationaux, subventionnés par l'État, sont: **l'Opéra** et **l'Opéra-Comique,** qui donnent des opéras de tous les pays; **la Comédie-Française** et **le Théâtre de France,** qui jouent des pièces françaises; et **le Théâtre National Populaire,** où l'on peut voir des expériences et des innovations.

Dans les théâtres français, on annonce le lever du rideau par trois coups frappés derrière la scène. En France, on donne un pourboire aux ouvreuses (celles qui placent les spectateurs dans les théâtres et les cinémas).

d. Les Français aiment aussi à lire et à visiter les musées et les expositions d'art. On publie des milliers de livres en France chaque année. Il y a plus d'une douzaine de journaux quotidiens à Paris, parmi lesquels citons: *France-soir, Le Monde, L'Aurore,* et *Le Parisien libéré.* Le nombre de postes récepteurs de télévision augmente sans cesse. Quant à la Loterie nationale, autorisée par le gouvernement, elle est très populaire.

e. A la longue liste d'attractions, ajoutons une toute récente, qui s'appelle "Son et Lumière." C'est un spectacle dramatique dont l'action a lieu à l'endroit même où sont situés des monuments historiques, tels que les châteaux de la Loire, le palais des Papes à Avignon, et la Cité de Carcassonne. Le *Son* est la narration du drame accompagnée d'une partie musicale appropriée; la *Lumière* est constituée par des effets de lumière ou de couleurs qui soulignent dramatiquement la présentation.

4. FÊTES

Les Français célèbrent beaucoup de fêtes, dont la plupart sont d'origine religieuse. Les principales fêtes publiques sont:

a. **le Jour de l'An**—le 1ᵉʳ janvier; on donne et reçoit des étrennes (cadeaux) et on souhaite à tout le monde "une bonne et heureuse année"

b. **Pâques** (Easter)—fête religieuse, en mars ou avril

c. **la fête du Travail**—le 1ᵉʳ mai; le muguet (lily of the valley), qui doit porter du bonheur, se vend partout dans les rues

d. **l'Ascension**—fête religieuse célébrée quarante jours après Pâques

e. **la fête de Jeanne d'Arc**—le deuxième dimanche du mois de mai

f. **la Pentecôte** (Pentecost, Whitsuntide)—fête religieuse qui a lieu le septième dimanche après Pâques

g. **la fête nationale**—le 14 juillet; l'anniversaire de la prise de la Bastille

h. **l'Assomption**—fête religieuse qui tombe le 15 août

i. **la Toussaint**—le 1ᵉʳ novembre; fête religieuse en l'honneur de tous les saints

j. **la fête de l'Armistice**—le 11 novembre; commémore la fin de la guerre de 1914–1918

k. **Noël**—le 25 décembre. En France, seulement les enfants reçoivent des cadeaux. Ils déposent leurs souliers devant la cheminée ou près de l'arbre de Noël pour la visite du Père Noël. Après la messe de minuit à l'église, la famille prend un grand repas, le réveillon.

5. CUISINE

Pour le Français, la cuisine est un art et une tradition. Puisque le Français est un **gourmet,** c'est-à-dire, quelqu'un qui aime la bonne chère (good living), les repas sont toujours préparés avec soin. Il faut beaucoup de temps pour prendre un repas en France parce que manger est un grand plaisir. Comme le climat et le sol du pays, la cuisine française est très variée. Chaque région a ses propres spécialités délicieuses. Le Français ne pouvant rien manger sans pain, le régime (diet) français en comprend une grande quantité.

Vers huit heures du matin, on prend le petit déjeuner: du café au lait ou du chocolat, et du pain beurré ou des croissants ou des brioches. Le déjeuner, qu'on prend vers midi, et le dîner, pris après sept heures du soir, consistent en plusieurs plats: hors-d'œuvre ou potage, poisson, viande ou volaille (poultry) accompagnée de légumes, salade, fromage, et fruits. Pendant le repas, on boit du vin, du cidre, ou de l'eau minérale. A la fin du repas, le Français préfère du café.

Quelques-uns des plats célèbres dont la France a enrichi l'art culinaire sont: la soupe à l'oignon, le pâté de foie gras, le coq au vin, le pot-au-feu, la bouillabaisse (spécialité culinaire de Marseille), et les crêpes Suzette.

Dans les restaurants français, les plats sont généralement servis sur commande. On peut commander un repas **à la carte** (le prix de chaque plat étant indiqué) ou **à prix fixe** (le prix du repas entier étant déterminé d'avance). La carte du jour se trouve bien en vue devant chaque restaurant pour faire savoir aux clients les plats du jour et les prix. **Le bistro,** ce petit restaurant simple, est très fréquenté par les Français.

6. UNITÉS DE MESURE

a. **Le système métrique** fut institué en France au début du 19e siècle. Ce système, dont le mètre est la base, est très simple parce qu'il n'a que des multiples et des subdivisions décimales. Il est en vigueur aujourd'hui dans presque tous les pays de l'Europe et de l'Amérique du Sud. Les savants du monde entier l'emploient.

Le mètre est l'unité de longueur.
1 mètre = 100 centimètres (= 39.37 inches)
1.000 mètres = 1 kilomètre (= $\frac{5}{8}$ mile)

Le gramme est l'unité de masse.
1.000 grammes = 1 kilogramme (= 2.2 pounds)

Le litre est l'unité de mesure de capacité pour les liquides et les matières sèches. Il vaut un peu plus que le "quart" américain.

b. L'unité monétaire en France est **le franc,** qui a une valeur approximative de 21 "cents" américains. Il y a 100 **centimes** dans un franc.

c. Le thermomètre **centigrade,** qu'on emploie en France, comprend 100 divisions. Le point 0 correspond à la température de la glace fondante, et le point 100 à celle de la vapeur d'eau bouillante.

EXERCICES

A. Pour chaque expression de la première colonne, donner la lettre du nom correspondant de la seconde colonne:

1. spectacle dramatique	*a.* école maternelle
2. fête des étrennes	*b.* réveillon
3. enseignement préscolaire	*c.* pâté de foie gras
4. spécialité culinaire	*d.* Jour de l'An
5. unité de capacité	*e.* gramme
6. croissants et brioches	*f.* bistro
7. repas fait dans la nuit de Noël	*g.* litre
8. petit restaurant populaire	*h.* Pâques
9. unité de masse	*i.* petit déjeuner
10. fête religieuse	*j.* Son et Lumière

B. Vrai ou faux?

1. L'enseignement public est gratuit en France.
2. La plupart des Français sont protestants.
3. Le ministère de l'Éducation nationale contrôle et l'enseignement public et l'enseignement privé.
4. On cherche à donner à chaque élève français la forme d'enseignement qui répond le mieux à ses aptitudes.
5. Pour voir des pièces de théâtre en France, il faut aller à Paris.
6. Le gouvernement français autorise des loteries.
7. Le système métrique fut institué en France pendant le règne de Louis XV.
8. L'École Interarmes est l'équivalent français de notre Académie Navale d'Annapolis.
9. En France, on donne des pourboires aux ouvreuses de cinéma et de théâtre.
10. D'ordinaire, les Français donnent des cadeaux à leurs amis pour la fête de Noël.

C. Identifier:

1. la grande école qui forme des ingénieurs civils
2. un sport d'origine basque
3. la fleur qui se vend dans la rue le 1er mai
4. une spécialité culinaire de Marseille faite avec une variété de poissons
5. les écoles secondaires subventionnées par l'État
6. l'unité monétaire de France
7. l'événement sportif le plus suivi en France
8. mille mètres
9. la fête du 1er novembre en l'honneur des saints
10. le thermomètre qui s'emploie en France

D. Compléter en français:

1. Pour administrer l'enseignement, la France est divisée en régions, appelées _____.
2. La scolarité en France est obligatoire à partir de _____ ans et jusqu'à l'âge de _____ ans.
3. On donne l'enseignement supérieur dans les facultés des _____ et dans les "_____ écoles."
4. A la fin des études dans un lycée ou collège, on obtient le _____, appelé aussi le *bachot*.
5. L'École _____ Supérieure forme les professeurs de l'enseignement secondaire.
6. En France, il n'y a pas de classes le _____ et le dimanche.
7. Beaucoup de _____ français ont des terrasses sur le trottoir.
8. Le _____ vaut à peu près 2.2 livres américaines.
9. Les deux théâtres nationaux qui donnent des opéras sont _____ et _____.
10. Les autres théâtres nationaux sont le Théâtre de France, le Théâtre National Populaire, et _____.
11. Les enfants français déposent leurs _____ devant la cheminée pour la visite du _____ Noël.
12. Deux journaux quotidiens de Paris sont _____ et _____.
13. On annonce le _____ dans les théâtres par trois coups frappés derrière la scène.
14. On peut commander un repas à la _____ ou à prix _____.
15. Le franc a une valeur approximative de _____ "cents" américains.

8. PERSONNAGES ET ÉVÉNEMENTS DE L'HISTOIRE DE FRANCE

1. La France est riche en vestiges de civilisations préhistoriques. On a découvert dans plusieurs grottes françaises, comme celles des Eyzies et de Lascaux, des squelettes d'hommes et des dessins sur pierre. Les menhirs et les dolmens—des blocs de pierre préhistoriques—sont nombreux en Bretagne.

2. Au premier siècle avant Jésus-Christ, la France s'appelait **la Gaule.** C'était le territoire des **Celtes,** ou **Gaulois,** qui avaient une civilisation primitive. Les Gaulois étaient divisés en un grand nombre de tribus rivales qui se faisaient souvent la guerre. Leurs prêtres, appelés **druides,** occupaient une place importante dans leur société. Les druides, qui étaient aussi médecins et juges, exerçaient une influence sociale et politique en même temps que religieuse. Adorateurs de la nature, ils enseignaient que le gui (mistletoe), plante toujours verte, était sacré et que l'âme était immortelle.

3. **Jules César,** le général romain, profita de la désunion des Gaulois pour entreprendre la conquête du pays entier. Cette conquête se termina par la bataille d'Alésia en 52 av. J.-C.

   Vercingétorix, chef courageux et général habile, réussit à former une coalition des peuples gaulois contre César. Après la défaite des Gaulois à Alésia, Vercingétorix fut emmené à Rome, où il figura dans le triomphe de César. Au bout de six ans de prison, le chef gaulois fut exécuté. On considère Vercingétorix comme le premier héros national de la France.

4. Sous le gouvernement des Romains, qui dura plus de 400 ans, la Gaule prospéra. Les Gaulois adoptèrent les coutumes, la religion, et le code de justice des vainqueurs, et ils apprirent le latin, la langue de Rome. Les Romains développèrent l'agriculture et le commerce. Ils construisirent de belle routes, des aqueducs, des amphithéâtres, des temples, et d'autres bâtiments publics. La conquête romaine donna à la Gaule la paix et la sécurité.

5. L'empire romain était très vaste et, par conséquent, difficile à défendre. A partir du IIIe siècle, des peuplades barbares—Wisigoths, Vandales, Burgondes, Huns—commencèrent à envahir la Gaule. Au Ve siècle, une tribu germanique, **les Francs,** conquit le pays et s'y installa. Ce sont eux qui ont donné leur nom à la France.

6. **Clovis** (465–511), roi des Francs, battit les Romains et se fit maître de presque toute la Gaule. Il se convertit au christianisme, qui devint la religion officielle du pays.

7. **Sainte Geneviève** est la patronne de Paris. Au Ve siècle, quand les Huns étaient sur le point d'attaquer Paris (alors Lutèce), Geneviève, une bergère, donna aux habitants le courage de rester dans la ville. Elle avait raison, car l'armée d'Attila changea de direction, et Paris fut sauvé.

8. En 732, **Charles Martel** sauva la France de l'invasion musulmane en écrasant les Arabes à la bataille de Poitiers.

9. **Charlemagne,** ou Charles le Grand, petit-fils de Charles Martel, fut le souverain le plus puissant du Moyen Age. En 800, à Rome, le pape le couronna empereur d'Occident. Il gouverna un empire immense: la plus grande partie de l'Europe occidentale. Charlemagne était un administrateur sage qui essayait d'améliorer la condition de son peuple. Il promulgua des lois bonnes et justes. Protecteur des arts et des lettres, il encouragea l'enseignement en créant de nombreuses écoles. Ses exploits guerriers sont célébrés dans *la Chanson de Roland,* le premier chef-d'œuvre de la littérature française. Malheureusement, après la mort de Charlemagne, son vaste empire fut démembré.

10. A la fin du IXe siècle, quand la France ne pouvait plus se défendre, le pays fut ravagé par **les Normands,** les hommes du Nord. Ces pirates, qui venaient par mer, remontaient les fleuves et pillaient tout sur leur passage. Ils finirent par rester dans la région qu'on appelle aujourd'hui la Normandie.

11. En 1066, **Guillaume le Conquérant,** duc de Normandie, traversa la Manche, fit la conquête de l'Angleterre, et devint roi de ce pays.

12. **Louis IX,** ou **saint Louis,** est connu pour son amour de la justice et de la paix. Il s'intéressait à ses sujets, surtout aux pauvres. Très pieux, il prit une part active aux Croisades du XIIIe siècle. Louis IX fit beaucoup pour consolider le pouvoir royal.

13. Pendant la guerre de Cent Ans, de 1337 à 1453, les armées anglaises envahirent la France. Les rois d'Angleterre, qui prétendaient à la couronne de France, dévastèrent le pays. Grâce au courage d'une jeune paysanne française, la France fut sauvée.

    Jeanne d'Arc, appelée *la Pucelle* (Maid) *d'Orléans,* est l'héroïne nationale de la France. Elle naquit en 1412 à Domremy, en Lorraine. Jeanne crut entendre des voix surnaturelles qui lui commandaient de délivrer la France. A la tête d'une armée française, elle battit les Anglais à Orléans et fit sacrer Charles VII roi de France dans la cathédrale de

Reims. Trahie, elle fut prise et vendue aux Anglais. Ceux-ci, l'ayant accusée d'hérésie, la brûlèrent vive à Rouen en 1431. Après la mort de Jeanne d'Arc, les Français, inspirés par son courage, chassèrent les Anglais de France.

14. **François Ier** fut roi de France pendant la première moitié du XVIe siècle, l'époque de la Renaissance. Administrateur brillant et patron des arts, il fit venir à sa cour de grands artistes italiens, des hommes de lettres, et des savants. Il fonda le Collège de France, fit construire de beaux châteaux le long de la Loire, et encouragea l'exploration. Sous son règne, Jacques Cartier prit possession du Canada.

15. **Henri IV,** le premier monarque de la famille des Bourbons, est le plus aimé des rois de France. On l'appelle souvent "le bon roi Henri" parce qu'il gouvernait avec intelligence et humanité. Né protestant, il se convertit au catholicisme pour mettre fin aux guerres de religion et pour restaurer la paix en France. Par le célèbre **Édit de Nantes** de 1598, il accorda aux protestants la liberté du culte (worship). Henri IV entreprit l'œuvre de restaurer l'autorité royale, de réorganiser l'administration, et de rétablir la prospérité du pays. Il encouragea l'industrie, le commerce, et l'agriculture. Il fit construire des routes et des ponts. Un de ses capitaines, Champlain, fonda Québec en 1608.

16. **Le cardinal Richelieu,** le premier ministre intelligent et énergique de Louis XIII, fut un grand homme d'état. En abaissant la puissance des grands seigneurs et en forçant les protestants à se soumettre au roi, il fonda l'absolutisme royal. Il améliora la vie économique de la France et réforma les finances et la législation. Protecteur des lettres, des arts, et des sciences, il fonda l'Académie française en 1635. Richelieu fit de la France une des plus grandes nations du monde.

17. **Louis XIV,** appelé *le Roi Soleil,* fut le maître absolu de la France et le monarque le plus puissant de l'Europe. Son despotisme se résume dans les fameuses paroles: "L'État, c'est moi." Son règne de soixante-douze ans fut une époque de gloire militaire et de grandeur littéraire et artistique. Le magnifique palais qu'il fit construire à Versailles devint le centre politique, social, et culturel de la France. Son ministre brillant et infatigable, Colbert, mit de l'ordre dans les finances, protégea le commerce et l'industrie, et encouragea les travaux publics.

Mais l'égotisme et l'ambition du roi causèrent de longues guerres qui furent désastreuses pour la France. Ces guerres et la cour somptueuse du roi finirent par ruiner le pays. En 1685, Louis XIV révoqua l'Édit de Nantes et persécuta les protestants.

18. **Louis XV** régna de 1715 à 1774. Au lieu de s'intéresser aux affaires du royaume, il s'occupait de ses propres plaisirs, dépensant de grandes

sommes d'argent pour s'amuser. A cette époque, la France perdit le Canada. On prête à Louis XV la phrase sinistre: "Après moi le déluge." En effet, le mécontentement créé sous son règne fut une des causes principales de la Révolution française.

19. **Louis XVI,** plein de bonnes intentions mais manquant de décision, ne savait pas gouverner. Il écoutait les mauvais conseils de sa femme frivole, **Marie-Antoinette.** Ennemie des réformes, la reine perdit tout de suite l'estime du peuple. Louis était incapable de résoudre la crise financière, politique, et sociale qui troublait le pays. Le 14 juillet 1789, le peuple de Paris attaqua la Bastille et prit la prison détestée. Cet événement historique marqua le commencement de **la Révolution française** et la chute de la royauté. En 1793, le roi et la reine furent condamnés à mort et guillotinés.

20. Trois nobles français qui aidèrent les colonies américaines à conquérir leur indépendance dans la lutte contre l'Angleterre se sont assuré la reconnaissance affectueuse du peuple américain:

Le jeune **marquis de La Fayette** prit une part active à la guerre d'Indépendance en Amérique. Il devint un ami personnel du général Washington. Après la Révolution américaine, La Fayette retourna en France pour défendre les causes libérales dans son pays natal. En 1917, quand les troupes américaines débarquèrent en France, le général Pershing exprima ces paroles célèbres: "La Fayette, nous voici."

Le comte de Rochambeau commanda l'armée française envoyée au secours des Américains, et **l'amiral de Grasse** commanda la flotte française.

Tous les trois contribuèrent à la défaite des Anglais à la bataille de Yorktown.

21. En 1789, on vota la *Déclaration des droits de l'homme et du citoyen,* qui proclamait les droits fondamentaux de l'individu que le gouvernement devait respecter. **La Première République** française fut établie en 1792 dans le but de substituer à un régime fondé sur le privilège une société basée sur l'égalité de tous. Mais les premières années de la république étaient une période de crises et de violences. Parmi les grandes personnalités de cette époque révolutionnaire, il faut mentionner **Mirabeau,** partisan d'une monarchie constitutionnelle; **Danton,** grand orateur; **Marat,** médecin journaliste; et **Robespierre,** chef de **la Terreur.**

22. **Napoléon Bonaparte,** né à Ajaccio, en Corse, en 1769, exerça sur son temps une grande influence. Dans l'armée Républicaine, il se distingua comme capitaine et plus tard comme général. Il devint Premier consul après un coup d'état; et en 1804, se fit couronner Empereur des Français sous le

nom de Napoléon Ier. Génie militaire à ambition énorme, il essaya de conquérir l'Europe et d'en faire une espèce de fédération. En 1814, les ennemis de la France envahirent le pays; et Napoléon, obligé d'abdiquer, se retira à l'île d'Elbe. Quelques mois plus tard, il retourna en France. Mais en 1815, il fut vaincu à Waterloo, en Belgique, par les armées réunies de ses ennemis. Les Anglais l'exilèrent à Sainte-Hélène, où il mourut en 1821.

Malgré ses guerres désastreuses et ses mesures despotiques qui épuisèrent la France, Napoléon fit des contributions permanentes à son pays. Il réforma l'organisation judiciaire: **le Code Napoléon** est encore aujourd'hui la base de la justice française. Il encouragea l'industrie et l'agriculture, établit l'administration préfectorale, et fit construire un réseau de routes modernes. En donnant à la France un système d'éducation centralisé, en fondant des lycées, et en réorganisant l'Université de Paris, il réforma l'enseignement. Napoléon institua un nouveau système financier au moyen de **la Banque de France** et créa **la Légion d'Honneur.** C'est lui qui vendit la Louisiane aux États-Unis.

23. La France proclama **la Seconde République** en 1848; et **Louis-Napoléon,** neveu de Napoléon Bonaparte, en fut élu le président. En 1852, il se fit empereur sous le nom de Napoléon III et fonda **le Second Empire.** Il enleva beaucoup des libertés qu'avaient gagnées les Français, mais il donna au pays une période de prospérité économique. Son gouvernement entreprit de nombreux travaux publics et stimula l'agriculture, l'industrie, et le commerce. A cette époque Paris fut transformé et embelli. Pourtant la politique extérieure de l'empereur fut désastreuse. Après la défaite de la France dans la guerre franco-allemande de 1870–1871, les Français renversèrent l'empire et établirent **la Troisième République.**

24. La Grande Guerre entre la France et l'Allemagne éclata en 1914. Le maréchal **Foch** fut le généralissime à la tête de toutes les troupes alliées, y compris les américaines. En 1918, après une longue guerre, les armées alliées obligèrent l'Allemagne à se rendre. La France fut victorieuse, mais épuisée.

25. En 1940, la France fut encore une fois envahie par les armées de l'Allemagne. Cette année de la Seconde Guerre Mondiale marque la fin de la Troisième République et le commencement de l'occupation allemande. Le chef du gouvernement collaborationniste de Vichy fut le maréchal Pétain. Les Alliés débarquèrent en Normandie en 1944, et bientôt après la France fut libérée. **La Quatrième République** date de 1947.

26. Après la chute de la Troisième République en 1940, le général **Charles de Gaulle** s'échappa de France et prit la tête de la résistance française.

Il encouragea le peuple par son appel à tous les Français: "La France a perdu une bataille! Mais la France n'a pas perdu la guerre!"

En 1959, il fut élu le premier président de **la Cinquième République** et de **la Communauté Française.**

27. Les explorateurs français ont joué un rôle important dans l'histoire de l'Amérique.

   a. **Jacques Cartier** découvrit le Saint-Laurent en 1535 et prit possession du Canada au nom du roi de France. Plus tard il remonta le fleuve jusqu'à la montagne qu'il appela Montréal.

   b. **Samuel de Champlain** fonda la ville de Québec en 1608 et découvrit le lac Champlain.

   c. **Le père Jacques Marquette** explora la région des Grands Lacs et découvrit le Mississippi. Lui et **Louis Joliet** descendirent le fleuve en 1673.

   d. **Robert Cavelier de La Salle** explora le Mississippi jusqu'au Golfe du Mexique en 1682. Il prit possession de l'immense vallée du fleuve la nommant "Louisiane" en l'honneur de Louis XIV.

On trouve aujourd'hui aux États-Unis beaucoup de noms géographiques d'origine française, tels que Bayonne, Champlain, Detroit, Joliet, Louisiana, New Orleans, New Rochelle, St. Louis, Terre Haute, et Vermont.

EXERCICES

A. Mettre dans l'ordre chronologique:

l'Édit de Nantes	la conquête de la Gaule par les Romains
l'invasion des Francs	la Déclaration des droits de l'homme
la Troisième République	la vente de la Louisiane aux États-Unis
le couronnement de Charlemagne	la conquête de l'Angleterre par les Normands
la Renaissance	la Communauté Française
le gouvernement de Vichy	la guerre de Cent Ans

B. Vrai ou faux?

1. Henri IV, né protestant, se convertit au catholicisme.
2. Rome gouverna la Gaule pendant plus de quatre cents ans.
3. Le palais de Versailles fut construit pour Louis XVI.
4. Le Code Napoléon est même aujourd'hui la base de la justice en France.
5. Louis XVI était un monarque indifférent, s'occupant surtout de ses propres plaisirs.
6. Jeanne d'Arc réussit à chasser les Anglais de France.
7. Jacques Cartier découvrit le Saint-Laurent.
8. Louis XIV révoqua l'Édit de Nantes.
9. Les Celtes avaient une civilisation bien avancée.
10. C'est Louis IX qu'on appelle saint Louis.

C. Pour chaque expression de la première colonne, donner la lettre du nom correspondant de la seconde colonne:

1. ministre de Louis XIII	*a.* Lascaux
2. "La Fayette, nous voici."	*b.* La Salle
3. dessins préhistoriques	*c.* Danton
4. "L'État, c'est moi."	*d.* Napoléon III
5. île d'Elbe	*e.* Richelieu
6. Second Empire	*f.* Louis XV
7. Mississippi	*g.* Louis XVI
8. grand orateur	*h.* Pershing
9. ministre de Louis XIV	*i.* Bretagne
10. "Après moi, le déluge."	*j.* Napoléon Bonaparte
11. menhirs et dolmens	*k.* Colbert
12. roi à l'époque de la Révolution française	*l.* Louis XIV

D. Compléter en français:

1. Autrefois la France s'appelait _____.

2. La plante verte que les Celtes considéraient sacrée est le _____.

3. Quand _____ se convertit, le christianisme devint la religion officielle de la France.

4. Charles _____ repoussa l'invasion arabe en 732.

5. Les exploits de Charlemagne sont célébrés dans _____, le premier chef-d'œuvre de la littérature française.

6. Jeanne d'Arc, née dans le village de _____, en Lorraine, fut brûlée à _____, ville de Normandie.

7. Sous le règne de _____, on bâtit de nombreux châteaux sur la Loire.

8. _____ fonda l'Académie française.

9. _____ commanda l'armée française, et _____ commanda la flotte française à la bataille de Yorktown.

10. Le génie militaire, Napoléon Bonaparte, naquit en Corse et mourut à _____, où les Anglais l'avaient emmené.

E. Identifier:

1. le plus aimé des rois de France

2. les prêtres des Gaulois

3. le souverain le plus puissant du Moyen Age

4. le Roi Soleil

5. la dernière bataille de Napoléon Ier

6. le roi de France pendant la Renaissance

7. le fondateur de la Légion d'Honneur

8. la Pucelle d'Orléans

9. le généralissime des troupes alliées en 1918

10. le premier héros national de la France

11. le fondateur de la ville de Québec

12. le général romain qui conquit les tribus gauloises

13. le chef de la résistance française en 1940

14. la sainte patronale de Paris

15. le chef de la Terreur

9. LA LANGUE ET LA LITTÉRATURE

LA LANGUE

1. Le français—comme l'italien, l'espagnol, le portugais, et le roumain—est une **langue romane,** c'est-à-dire, une langue dérivée du latin. C'est le latin populaire ou vulgaire, la langue parlée par le peuple, qui est devenu peu à peu le français.

2. Au Moyen Age, deux idiomes principaux fleurissaient en France: **la langue d'oïl** dans le Nord, et **la langue d'oc** dans le Midi. La Loire formait la frontière entre ces deux régions linguistiques. Puisque le centre politique de la France était l'Ile-de-France, c'est le dialecte de cette province, un dialecte de la langue d'oïl, qui est devenu la langue officielle du pays.

   Néanmoins, la langue d'oc est toujours vivante. Elle a donné son nom à l'ancienne province méridionale du Languedoc. **Le provençal,** le dialecte le plus important de la langue d'oc, se parle encore dans le Midi de la France. En effet, elle a donné naissance à toute une littérature provençale, dont le représentant le plus illustre est le poète **Frédéric Mistral.**

   Il y a des restes d'autres dialectes en France: **le celtique,** la langue des Gaulois, en Bretagne; **le basque,** dans les Pyrénées; **le bas-allemand,** en Alsace. Dans la langue française d'aujourd'hui, on peut trouver des traces du celtique et de l'allemand.

3. Le français est connu pour la clarté de sa syntaxe, de son expression, et de sa pensée. Au 18e siècle, l'écrivain Rivarol exprima l'importance de cette clarté en ces termes: "Ce qui n'est pas clair n'est pas français."

   Pour étudier, conserver, et perfectionner le français, le cardinal Richelieu fonda **l'Académie française** en 1635. L'Académie fut chargée de la rédaction (writing) du Dictionnaire de la langue française et d'une grammaire. Une nouvelle édition de ce dictionnaire paraît environ tous les cinquante ans. On appelle les membres de l'Académie "les quarante immortels."

   En dehors de la France, on parle français principalement en Belgique, en Suisse, au Luxembourg, dans l'Est du Canada, dans les pays de la Communauté franco-africaine, et dans les départements et les territoires d'Outre-Mer.

4. Le français a exercé une influence profonde sur la langue anglaise. Quand le duc de Normandie traversa la Manche en 1066 et fit la conquête de l'Angleterre, le français devint la langue officielle de la cour royale, des

nobles anglais, et de la justice. Par conséquent, un grand nombre de mots français sont entrés dans la langue anglaise.

LA LITTÉRATURE

1. On considère traditionnellement les *Serments de Strasbourg*—le traité d'alliance conclu par Louis le Germanique et Charles le Chauve en 842—comme le premier document en vieux français. Mais les premières œuvres littéraires, les **chansons de geste,** datent du Moyen Age. Ces poèmes épiques célèbrent avec un enthousiasme patriotique et religieux les exploits légendaires des chevaliers de la société féodale.

   La Chanson de Roland, composée au commencement du 12e siècle, est la plus ancienne et la plus belle des chansons de geste. Ce premier chef-d'œuvre de la littérature française, dont on ne connaît pas l'auteur, raconte l'histoire idéalisée de Charlemagne et de son neveu, Roland, dans les guerres contre les Sarrasins d'Espagne.

2. **François Villon,** poète éloquent du 15e siècle, mena une vie aventureuse, une vie de bohème. On le considère comme le premier des grands poètes lyriques français. Avec un accent personnel, plein de sincérité et de sentiment, il chante ses propres fautes, les misères du temps, et la mort. Dans une de ses ballades, on trouve le vers si souvent cité: "Mais où sont les neiges d'antan?" ("But where are the snows of yesteryear?")

   Au 16e siècle, la littérature française perd son caractère populaire. On découvre l'antiquité gréco-latine, et on écrit pour une élite de lettres. C'est l'époque de **la Renaissance.**

3. **François Rabelais** (vers 1494–1553) exprime l'enthousiasme de la Renaissance et l'amour de la vie sous toutes les formes. Dans ses romans amusants et satiriques, *Gargantua* et *Pantagruel,* où il raconte les aventures de deux géants imaginaires, il nous peint avec une verve (zest) extraordinaire la société et les mœurs de son temps. Esprit érudit, il énonce des idées modernes sur l'éducation et sur le développement complet de l'individu.

4. **Pierre de Ronsard** (1524–1585), le plus grand poète du 16e siècle, fut le chef de **la Pléiade,** un groupe de sept jeunes poètes. S'inspirant de l'antiquité, il essaya de renouveler la forme de la poésie française à l'imitation des anciens et des Italiens.

5. **Michel de Montaigne** (1533–1592), philosophe, humaniste, et moraliste, inventa un nouveau genre de littérature. Ses observations personnelles et morales se trouvent dans ses *Essais,* où il étudie l'homme en général et lui-même en particulier. Affirmant que l'homme ne peut trouver la vérité et la justice, Montaigne recommande la modération, du bon sens, et un

esprit de tolérance. Son scepticisme se résume dans la question: "Que sais-je?"

Le 17ᵉ siècle, surtout le règne de Louis XIV, est vraiment l'âge d'or de la littérature française. C'est la période du **classicisme,** doctrine littéraire fondée sur le respect de la tradition antique. Le classicisme est un mouvement d'ordre et de discipline dans tous les genres. Les auteurs, en analysant les sentiments humains, cherchent une perfection de forme, d'expression, et de style. Dans le théâtre, on établit la règle des trois unités: action, temps, et lieu. D'après cette règle dramatique, la pièce entière doit se développer en une seule action principale, dans tout l'espace d'une journée, et dans le même lieu.

Les deux grands poètes dramatiques du 17ᵉ siècle sont Corneille et Racine.

6. **Pierre Corneille** (1606–1684) est le créateur de l'art classique au théâtre. Ses héros intellectuels, attirés par les sentiments les plus nobles, doivent choisir entre leur devoir et leur passion dans des situations compliquées. C'est la volonté (will), plutôt que l'amour, qui influence leurs actions. Les tragédies remarquables de Corneille comprennent *Le Cid*, *Cinna*, *Horace*, et *Polyeucte*.

7. **Jean Racine** (1639–1699), le plus grand des poètes tragiques, analysa les passions humaines en état de crise. Son théâtre est l'expression la plus pure du génie classique. Parmi ses œuvres principales citons *Andromaque*, *Athalie*, et *Phèdre*.

8. **Molière,** pseudonyme de Jean-Baptiste Poquelin (1622–1673), est le plus grand écrivain français de comédies classiques. Appelé souvent le Shakespeare français, il peint des types éternels plutôt que des individus. Il s'attaque d'une façon comique aux vices humains dans ses chefs-d'œuvre: *Les Précieuses ridicules*, *Le Médecin malgré lui*, *Le Bourgeois Gentilhomme*, *Tartuffe*, *L'Avare*.

9. **Jean de la Fontaine** (1621–1695), l'admirable fabuliste français, peint, sous le couvert du règne animal, un tableau de la vie humaine et de la société de son époque. Ses *Fables* en vers sont des chefs-d'œuvre de morale et de style.

D'autres écrivains illustres du 17ᵉ siècle sont: les philosophes, **Pascal** et **Descartes** ("Je pense, donc je suis."); le moraliste, **La Bruyère;** le poète et critique, **Boileau;** et **Mme de Sévigné,** auteur de *Lettres* adressées à sa fille, dans lesquelles elle fait un tableau intéressant de la vie du 17ᵉ siècle.

La littérature du 18ᵉ siècle est une littérature militante, presque entièrement en prose, opposant à la tradition et à l'autorité la raison humaine et l'individualisme. C'est l'époque de l'esprit critique et scientifique, l'époque des nouvelles idées politiques et sociales, l'époque des grands philosophes. Les principaux précurseurs de la Révolution française sont Voltaire, Rousseau, Montesquieu, et Diderot. Les auteurs de la Constitution américaine adoptèrent plusieurs de leurs idées.

10. **Voltaire** (1694–1778), dont le vrai nom était François-Marie Arouet, domine le 18e siècle. Esprit satirique, il attaque l'absolutisme, l'injustice sociale, et les autres abus des institutions françaises. Il se fait le défenseur de l'humanité et de la liberté sous tous les aspects. Son œuvre immense et de genres variés comprend les *Lettres philosophiques* et *Candide*, roman philosophique et satirique. Voltaire a puissamment agi sur la pensée du 18e siècle.

11. **Jean-Jacques Rousseau** (1712–1778) est le théoricien de la démocratie. En attaquant violemment l'ordre social, il inspire la révolte intellectuelle qui mène à la Révolution. Rousseau est le défenseur de la liberté et de l'égalité de l'individu, et de la souveraineté du peuple. Ses théories pédagogiques, surtout celle du retour à la nature, ont profondément influencé l'éducation moderne. Son amour de la nature et sa sentimentalité font de Rousseau le précurseur du mouvement romantique. Ses principales œuvres sont: *La Nouvelle Héloïse*, *Le Contrat social*, et *Émile*.

12. **Charles de Secondat de Montesquieu** (1689–1755) est l'auteur des *Lettres persanes*, une satire et une critique des institutions françaises, et de *l'Esprit des lois*. Dans ces livres, Montesquieu expose des idées originales sur la législation, la séparation des pouvoirs gouvernementaux, et la liberté politique. Ses idées contribuèrent à renverser la monarchie française et à créer la Constitution américaine. Montesquieu est un des fondateurs de la sociologie moderne.

13. **Denis Diderot** (1713–1784) dirigea, avec d'Alembert, la publication de *l'Encyclopédie*, le grand arsenal de propagande des nouvelles idées philosophiques. Cette gigantesque entreprise fut écrite avec la collaboration de tous les savants et de tous les hommes de lettres du siècle. Attaquant la tradition, Diderot exprime sa foi dans le progrès de l'humanité.

La première moitié du 19e siècle produit une réaction littéraire contre la tradition classique. C'est l'époque du **romantisme,** qui veut laisser à l'écrivain toute liberté. Ce mouvement, qui trouve son origine dans les œuvres de Rousseau, continue à se développer au début du 19e siècle dans les théories de **Mme de Staël** et dans les ouvrages de **Chateaubriand.** Dans la littérature romantique, qui essaie de produire de l'émotion, chaque écrivain exprime librement sa personnalité et son individualisme. C'est une littérature lyrique dont les éléments essentiels sont l'imagination, le sentiment, et l'amour de la nature.

14. **Victor Hugo** (1802–1885) fut le chef de l'école romantique et son plus grand poète. Il est renommé aussi pour ses pièces de théâtre et ses romans *Notre-Dame de Paris* et *Les Misérables.*

Les autres poètes romantiques de cette époque sont **Alphonse de Lamartine, Alfred de Musset,** et **Alfred de Vigny. George Sand** (nom de plume d'Aurore Dupin) est l'auteur d'un nombre de romans lyriques, et **Stendhal** (nom de plume de Henri Beyle) reflète dans ses romans psychologiques l'influence du romantisme.

15. **Honoré de Balzac** (1799–1850) peint un tableau des mœurs et des problèmes de son temps dans *La Comédie humaine,* une série de vingt-quatre romans admirables et de nombreuses nouvelles (novelettes). Deux des romans de ce chef-d'œuvre sont *Eugénie Grandet* et *Le Père Goriot.* Avec Balzac, le roman évolue du romantisme vers **le réalisme.** C'est un écrivain remarquable par la puissance de son observation, par sa peinture exacte de toutes les classes de la société, et par son imagination féconde.

16. **Alexandre Dumas père** (1802–1870) écrivit un grand nombre de romans historiques, qui sont populaires encore aujourd'hui dans le monde entier, comme *Les Trois Mousquetaires* et *Le Comte de Monte-Cristo.*

Au milieu du 19e siècle naissent des tendances nouvelles qui s'opposent au romantisme. La littérature se rapproche de la vie réelle, de la vérité, et du matérialisme. Ce **mouvement réaliste** évolue vers **le naturalisme,** qui cherche à analyser et à peindre la vie et la nature telles qu'elles sont. On devient impersonnel, intellectuel, et même scientifique.

17. **Gustave Flaubert** (1821–1880), quoique romancier réaliste, garde quelques traits de l'imagination romantique. Ses romans, tels que *Madame Bovary,* sont caractérisés par une observation et une documentation minutieuses.

18. **Alphonse Daudet** (1840–1897) est connu surtout pour ses romans d'une sensibilité (feeling) délicate qui représentent la vie du Midi de la France, comme *Tartarin de Tarascon, Lettres de mon moulin,* et *Le Petit Chose.*

19. **Émile Zola** (1840–1902), chef de l'école naturaliste, observa et analysa d'une façon scientifique les personnages de ses romans sociaux. Il est sans égal dans la peinture des masses. *L'Assommoir* et *Germinal* sont parmi ses ouvrages principaux.

20. **Guy de Maupassant** (1850–1893) est le type même du romancier naturaliste. C'est le plus grand maître français de contes, tels que *La Parure* (*The Necklace*) et *La Ficelle* (*The Piece of String*).

21. **Edmond de Goncourt** (1822–1896) et son frère **Jules de Goncourt** (1830–1870), écrivains de l'école naturaliste, substituent dans leurs romans la pathologie à la psychologie. Leur style impressionniste a une précision intense et originale.

22. **Jules Verne** (1828–1905) est l'auteur de romans d'aventures fantastiques et le créateur de la fiction scientifique: *Vingt mille lieues sous les mers, Le Tour du monde en 80 jours.*

23. **Alexandre Dumas fils** (1824–1895) essaie de défendre dans ses pièces de théâtre dramatiques et brillantes une thèse de morale sociale: *La Dame aux camélias.*

Les poètes de l'époque naturaliste veulent être impersonnels, intellectuels, et scientifiques. **Charles Leconte de Lisle** est le chef des **Parnassiens,** des poètes qui défendent l'art pour l'art. **Charles Baudelaire** et **Paul Verlaine** contribuent à la fondation du **mouvement symboliste.**

24. **Anatole France** (1844–1924) est un romancier, satiriste, et philosophe plein d'érudition. Ses ouvrages sont d'une ironie délicate et d'un style parfait. Citons: *Le Crime de Sylvestre Bonnard* et *Le Livre de mon ami.*

25. **Pierre Loti** (1850–1923), romancier impressionniste, est attiré par les paysages et les civilisations exotiques. Il est l'auteur de *Pêcheur d'Islande.*

26. **Edmond Rostand** (1868–1918) est un auteur dramatique de style brillant. Citons: *Cyrano de Bergerac.*

27. D'autres représentants de la littérature française du 20ᵉ siècle sont:

Marcel Proust—romancier qui analyse ses sentiments personnels dans son vaste roman, *A la recherche du temps perdu*

André Gide—auteur de romans psychologiques

Paul Claudel—poète mystique et dramaturge puissant

André Maurois—écrivain d'études sur l'Angleterre et de biographies

François Mauriac—auteur de romans psychologiques

Albert Camus—auteur d'essais, de romans, et de pièces de théâtre

Jean-Paul Sartre—chef de **l'existentialisme**

28. Parmi les Français qui ont gagné le prix Nobel de littérature sont: **Frédéric Mistral, Romain Rolland, Anatole France,** le philosophe **Henri Bergson, André Gide, François Mauriac, Albert Camus,** et le poète **Saint-John Perse.**

29. Les prix littéraires les plus importants qu'on décerne chaque année en France sont les prix de l'Académie française, le prix Goncourt, et le prix Fémina.

EXERCICES

A. Vrai ou faux?

1. Le classicisme est fondé sur le respect de la tradition antique.
2. On parle français dans les pays de la Communauté franco-africaine.
3. Le plus grand poète tragique du 17e siècle est Rabelais.
4. Molière peint des types éternels plutôt que des individus.
5. Les auteurs de la Constitution américaine influencèrent les idées des grands philosophes français du 18e siècle.
6. Lamartine, Musset, et Vigny sont des poètes romantiques.
7. L'auteur des *Trois Mousquetaires* et du *Comte de Monte-Cristo* est Balzac.
8. Le chef de l'existentialisme est Jean-Paul Sartre.
9. Ronsard fut le chef de la Pléiade, un groupe de jeunes poètes du 16e siècle.
10. Gide, Mauriac, et Camus ont reçu le prix Nobel.

B. Choisir la réponse convenable entre parenthèses:

1. Le philosophe du 18e siècle qui a influencé l'enseignement moderne est (Voltaire, Rousseau).
2. Les chansons de geste datent (du Moyen Age, de la Renaissance).
3. Le premier des grands poètes lyriques est (Villon, Ronsard).
4. (Montesquieu, Diderot) dirigea la publication de *l'Encyclopédie*.
5. Le (seizième, dix-septième) siècle est l'époque de la Renaissance.
6. Le premier document en vieux français s'appelle (*les Serments de Strasbourg, la Chanson de Roland*).
7. "Je pense, donc je suis" est une phrase de (Boileau, Descartes).
8. L'auteur de biographies littéraires est (Camus, Maurois).
9. Les auteurs (classiques, romantiques) cherchaient une perfection de forme et d'expression.
10. Deux poètes du 19e siècle sont (Flaubert, Baudelaire) et (Verlaine, Loti).

C. Pour chaque œuvre de la première colonne, donner la lettre de l'auteur de la seconde colonne:

1. *Essais*	*a.*	Loti
2. *Émile*	*b.*	Voltaire
3. *Gargantua*	*c.*	Corneille
4. *La Comédie humaine*	*d.*	Balzac
5. *Pêcheur d'Islande*	*e.*	Rousseau
6. *Madame Bovary*	*f.*	Mme de Sévigné
7. *Le Cid*	*g.*	Rabelais
8. *Candide*	*h.*	Molière
9. *La Dame aux camélias*	*i.*	Montaigne
10. *Lettres*	*j.*	Dumas fils
11. *A la recherche du temps perdu*	*k.*	Rostand
12. *Le Bourgeois Gentilhomme*	*l.*	Proust
13. *Les Misérables*	*m.*	Flaubert
14. *Cyrano de Bergerac*	*n.*	France
15. *Le Crime de Sylvestre Bonnard*	*o.*	Hugo

D. Compléter en français:

1. C'est le dialecte de la province de _____ qui est devenu la langue officielle de la France.
2. "Ce qui n'est pas _____ n'est pas français."

3. C'est le _____ siècle qu'on appelle l'âge d'or de la littérature française.

4. Deux œuvres d'Alphonse Daudet sont _____ et _____.

5. Le dialecte le plus important de la langue d'oc est le _____.

6. Les deux grands poètes dramatiques du 17e siècle sont _____ et _____.

7. Le mouvement littéraire dont les éléments essentiels sont l'imagination, le sentiment, et l'amour de la nature est le _____.

8. L'Académie française publie une _____ et un _____.

9. Le grand ouvrage de propagande du 18e siècle, écrit avec la collaboration de nombreux savants, est _____.

10. Le français a exercé une influence profonde sur la langue _____.

11. Les principaux précurseurs de la Révolution française sont _____, _____, _____, et Diderot.

12. Le grand romancier qui peint dans ses œuvres un tableau de toutes les classes de la société de la première moitié du 19e siècle est _____.

E. Identifier:

1. les quarante immortels
2. le chef de l'école naturaliste
3. le grand poète provençal
4. le chef du romantisme littéraire
5. le créateur de la fiction scientifique
6. le célèbre fabuliste français
7. la plus belle des chansons de geste
8. le plus grand maître de contes
9. les deux frères qui faisaient partie de l'école naturaliste
10. le plus grand écrivain de comédies classiques

*Monument Jeanne d'Arc
à Rouen*

Ce monument se trouve sur la place du Vieux-Marché, où Jeanne d'Arc fut brûlée en 1431. Rouen, grand port en Normandie, est une ville d'art et un centre industriel très important.

10. LES BEAUX-ARTS

L'histoire des beaux-arts en France remonte aux temps préhistoriques. Dans les cavernes du Périgord on a trouvé les premières œuvres d'art— d'admirables peintures d'animaux dessinées sur les murs par l'homme primitif.

A l'époque gallo-romaine, des édifices remarquables furent construits: des temples, des arènes, des amphithéâtres. Les meilleurs exemples de ces monuments romains se trouvent aujourd'hui dans les régions de Nîmes et d'Arles, en Provence.

Au Moyen Age, les arts étaient associés à la religion. Les églises romanes (Romanesque) devaient être des édifices lourds à cause de l'épaisseur des murs. Puisque les ouvertures étaient rares et petites, l'intérieur était nécessairement obscur. C'est aussi à cette époque que la reine Mathilde, femme de Guillaume le Conquérant, aurait brodé la célèbre *tapisserie de Bayeux*, qui représente la conquête de l'Angleterre par les Normands.

Pour remplacer la sombre église romane, la France créa un nouveau style d'architecture qui montre le génie artistique français. **L'architecture gothique,** née au 12ᵉ siècle en Ile-de-France, permet la construction d'édifices de vastes dimensions. Cette architecture, avec l'arc de voûte (arch) pointu supporté par des piliers et des arcs-boutants (flying buttresses) à l'extérieur, permet d'amincir l'épaisseur des murs, de les percer de nombreuses ouvertures, et d'élever les édifices à de grandes hauteurs. Pour ne pas avoir un excès de lumière à l'intérieur des églises, on couvre les ouvertures de vitraux (stained glass windows) dont les couleurs sont souvent magnifiques. L'architecture gothique est ornée de sculpture, de statues, et de gargouilles.

Quelques-uns des chefs-d'œuvre de cette architecture essentiellement religieuse sont: la Sainte-Chapelle, la cathédrale de Notre-Dame de Paris, et les cathédrales d'Amiens, de Chartres, et de Reims.

Les Français qui se sont distingués dans les arts sont nombreux.

PEINTRES

Poussin, Watteau, David, et Ingres sont les principaux représentants du **classicisme.**

1. **Nicolas Poussin** (1594–1665), qui composait avec le plus grand soin ses "paysages historiques," combinait l'antiquité et la nature. On trouve dans ses tableaux la perfection de la forme et de la couleur.

2. **Antoine Watteau** (1684–1721), le plus grand peintre du 18ᵉ siècle, créa des scènes pastorales pleines de charme. Ses tableaux des fêtes galantes

(gay celebrations) sont des reflets de la société élégante de son époque. Watteau est un coloriste de premier ordre.

D'autres artistes classiques du 18e siècle sont **Fragonard, Chardin, et Greuze.**

3. **Louis David** (1748–1825), chef de l'école néo-classique, était le peintre de la Révolution française et plus tard de la cour de Napoléon. Il peignait avec précision des scènes de l'histoire grecque aussi bien que des portraits.

4. **Dominique Ingres** (1780–1867), élève de David, devint le champion de la peinture académique: l'exactitude de l'observation, la perfection du dessin, et la pureté de la ligne.

Au 19e siècle, la peinture française jouissait d'une célébrité universelle. Plusieurs écoles fleurissaient, et Paris devint un centre mondial de la peinture. Beaucoup d'artistes appartenaient à plus d'une école et essayaient plus d'un genre.

Le romantisme, voulant rompre avec la discipline et les règles du classicisme, réagit contre l'art antique de David. L'école romantique, qui s'intéressait au sentiment et à la couleur, fut dirigée par Géricault et Delacroix.

5. **Théodore Géricault** (1791–1824), le premier des peintres romantiques, peignait surtout des scènes historiques pleines de mouvement et de grandeur.

6. **Eugène Delacroix** (1798–1863), le chef de l'école romantique et son plus grand peintre, était un coloriste extraordinaire. Ses tableaux surnaturels, orientaux, et moyenâgeux débordent (overflow) de vitalité et de mouvement dramatique.

Le réalisme fut la réaction à la fois contre le romantisme et le classicisme. Les artistes réalistes voulaient peindre la vie quotidienne et la nature telles qu'ils les voyaient et sans les idéaliser.

7. **Gustave Courbet** (1819–1877), le champion du réalisme, préférait des scènes de la vie réelle et des paysages.

8. **Honoré Daumier** (1808–1879) est connu surtout pour ses caricatures politiques et sociales. C'était un peintre réaliste de talent.

Plusieurs paysagistes (landscape painters) qui s'établirent à Barbizon, un petit village près de Fontainebleau, formèrent un groupe connu sous le nom de l'**École de Barbizon.**

9. **Jean-François Millet** (1814–1875), chef de l'École de Barbizon, aimait peindre la vie des paysans: *l'Angélus, les Glaneuses.*

10. **Jean-Baptiste Corot** (1796-1875), le plus grand paysagiste de l'École de Barbizon, était un idéaliste qui savait peindre avec un charme poétique.

Dans la seconde moitié du 19e siècle, **l'impressionnisme** évolua du réalisme. Les impressionnistes essayaient de traduire leurs sensations visuelles. Ils choisissaient leurs sujets dans la vie moderne, rendaient l'impression sans tous les détails, et faisaient de la lumière l'objet essentiel de leur peinture.

11. **Édouard Manet** (1832–1883), un maître du naturalisme, fut un des fondateurs de l'école impressionniste. Il aimait travailler en plein air.

12. **Claude Monet** (1840–1926) était le plus grand paysagiste de l'impressionnisme. Il se plaisait à rendre les jeux de la lumière, à représenter le même sujet diversement éclairé à des moments différents du jour: *Cathédrale de Rouen.*

13. **Auguste Renoir** (1841–1919) était un des maîtres de l'impressionnisme. On lui doit un grand nombre de portraits de femmes et de jeunes filles.

14. **Edgar Degas** (1834–1917) savait bien exprimer les formes et le mouvement. Il est connu surtout pour ses tableaux des danseuses de l'Opéra.

15. **Georges Seurat** (1859–1891) fonda **le pointillisme,** une technique néo-impressionniste qui consiste à peindre en se servant d'une multitude de points de couleurs pures.

D'autres peintres qui faisaient partie du groupe impressionniste sont **Pissarro** et **Sisley.**

Malgré les nouveaux mouvements artistiques du 19e siècle, il y avait des artistes qui préféraient le traditionalisme.

16. **Rosa Bonheur** (1822–1899) peignait les travaux de la ferme et la vie des champs: *le Marché aux Chevaux.*

17. **Pierre Puvis de Chavannes** (1824–1898) est l'auteur de peintures murales qui décorent le Panthéon—*la Vie de Sainte Geneviève*—et la Sorbonne. Ses œuvres, aux sobres couleurs, ont une douceur et une noblesse admirables.

Le post-impressionnisme, le mouvement moderne de la fin du 19e siècle, fut la réaction contre les excès de l'impressionnisme et du réalisme. Les modernistes, en évitant la représentation photographique, n'hésitent pas à déformer la nature et le corps humain. Chacun de ces artistes est un individualiste qui peint à sa manière particulière.

18. **Paul Cézanne** (1839–1906) est le père de l'art moderne et l'inspirateur de la nouvelle peinture. Ses paysages et ses natures mortes (still lifes), où il déforme souvent les objets, donnent l'impression d'une troisième dimension.

19. **Paul Gauguin** (1848–1903) voulait peindre l'expression de ses émotions. Après avoir fait des paysages bretons, il partit pour Tahiti, où il composa des scènes tahitiennes d'un style décoratif en vives couleurs.

20. **Vincent van Gogh** (1853–1890), peintre expressionniste d'origine hollandaise, trouva son inspiration en Provence, dans la région d'Arles. Ses toiles—natures mortes, paysages, portraits—sont pleines de couleurs brillantes et de soleil.

21. **Henri de Toulouse-Lautrec** (1864–1901), peintre de scènes de music-hall et de cirque, fit du dessin des affiches (posters) un nouvel art.

22. **Henri Matisse** (1869–1954) était le chef du **fauvisme,** mouvement artistique de la première moitié du 20ᵉ siècle. On considère Matisse, qui aimait la simplicité et l'harmonie, comme le plus grand peintre de son époque. Son chef-d'œuvre d'art décoratif est la chapelle de Vence.

Les artistes qui s'appelaient les **Fauves** (animaux sauvages) réagirent contre l'analyse impressionniste et décidèrent de peindre à leur gré. Dans ce groupe se trouvent aussi **Rouault** et **Dufy.**

23. **Georges Braque** (1882–1963), un grand peintre de natures mortes, était le fondateur du **cubisme.** Cette école d'art se proposait de représenter les objets sous des formes géométriques.

Pablo Picasso, l'artiste le plus illustre de l'époque moderne, et **Fernand Léger** ont joué un rôle important dans le mouvement cubiste.

24. D'autres artistes renommés du 20ᵉ siècle sont: **Maurice Utrillo,** peintre des coins de Montmartre; **Henri Rousseau,** peintre primitif; et **Marc Chagall.**

SCULPTEURS

1. **Jean-Antoine Houdon** (1741–1828), sculpteur réaliste, exécuta les bustes de plusieurs personnages célèbres: Voltaire, Rousseau, Diderot, La Fayette, Washington, Franklin, et Jefferson.

2. **François Rude** (1784–1855), sculpteur de l'école romantique, est l'auteur de *la Marseillaise,* le merveilleux bas-relief qui décore une des faces de l'Arc de Triomphe de l'Étoile.

3. **Jean-Baptiste Carpeaux** (1827–1875) sculpta du mouvement et du rhythme dans ses œuvres. Son groupe de *la Danse* embellit la façade de l'Opéra.

4. **Frédéric-Auguste Bartholdi** (1834–1904) est le sculpteur de la statue colossale qui se trouve à l'entrée du port de New-York, *la Liberté éclairant le monde.*

5. **Auguste Rodin** (1840–1917), le plus grand sculpteur des temps modernes, savait exprimer en marbre les émotions et la puissance de la vie. Ses œuvres principales sont: *le Penseur, les Bourgeois de Calais, et la Porte de l'Enfer.*

6. **Aristide Maillol** (1861–1944) allie la grâce et la simplicité à des formes solides. Il est connu surtout pour ses statues de femmes.

ARCHITECTES

1. **Jules Hardouin Mansard,** ou **Mansart** (1646–1708), premier architecte de Louis XIV, construisit la plus grande partie du palais de Versailles, le dôme des Invalides, et la place Vendôme.

2. **Eugène Viollet-le-Duc** (1814–1879) restaura de nombreux monuments historiques du Moyen Age, tels que Notre-Dame de Paris, la cathédrale d'Amiens, et la cité de Carcassonne.

3. **Le Corbusier** (1887–1965) est le chef de l'école moderne. Architecte créateur, il cherche des solutions nouvelles pour l'habitation, surtout pour les ensembles urbains.

EXERCICES

A. Vrai ou faux?

1. Les murs des églises romanes sont plus épais que ceux des églises gothiques.
2. Le plus grand paysagiste de l'École de Barbizon est Corot.
3. L'art du Moyen Age est surtout religieux.
4. Carpeaux est connu pour ses natures mortes.
5. L'architecture gothique remonte à l'époque gallo-romaine.
6. Mansard était le premier architecte de Louis XVI.
7. *Les Bourgeois de Calais* et *la Porte de l'Enfer* sont deux chefs-d'œuvre de Rodin.
8. Claude Monet était un des plus célèbres paysagistes de l'école impressionniste.
9. La cathédrale de Reims est un chef-d'œuvre de l'architecture romane.
10. Géricault et Ingres faisaient partie du même mouvement artistique.

B. Pour chaque œuvre de la première colonne, donner la lettre de l'auteur de la seconde colonne:

1. scènes de ballet	*a.*	Rodin
2. *l'Angélus*	*b.*	Degas
3. ensembles urbains	*c.*	Matisse
4. *le Marché aux Chevaux*	*d.*	Bartholdi
5. scènes de Tahiti	*e.*	Le Corbusier
6. la chapelle de Vence	*f.*	Rude
7. *le Penseur*	*g.*	Millet
8. *la Marseillaise* (bas-relief)	*h.*	Puvis de Chavannes
9. *la Vie de Sainte Geneviève*	*i.*	Bonheur
10. *la Liberté éclairant le monde*	*j.*	Gauguin

C. Choisir la réponse convenable entre parenthèses:

1. On trouve les meilleurs exemples de monuments romains en (Provence, Normandie, Bretagne).
2. L'architecture (romane, gallo-romaine, gothique) permet de percer un grand nombre d'ouvertures dans les murs.
3. Matisse était le chef du (pointillisme, fauvisme, cubisme).
4. *La tapisserie de Bayeux* représente la conquête de (la Gaule, l'Angleterre, l'Allemagne).
5. Les artistes de l'École de Barbizon peignaient surtout des (portraits, natures mortes, paysages).
6 L'objet essentiel de la peinture impressionniste est (la lumière, le détail, le sentiment).
7. L'architecture gothique a pris naissance en (Touraine, Provence, Ile-de-France).
8. Le "grand siècle" de la peinture française est le (dix-septième, dix-huitième, dix-neuvième).
9. Renoir et Seurat faisaient partie de l'école (impressionniste, romantique, classique).
10. L'architecte du 19e siècle qui a restauré Carcassonne et Notre-Dame est (Mansard, Le Corbusier, Viollet-le-Duc).

D. Identifier:

1. le plus grand peintre du 18e siècle
2. le peintre de la Révolution et de la cour de Napoléon
3. le chef de l'école romantique et son plus grand peintre
4. le créateur du pointillisme
5. le peintre réaliste de caricatures politiques et sociales
6. le chef de l'École de Barbizon
7. le père de la peinture moderne
8. le plus grand sculpteur des temps modernes
9. le chef de l'architecture moderne en France
10. le sculpteur de bustes de personnages célèbres (Voltaire, Washington)

E. Compléter en français:

1. Deux artistes de l'école classique sont _____ et _____.
2. Les peintures murales de _____ décorent le Panthéon et la Sorbonne.
3. L'arc de voûte pointu est une caractéristique de l'architecture _____.
4. Les peintres _____ tenaient à représenter la nature telle qu'elle est sans chercher à l'idéaliser.
5. Le palais de Versailles et la place Vendôme sont les œuvres de _____.
6. Maurice _____, qui peint des scènes de Montmartre, et Henri _____, le peintre primitif, sont deux artistes bien connus du 20e siècle.
7. Le _____, dont le premier peintre fut Géricault, réagit contre la discipline du classicisme.
8. Le sculpteur moderne, _____, est connu surtout pour ses statues de femmes.
9. Georges Braque a fondé le _____, une école d'art qui représente les objets sous des formes géométriques.
10. Le peintre expressionniste, _____, né en Hollande, trouva son inspiration en Provence.

11. LA MUSIQUE ET LES SCIENCES

COMPOSITEURS

1. **Jean-Baptiste Lully,** ou **Lulli** (1632–1687), Italien de naissance, fut le créateur de l'opéra français. Il était le compositeur de la cour de Louis XIV, qui le nomma directeur de l'Opéra de Paris. Pour amuser le roi, il écrivit la musique de plusieurs comédies de Molière.

   Les grands musiciens classiques sont Couperin et Rameau:

2. **François Couperin** (1668–1733), le plus grand maître français du clavecin (harpsichord), composa des morceaux charmants pour cet instrument.

3. **Jean-Philippe Rameau** (1683–1764), claveciniste et organiste, était le plus célèbre compositeur français de son temps. Il fit une contribution importante à la science de l'harmonie.

4. **Hector Berlioz** (1803–1869), le plus grand compositeur de l'époque romantique, était un maître de l'orchestration. Ses œuvres, comme *la Damnation de Faust*, sont remarquables par la force du sentiment dramatique.

   Dans la seconde moitié du 19e siècle, la musique française commença à briller d'un grand éclat.

5. **César Franck** (1822–1890), Belge de naissance, était un organiste de grand renom. Il fonda l'école de musique moderne en France.

6. **Camille Saint-Saëns** (1835–1921) était un virtuose du piano et de l'orgue. Il écrivit des poèmes symphoniques, tels que *la Danse Macabre*, et des opéras, dont le mieux connu est *Samson et Dalila*.

7. **Claude Debussy** (1862–1918), le plus illustre des compositeurs contemporains, fut influencé par les symbolistes et les impressionnistes. Sa musique est rêveuse et délicate. Parmi ses œuvres principales sont: *l'Après-midi d'un faune, la Mer, Clair de lune,* et l'opéra *Pelléas et Mélisande.*

8. **Maurice Ravel** (1875–1937), un des grands artistes de la musique moderne, écrivait avec précision et tendresse. Il composa des pièces pour le piano et pour l'orchestre: *Ma mère l'Oye, Boléro, Daphnis et Chloé.*

9. D'autres compositeurs d'opéras célèbres sont:

   a. **Georges Bizet:** *Carmen, Les Pêcheurs de perles*
   b. **Gustave Charpentier:** *Louise*

c. **Léo Delibes:** *Lakmé*

d. **Charles Gounod:** *Faust, Roméo et Juliette*

e. **Jules Massenet:** *Manon, Thaïs*

f. **Jacques Offenbach:** *Les Contes d' Hoffmann* (opérette)

g. **Ambroise Thomas:** *Mignon*

10. Au 20ᵉ siècle, la musique française reste toujours vivante avec des compositeurs de talent comme **Georges Auric, Arthur Honegger, Darius Milhaud,** et **Francis Poulenc.**

SAVANTS; HOMMES DE SCIENCE

1. **Réné Descartes** (1596–1650), philosophe, mathématicien, et physicien (physicist), fonda la méthode scientifique, basée sur le raisonnement. Il expliqua son point de vue dans le *Discours de la méthode*. Descartes est le créateur de la géométrie analytique.

2. **Blaise Pascal** (1623–1662), mathématicien, physicien, et philosophe, formula les lois de la pression atmosphérique et de l'équilibre des liquides. C'est l'inventeur de la presse hydraulique et de la première machine à calculer. Ses idées se trouvent réunies dans les *Pensées*.

3. **Antoine-Laurent de Lavoisier** (1743–1794) est un des fondateurs de la chimie moderne. Il établit la nomenclature chimique, découvrit les lois de la combustion, et détermina la composition de l'air. Il exprima la loi de la conservation de la matière en ces mots: "Rien ne se perd, rien ne se crée; dans la nature tout se transforme." Lavoisier fut guillotiné sous la Terreur.

4. **André Ampère** (1775–1836) créa l'électrodynamique. On lui doit l'invention de l'électro-aimant (electromagnet) et les principes de la télégraphie électrique. *L'ampère*, l'unité d'intensité des courants électriques, porte son nom.

5. **Jean-Baptiste de Lamarck** (1744–1829), le grand précurseur de Darwin, énonça une théorie sur les transformations des êtres vivants.

6. **Georges Cuvier** (1769–1832) est le créateur de l'anatomie comparée et de la paléontologie, la science qui traite des fossiles.

7. **Jean-François Champollion** (1790–1832) réussit à déchiffrer les hiéroglyphes égyptiens de la pierre de Rosette.

8. **Claude Bernard** (1813–1878) est le fondateur de la physiologie moderne et de la médecine expérimentale. Il définit les principes fondamentaux de toute recherche scientifique.

9. **Louis Pasteur** (1822–1895), chimiste et biologiste, fut un grand bienfaiteur de l'humanité. En établissant que les fermentations sont causées

par des cellules vivantes, les microbes, il fonda la bactériologie moderne. Il prouva que les maladies contagieuses sont dues à la transmission de microbes et trouva des vaccins pour les combattre. Il trouva le moyen de guérir la rage (rabies) et le charbon (anthrax) des moutons. Il découvrit les procédés de la pasteurisation, l'élimination des fermentations dangereuses. Ses travaux remarquables ont révolutionné la médecine.

L'**Institut Pasteur** de Paris fut fondée en 1886 par souscription internationale dans le but d'étudier les maladies infectieuses et pour perfectionner la chimie biologique. Aujourd'hui il y a plusieurs de ces instituts qui continuent les travaux de Pasteur dans le monde entier.

10. **Pierre Curie** (1859–1906) et sa femme **Marie Curie** (1867–1934) découvrirent le radium en 1899. Leur découverte a complètement changé nos idées sur la constitution de la matière et les sources de l'énergie. Leur fille, **Irène Joliot-Curie,** et son mari, **Frédéric Joliot,** poursuivirent ces recherches scientifiques sur la structure de l'atome et découvrirent la radioactivité artificielle.

11. D'autres savants français et leurs contributions au domaine des sciences sont:

    a. **Charles-Augustin de Coulomb** (1736–1806)—les lois mathématiques de l'électricité et du magnétisme (*Le coulomb* est l'unité de quantité de l'électricité.)

    b. **Pierre-Simon Laplace** (1749–1827)—une théorie importante sur la formation du système planétaire

    c. **Joseph Gay-Lussac** (1778–1850)—les lois de la dilatation (expansion) et de la combinaison des gaz

    d. **Louis-Jacques Daguerre** (1789–1851)—le perfectionnement de la photographie

    e. **Louis Braille** (1809–1852)—l'écriture et la lecture en relief pour les aveugles

    f. **Ferdinand de Lesseps** (1805–1894)—la construction du canal de Suez

    g. **Marcelin Berthelot** (1827–1907)—des travaux sur la chimie organique

    h. **Henri Becquerel** (1852–1908)—la découverte de la radioactivité

    i. **Alphonse Bertillon** (1853–1914)—l'usage des empreintes digitales (fingerprints) pour établir l'identité des criminels

    j. **Émile Roux** (1853–1933)—la découverte d'un sérum pour guérir la diphtérie *k.* **Henri Poincaré** (1854–1912)—des contributions aux mathématiques, à la physique, et à l'astronomie (un des plus grands mathématiciens de tous les temps)

l. **Aléxis Carrel** (1873–1944)—des recherches sur la conservation, la culture, et la greffe (grafting) de tissus

m. **Louis de Broglie** (1892–   )—la théorie de la mécanique ondulatoire (wave mechanics)

EXERCICES

A. Pour chaque contribution de la première colonne, donner la lettre du Français correspondant de la seconde colonne:

1.	*Damnation de Faust*	*a.*	Bizet
2.	paléontologie	*b.*	Offenbach
3.	*Lakmé*	*c.*	Pasteur
4.	*Contes d'Hoffmann*	*d.*	Berlioz
5.	culture de tissus	*e.*	Delibes
6.	*Carmen*	*f.*	Joliot-Curie
7.	vaccination contre la rage	*g.*	Cuvier
8.	recherches sur la structure de l'atome	*h.*	Lavoisier
9.	*Faust*	*i.*	Carrel
10.	"Rien ne se perd, rien ne se crée."	*j.*	Gounod

B. Choisir la réponse convenable entre parenthèses:

1. Le plus grand compositeur de l'époque romantique est (Berlioz, Ravel).
2. Les deux grands clavecinistes de l'époque classique sont Couperin et (Franck, Rameau).
3. (Lully, Debussy) fut le créateur de l'opéra français.
4. Le compositeur de *Carmen* écrivit aussi l'opéra (*Les Pêcheurs de perles*, *Mignon*).
5. Le précurseur français de Darwin est (Lamarck, Cuvier).
6. (Gay-Lussac, Laplace) formula une théorie importante sur la formation du système planétaire.
7. (Coulomb, Roux) fit des contributions importantes dans le domaine de l'électricité.
8. Le compositeur de *Samson et Dalila* est (Thomas, Saint-Saëns).
9. (Becquerel, Berthelot) découvrit la radioactivité.
10. (Louis de Broglie, Alphonse Bertillon) imagina une méthode qui emploie les empreintes digitales pour identifier les criminels.

C. Identifier:

1. Compositeur et organiste, il fonda l'école de musique moderne en France.
2. Il fit percer le canal de Suez.
3. L'unité d'intensité des courants électriques porte son nom.
4. Musicien illustre de l'école impressionniste, il composa l'opéra *Pelléas et Mélisande*.
5. Ils découvrirent le radium en 1899.
6. Il inventa l'alphabet en relief à l'usage des aveugles.
7. Il fonda la méthode scientifique et la géométrie analytique.
8. Chimiste et biologiste, il créa la bactériologie moderne.
9. Il inventa la presse hydraulique et la première machine à calculer.
10. Il fonda la physiologie moderne et la médecine expérimentale.

D. Compléter en français:

1. Le savant Henri Poincaré était un des plus grands _ _ _ _ _ _ _ _ de tous les temps.
2. Deux compositeurs français du 20ᵉ siècle sont _ _ _ _ _ _ _ _ et _ _ _ _ _ _ _ _.
3. Daguerre contribua au perfectionnement de la _ _ _ _ _ _ _ _.
4. Le savant _ _ _ _ _ _ _ _, un des fondateurs de la _ _ _ _ _ _ _ _ moderne, fut guillotiné sous la Terreur.
5. *Manon* et *Thaïs* sont deux opéras de _ _ _ _ _ _ _ _.
6. L'archéologue _ _ _ _ _ _ _ _ déchiffra les hiéroglyphes égyptiens.
7. Pasteur prouva que les _ _ _ _ _ _ _ _ sont la cause de maladies contagieuses et réussit à trouver des _ _ _ _ _ _ _ _ pour les combattre.
8. *L'Après-midi d'un faune* et *Clair de lune* sont les œuvres de _ _ _ _ _ _ _ _.
9. Les deux célèbres savants—philosophes, mathématiciens, et physiciens—du 17ᵉ siècle sont _ _ _ _ _ _ _ _ et _ _ _ _ _ _ _ _.
10. _ _ _ _ _ _ _ _ découvrit un sérum pour guérir la diphtérie.

E. Identifier chaque personnage comme architecte, compositeur, couturier, écrivain, explorateur, homme d'état, peintre, savant, ou sculpteur:

1. Daumier	35. Bonheur	68. Gauguin
2. Mansard	36. Mistral	69. Ronsard
3. Richelieu	37. De Gaulle	70. Utrillo
4. Delibes	38. Patou	71. Offenbach
5. Proust	39. Toulouse-Lautrec	72. Marquette
6. Watteau	40. Rameau	73. Delacroix
7. Balmain	41. Rodin	74. Maillol
8. Rude	42. Viollet-le-Duc	75. Dior
9. Champlain	43. Daudet	76. Corot
10. Verlaine	44. Van Gogh	77. Rouget de Lisle
11. Monet	45. Poulenc	78. Léger
12. Henri Poincaré	46. Corneille	79. Franck
13. Rouault	47. Géricault	80. Musset
14. Ingres	48. Goncourt	81. Roux
15. Colbert	49. Couperin	82. Chagall
16. Honegger	50. Cartier	83. La Fontaine
17. Poussin	51. Lavoisier	84. Le Corbusier
18. Chanel	52. Camus	85. Seurat
19. Puvis de Chavannes	53. Lamartine	86. Charpentier
20. Henri Rousseau	54. Balenciaga	87. Daguerre
21. J.-J. Rousseau	55. Pissarro	88. Gide
22. Louis de Broglie	56. Houdon	89. Courbet
23. Greuze	57. Gay-Lussac	90. Picasso
24. Racine	58. Degas	91. Baudelaire
25. Braille	59. Duhamel	92. Ravel
26. Stendhal	60. Coulomb	93. Montaigne
27. La Salle	61. Massenet	94. David
28. Berlioz	62. Dufy	95. Fath
29. Sisley	63. Villon	96. Braque
30. Becquerel	64. Flaubert	97. Gounod
31. Montesquieu	65. Laplace	98. Bartholdi
32. Ampère	66. Verne	99. Manet
33. Milhaud	67. Carpeaux	100. Debussy
34. Sartre		

CIVILIZATION REVIEW QUIZZES

Choisir l'expression qui complète le sens de la phrase:

A

1. La chaîne de montagnes la plus ancienne de la France est (a) le Jura (b) le Massif Central (c) les Alpes (d) les Vosges.
2. La France est relativement pauvre en (a) charbon (b) fer (c) bauxite (d) potasse.
3. Les principaux ports fluviaux de France sont (a) Paris, Strasbourg, Brest, Bordeaux (b) Paris, Rouen, Nancy, Toulouse (c) Paris, Rouen, Strasbourg, Lyon (d) Paris, Lyon, Lille, Reims.
4. L'amiral des forces navales françaises dans la Révolution américaine fut (a) Rochambeau (b) La Fayette (c) Louis Napoléon (d) De Grasse.
5. Louis Braille a créé (a) la chimie moderne (b) un sérum pour guérir la diphtérie (c) l'alphabet en relief à l'usage des aveugles (d) les lois de la dilatation et de la combinaison des gaz.
6. Parmi les peintres suivants, celui qui n'est pas de l'école impressionniste est (a) Renoir (b) Delacroix (c) Manet (d) Monet.
7. Le mistral est (a) un apéritif (b) un vent froid (c) un gâteau (d) une chanson méridionale.
8. Ronsard et Villon se distinguèrent dans le domaine de (a) la poésie (b) la tragédie (c) la vie politique (d) la philosophie.
9. Orly est (a) un centre important de métallurgie (b) l'agence qui administre les chemins de fer (c) une maison de haute couture (d) un aéroport international de France.
10. La ville de Paris doit son nom à (a) un héros légendaire (b) un général romain (c) une tribu gauloise (d) une célèbre bataille.

B

1. Le touriste qui visite Avignon ne devrait pas manquer d'y voir (a) le palais des Papes (b) la cathédrale gothique (c) l'aqueduc romain (d) le théâtre antique.
2. La résidence officielle du Président de la République est (a) le palais de Versailles (b) le palais de Chaillot (c) le château de Fontainebleau (d) le palais de l'Élysée.
3. L'adjectif qui caractérise le mieux le français est (a) doux (b) difficile (c) clair (d) riche.
4. La pelote et les boules sont des (a) fêtes régionales (b) sports (c) desserts (d) danses provinciales.
5. Le roi français qui a donné son nom à la ville américaine de Saint Louis est (a) Louis XVI (b) Louis XIV (c) Louis IX (d) Louis XV.
6. Le peintre de scènes de music-hall qui éleva le dessin des affiches au niveau de l'art est (a) Toulouse-Lautrec (b) Gauguin (c) Puvis de Chavannes (d) Matisse.
7. Mirabeau et Danton ont joué des rôles importants pendant (a) la bataille de Yorktown (b) la défaite de Napoléon (c) les guerres de religion (d) la Révolution française.
8. L'explorateur qui découvrit le Saint-Laurent en 1535 et prit possession du Canada au nom du roi de France est (a) La Salle (b) Joliet (c) Cartier (d) Champlain.
9. "Les quarante immortels" sont (a) les plus grands poètes de France (b) les écrivains de l'Encyclopédie (c) les membres de l'Académie française (d) les impressionnistes.
10. Quand on entend parler de la Garonne et de la Gironde, on pense à la ville de (a) Lyon (b) Bordeaux (c) Nantes (d) Marseille.

1. Les deux grands poètes tragiques du 17ᵉ siècle, l'âge d'or de la littérature française, sont (*a*) Corneille et Racine (*b*) Rabelais et Montaigne (*c*) Molière et Descartes (*d*) Musset et Vigny.
2. Le code civil de la justice française d'aujourd'hui date du temps de (*a*) Charlemagne (*b*) Richelieu (*c*) Henri IV (*d*) Napoléon.
3. Parmi les Français qui ont contribué au domaine des sciences sont Claude Bernard et (*a*) Couperin (*b*) Lamarck (*c*) Ingres (*d*) Gide.
4. Le pointillisme et le fauvimse sont des mouvements (*a*) artistiques (*b*) littéraires (*c*) musicaux (*d*) scientifiques.
5. *L'Aurore* et *Le Monde* sont les noms de deux (*a*) théâtres (*b*) bistros célèbres (*c*) journaux (*d*) grands magasins.
6. Les druides étaient les prêtres des (*a*) Romains (*b*) Gaulois (*c*) Francs (*d*) Normands.
7. Le tribunal suprême de la France est (*a*) la Cour de Cassation (*b*) le Conseil Constitutionnel (*c*) la Cour Arbitrale (*d*) l'Assemblée Nationale.
8. Quelle ville, située entre la Normandie et la Bretagne, est dominée par une abbaye bénédictine? (*a*) Chartres (*b*) Lisieux (*c*) Le Mont-Saint-Michel (*d*) Avignon
9. A Paris, on peut voir les bouquinistes, marchands de livres d'occasion, si l'on passe par (*a*) les Halles (*b*) les quais (*c*) le Quartier latin (*d*) les grands boulevards.
10. La province qu'on appelle "le jardin de la France" est (*a*) la Touraine (*b*) la Normandie (*c*) la Bourgogne (*d*) l'Ile-de-France.

1. Massenet a composé la musique de (*a*) *Samson et Dalila* (*b*) *Louise* (*c*) *Mignon* (*d*) *Thaïs*.
2. Le Bon Marché et le Printemps sont les noms (*a*) de musées (*b*) de salles de concert (*c*) de grands magasins (*d*) de journaux de Paris.
3. Calais, Boulogne, et Dunkerque sont (*a*) des centres de l'industrie textile (*b*) des stations de sports d'hiver (*c*) des ports sur la Manche (*d*) connus pour leurs cathédrales gothiques.
4. Le Rhône se jette dans (*a*) l'Atlantique (*b*) la Méditerranée (*c*) la Manche (*d*) la mer du Nord.
5. Ampère fit des découvertes importantes en (*a*) électricité (*b*) chimie (*c*) médecine (*d*) biologie.
6. Pour faire de l'alpinisme et du ski, on va à (*a*) Cannes (*b*) Lisieux (*c*) Chamonix (*d*) Deauville.
7. Daumier est renommé pour (*a*) ses paysages (*b*) ses animaux (*c*) ses natures mortes (*d*) ses caricatures.
8. Colbert est le ministre qui a bien servi (*a*) François I (*b*) Napoléon (*c*) Louis XV (*d*) Louis XIV.
9. Le tombeau du Soldat Inconnu se trouve sur la place (*a*) de la Bastille (*b*) de l'Étoile (*c*) Vendôme (*d*) de la Concorde.
10. Balenciaga et Dior se sont distingués dans le domaine de (*a*) la haute couture (*b*) l'industrie lourde (*c*) la peinture (*d*) la haute cuisine.

1. Limoges et Sèvres produisent (*a*) des tapis (*b*) des dentelles (*c*) des porcelaines (*d*) des montres.
2. Le fleuve puissant qui fournit de grandes quantités d'énergie hydro-électrique est (*a*) le Rhin (*b*) la Seine (*c*) la Loire (*d*) le Rhône.
3. Le principal représentant de la littérature provençale est (*a*) Frédéric Mistral (*b*) Pierre Ronsard (*c*) Alphonse Daudet (*d*) Alphonse de Lamartine.
4. Une phrase célèbre de Descartes est (*a*) "Que sais-je?" (*b*) "Je pense, donc je suis." (*c*) "Mais où sont les neiges d'antan?" (*d*) "Ce qui n'est pas clair n'est pas français."

5. Des rois suivants, celui qui a contribué le moins à la grandeur de la France est (*a*) Henri IV (*b*) François I (*c*) Louis XIV (*d*) Louis XV.
6. Le peintre des danseuses de l'Opéra est (*a*) Monet (*b*) Corot (*c*) Degas (*d*) Renoir.
7. Les trois coups qu'on entend dans une salle de spectacle annoncent (*a*) le lever du rideau (*b*) la fin de la pièce (*c*) le commencement de l'entracte (*d*) une situation dangereuse.
8. Le meilleur exemple d'une ville fortifiée du Moyen Age est (*a*) Lourdes (*b*) Avignon (*c*) Arles (*d*) Carcassonne.
9. Vichy, Évian, et Vittel sont (*a*) des stations balnéaires (*b*) des stations thermales (*c*) des centres d'alpinisme (*d*) des villes industrielles.
10. L'église blanche de Montmartre qui domine la ville de Paris est (*a*) le Sacré-Cœur (*b*) la Madeleine (*c*) la Sainte-Chapelle (*d*) Saint-Germain-des-Prés.

F

1. Molière fut (*a*) le meilleur écrivain de la Renaissance (*b*) le père de la tragédie française (*c*) le premier écrivain du 18ᵉ siècle (*d*) le créateur de la comédie en France.
2. La ville de Lourdes attire beaucoup de touristes chaque année parce que c'est (*a*) un centre religieux (*b*) une station balnéaire (*c*) un bon exemple d'une ville fortifiée (*d*) un centre gastronomique.
3. L'édifice de Paris qui contient plusieurs musées et un théâtre est (*a*) la Conciergerie (*b*) la Cité Universitaire (*c*) le palais de Chaillot (*d*) l'Hôtel des Invalides.
4. En France, le Premier Ministre (*a*) préside la Communauté (*b*) peut soumettre au référendum des projets de loi (*c*) assure l'exécution des lois (*d*) est le chef des armées françaises.
5. Le premier des grands poètes lyriques de France est (*a*) Villon (*b*) Verlaine (*c*) Hugo (*d*) Ronsard.
6. Le fleuve français le plus navigable est (*a*) la Loire (*b*) le Rhône (*c*) la Seine (*d*) la Garonne.
7. Le savant qui découvrit un vaccin contre la rage fut (*a*) Claude Bernard (*b*) André Ampère (*c*) Louis Pasteur (*d*) Georges Cuvier.
8. Le plus grand centre industriel de la France se trouve (*a*) dans le Midi (*b*) au nord-est (*c*) dans la région de Lyon (*d*) au centre du pays.
9. La Banque de France et la Légion d'Honneur sont des créations de (*a*) Louis XIV (*b*) la Révolution française (*c*) la Troisième République (*d*) Napoléon Iᵉʳ.
10. L'école impressionniste, qui doit son nom au tableau de Monet intitulé *Impression*, fleurissait au (*a*) XVIᵉ siècle (*b*) XVIIᵉ siècle (*c*) XVIIIᵉ siècle (*d*) XIXᵉ siècle.

G

1. L'édifice qui sert de mausolée à des Français éminents est (*a*) le Louvre (*b*) le Sacré-Cœur (*c*) la Sainte-Chapelle (*d*) le Panthéon.
2. La Bretonne se distingue surtout par (*a*) sa gaieté (*b*) son accent méridional (*c*) sa coiffe blanche (*d*) les belles couleurs de son costume.
3. Azay-le-Rideau et Chenonceaux sont des (*a*) châteaux (*b*) cathédrales (*c*) monuments romains (*d*) stations thermales.
4. Le chef de l'école existentialiste s'appelle (*a*) Gide (*b*) Zola (*c*) Sartre (*d*) Mauriac.
5. Quelles fleurs vend-on dans les rues en France le premier mai? (*a*) les pensées (*b*) les muguets (*c*) les violettes (*d*) les roses
6. Les volcans éteints qu'on appelle "puys" se trouvent dans (*a*) le Massif Central (*b*) les Alpes (*c*) les Pyrénées (*d*) les Vosges.
7. Corot est renommé pour (*a*) ses portraits (*b*) ses animaux (*c*) ses paysages (*d*) ses scènes de Montmartre.
8. Une île française près de l'Amérique du Sud est (*a*) Ste-Lucie (*b*) la Martinique (*c*) la Jamaïque (*d*) la Trinité.

9. L'ordre chronologique correct est
   (a) l'Édit de Nantes, la guerre de Cent Ans, la Révolution française, la vente de la Louisiane aux États-Unis
   (b) la guerre de Cent Ans, l'Édit de Nantes, la vente de la Louisiane aux États-Unis, la Révolution française
   (c) la guerre de Cent Ans, l'Édit de Nantes, la Révolution française, la vente de la Louisiane aux États-Unis
   (d) l'Édit de Nantes, la guerre de Cent Ans, la vente de la Louisiane aux États-Unis, la Révolution française.
10. Peugeot et Simca sont les noms de deux (a) voitures (b) parfums (c) porcelaines (d) apéritifs.

H

1. Le premier héros national de la France fut (a) Charlemagne (b) Clovis (c) Saint Louis (d) Vercingétorix.
2. La France a des frontières naturelles excepté (a) au nord-est (b) au sud-ouest (c) au nord-ouest (d) au sud-est.
3. Comment s'appelle le chef-d'œuvre de Balzac dans lequel il peint un tableau de la société du 19ᵉ siècle? (a) Les Misérables (b) L'Encyclopédie (c) La Comédie humaine (d) Lettres philosophiques.
4. Becquerel et Lavoisier sont connus pour leur contribution au domaine (a) de la musique (b) des sciences (c) des beaux-arts (d) de la philosophie.
5. L'influence la plus profonde de la culture romaine en France est encore évidente (a) en Normandie (b) en Provence (c) en Bretagne (d) en Auvergne.
6. Les Français dansent dans les rues chaque année pour célébrer (a) la fête nationale (b) la fête du Travail (c) Pâques (d) la fête de l'Armistice.
7. Les États membres de la Communauté (a) choisissent le Président de la Communauté (b) doivent contribuer à l'aide financière à la France (c) jouissent de l'autonomie (d) sont concentrés en Asie.
8. La Lutèce gauloise était limitée à (a) l'île de la Cité (b) la rive gauche (c) la rive droite (d) Montmartre.
9. Le fleuve le plus long mais le moins utile de France est (a) la Garonne (b) la Loire (c) la Seine (d) le Rhône.
10. L'aqueduc romain le mieux conservé en France s'appelle (a) le Pont-Neuf (b) le pont d'Avignon (c) le pont du Gard (d) le pont du Rhin.

I

1. Si l'on visite le Panthéon et la Sorbonne, on peut y voir des fresques de (a) Toulouse-Lautrec (b) Gauguin (c) Puvis de Chavannes (d) Renoir.
2. L'école romantique fut profondément influencée par (a) Molière (b) Rousseau (c) Voltaire (d) Montesquieu.
3. Le Corbusier est connu pour (a) sa musique symphonique (b) son architecture originale (c) ses romans psychologiques (d) ses théories scientifiques.
4. La France est un pays importateur de (a) matières premières (b) minerai de fer (c) textiles (d) produits laitiers.
5. Quand le pêcheur a raconté fièrement des anecdotes de sa province natale où l'on célèbre chaque année les "pardons," il était évident qu'il parlait de (a) la Flandre (b) l'Ile-de-France (c) la Normandie (d) la Bretagne.
6. Sous la constitution de la Cinquième République, (a) seulement les hommes ont le droit de voter (b) la division administrative est la province (c) le Président de la République nomme les membres de l'Assemblée Nationale (d) le Président a plus d'autorité que le Président de la Quatrième République.

7. Caron et Guerlain sont des (*a*) chanteurs (*b*) poètes (*c*) parfumeurs (*d*) musiciens.
8. "Après moi le déluge" est une phrase attribuée à (*a*) Louis XIII (*b*) Napoléon (*c*) Louis XIV (*d*) Louis XV.
9. Le pays basque se trouve (*a*) dans les Vosges (*b*) entre la Bretagne et la Normandie (*c*) près de la frontière italienne (*d*) dans la région des Pyrénées.
10. Le Dôme et les Deux Magots sont les noms de deux (*a*) cinémas (*b*) cafés (*c*) revues parisiennes (*d*) grands magasins.

J

1. La région de fermes fertiles où les armées alliées ont débarqué en 1944 est (*a*) la Côte d'Azur (*b*) la Normandie (*c*) la Camargue (*d*) la Bretagne.
2. Si l'on part de l'Arc de Triomphe et si l'on se promène jusqu'au bout de l'avenue des Champs-Élysées, on arrive (*a*) à la place de la Concorde (*b*) à l'Opéra (*c*) à la Tour Eiffel (*d*) au jardin du Luxembourg.
3. Le grand port fluvial renommé pour sa magnifique cathédrale et pour sa production de pâté de foie gras est (*a*) Clermont-Ferrand (*b*) Amiens (*c*) Strasbourg (*d*) Toulouse.
4. Les chansons de geste datent (*a*) de l'âge classique (*b*) de la Renaissance (*c*) de la période gallo-romaine (*d*) du Moyen Age.
5. La Première République française fut établie en (*a*) 1598 (*b*) 1792 (*c*) 1848 (*d*) 1918.
6. Le nom de Daguerre fait penser (*a*) à l'anatomie comparée (*b*) à la radioactivité (*c*) aux mouvements des planètes (*d*) à la photographie.
7. Lille est une ville connue pour (*a*) son industrie textile (*b*) ses pneus (*c*) ses dentelles (*d*) son château.
8. Pour voir la Sorbonne, le musée de Cluny, et le Panthéon, il faut visiter (*a*) la rive droite (*b*) Montmartre (*c*) le Quartier latin (*d*) les Champs-Élysées.
9. La France doit son nom à (*a*) un général romain (*b*) une tribu germanique (*c*) François Ier (*d*) un chef gaulois.
10. Le Jura s'étend (*a*) du Rhin aux Alpes (*b*) entre la France et l'Italie (*c*) entre l'Alsace et la Lorraine (*d*) du Rhin à la Manche.

Le Sacré-Cœur

La silhouette blanche du Sacré-Cœur fait partie de l'horizon parisien. Située sur la butte Montmartre, cette église de style romano-byzantin domine tout Paris. On peut y monter à pied ou au moyen d'un funiculaire. La construction de l'église, commencée en 1875, fut achevée en 1914.

Part VI—*Reading Comprehension*

Lire chaque passage. Puis choisir les réponses convenables dans les exercices.

A

Deux hommes étaient voisins. Chacun d'eux avait plusieurs petits enfants. L'un de ces hommes s'inquiétait, se disant: "Si je meurs, que deviendront mes enfants?" Il était triste et troublé à cause de sa crainte.

Un jour qu'il travaillait aux champs, il vit deux nids posés côte à côte, et, dans chacun, plusieurs petits oiseaux encore sans plumes. De temps en temps, il levait les yeux et regardait deux oiseaux qui allaient et venaient, portant la nourriture à leurs petits. Tout d'un coup, un vautour saisit un des oiseaux et l'enleva. Le pauvre oiseau jeta des cris perçants.

A cette vue, l'homme qui travaillait se sentit plus troublé qu'auparavant. Tout le jour il fut triste, et la nuit il ne dormit point.

Le lendemain, de retour aux champs, il se dit: "Plusieurs petits, sans doute, ont déjà péri." Il alla vers le buisson (thicket) et il vit les petits bien portants. Étonné, il se cacha pour observer ce qui se passait. L'homme aperçut le second oiseau rapportant en hâte de la nourriture qu'il donna à tous les petits indistinctement. Les orphelins ne furent pas abandonnés dans leur misère.

Le soir, le père raconta à son voisin ce qu'il avait vu et dit: "Si je meurs avant vous, vous serez le père de mes enfants. Si vous mourez avant moi, je serai le père des vôtres."

—D'après Lamennais

1. Qu'est-ce que les deux voisins avaient en commun?

a. Tous les deux étaient inquiets.
c. Ils ne pouvaient pas dormir.
b. Ils aimaient regarder les oiseaux.
d. Ils étaient pères de famille.

2. Qu'est-ce qui troublait surtout un des hommes?

a. son travail dur
c. le bruit des oiseaux
b. l'avenir de ses enfants
d. la peur de la mort

3. Quel malheur est arrivé à un des oiseaux?

a. Il est tombé de son nid.
c. Il a perdu ses plumes.
b. Un oiseau de proie l'a emporté.
d. Un chasseur l'a blessé.

4. Pourquoi le père a-t-il été étonné le jour suivant?

a. Les orphelins étaient sains et saufs.
c. Tous les oiseaux étaient dans le même nid.
b. Les petits oiseaux avaient disparu.
d. Les oiseaux n'avaient pas peur de lui.

5. Quel parti le père prend-il enfin?

a. Il va s'occuper des oiseaux.
c. Il décide de retourner aux champs.
b. Il compte gagner plus d'argent.
d. Il va suivre l'exemple des oiseaux.

Louis XIII était jaloux du cardinal de Richelieu tout en ne pouvant pas se tirer d'affaire sans ses services.

Dans un bal qu'on donnait à la cour, le roi, qui s'y ennuyait, voulut se retirer au moment même ou le cardinal se retirait également.

Tout le monde se rangeait pour laisser passer le ministre, et le roi remarqua qu'on rendait beaucoup plus de respect à ce dernier qu'à lui-même. Richelieu ignorait que le roi le suivait, mais voyant s'avancer quelques pages, il le devina et se rangea de côté, pour le laisser passer. Le roi, de son côté, s'arrêta et lui dit:

—Pourquoi ne passez-vous pas, monsieur le Cardinal? N'êtes-vous pas le maître?

Le sens de cette réflexion n'échappa pas à Richelieu. Il prit un flambeau des mains d'un page, et marchant devant le roi, lui dit:

—Sire, je peux passer devant Votre Majesté seulement en faisant les fonctions du plus humble de ses serviteurs.

1. Pourquoi Louis XIII gardait-il le cardinal de Richelieu comme son ministre?

    a. Le roi avait besoin de lui.   *b.* Le roi avait peur de lui.
    c. Le roi l'aimait bien.   *d.* Le roi ne voulait pas lui faire du mal.

2. Pourquoi le roi voulait-il quitter le bal?

    a. Il était jaloux du cardinal.   *b.* Il était furieux contre le cardinal.
    c. Il ne s'y amusait pas.   *d.* Il voulait partir avant le cardinal.

3. Qu'est-ce que les invités faisaient pendant que le cardinal partait?

    a. Ils se taisaient.   *b.* Ils se préparaient à partir.
    c. Ils regardaient le roi.   *d.* Ils s'écartaient pour lui faire place.

4. Pourquoi Richelieu a-t-il précédé le roi?

    a. Richelieu ne savait pas que le roi était derrière lui.   *b.* Richelieu voulait montrer à tout le monde lequel des deux était plus puissant.
    c. Richelieu désirait se moquer du roi.   *d.* Richelieu feignait de ne pas voir le roi.

5. Quels services Richelieu met-il dans la catégorie la plus basse?

    a. ceux de ministre   *b.* ceux de page   *c.* ceux de ròi   *d.* ceux de courtisan

C

En 1347, les habitants de Calais, attaqués par les Anglais, avaient excité au plus haut point la colère d'Édouard III, roi d'Angleterre, par leur longue résistance. Édouard fit grâce à la ville, à la condition qu'on lui livrerait six des plus notables bourgeois.

La désolation fut grande à Calais. Alors Eustache de Saint-Pierre, se levant le premier dans l'assemblée, se dévoua avec cinq autres bourgeois; ils allèrent pieds nus, la corde au cou, présenter les clefs de la ville au roi anglais.

Le roi ordonna aussitôt de les tuer. La reine se jeta alors aux pieds d'Édouard, le suppliant d'avoir pitié de ces hommes. Le roi parut vivement contrarié, mais son cœur s'attendrit et il dit à la reine d'en disposer selon son plaisir.

La reine fit lever les six bourgeois, leur fit donner des vêtements et à manger, puis les renvoya chez eux.

1. Quelle était l'attitude d'Édouard III envers les habitants de Calais?

    a. Il les craignait.
                                                                                  b. Il admirait leur courage.
    c. Il leur en voulait.
                                                                                 d. Il éprouvait de la sympathie pour eux.

2. Quel prix le roi exigea-t-il des Calaisiens?

    a. une grosse somme d'argent
                                 b. la vie de plusieurs de leurs chefs illustres
    c. les clefs de la ville
                                 d. la dissolution de leur assemblée municipale

3. Comment les habitants de la ville réagirent-ils?

    a. Le prix les enchanta.
                                       b. Ils restèrent calmes.
    c. Ils protestèrent violemment.
                                     d. Ils furent accablés de douleur.

4. Le roi voulait

    a. rendre aux bourgeois leurs clefs
                                 b. exécuter tout de suite les bourgeois
    c. mettre à mort plus tard les bourgeois
                d. offrir aux bourgeois des habits

5. Qu'est-ce qu'on fit enfin des bourgeois?

    a. On les libéra.
                                       b. On les exila en Angleterre.
    c. On les tua.
                                       d. On les fit marcher pieds nus.

D

Un matin, en m'éveillant, je vis que l'hiver était venu; sa blanche lumière remplissait ma petite chambre; de gros flocons de neige descendaient du ciel. Dehors régnait le silence, pas une âme ne courait dans la rue, tout le monde avait fermé sa porte et les oiseaux se taisaient. Moi, couché sous la couverture, je revoyais les hivers passés. Je me représentais les glissades sur la rivière, les parties de traîneau, la bataille à pelotes de neige, les éclats de rire, la vitre cassée qui tombe et la vieille grand-mère qui crie, tandis que la bande se disperse. Tout cela, dans une seconde, me revint à l'esprit, et moitié triste, moitié content, je me dis: "C'est l'hiver!"

1. Comment l'auteur sait-il que l'hiver est arrivé?

    a. Ses amis l'appellent.
                                        b. Les vitres sont cassées.
    c. Des flocons de neige tombent.
                                       d. Des enfants crient.

2. Où est l'auteur?

    a. près de la cheminée
                                    b. au lit
    c. à l'école
                                    d. sur la rivière

3. Que font les oiseaux?

    a. Ils jettent des cris.
                                        b. Ils courent dans la rue.
    c. Ils glissent sur la rivière.
                                     d. Ils ne font pas de bruit.

4. Comment est la rue?

    a. déserte
                                        b. large
    c. bruyante
                                        d. cassée

5. Que faisait la grand-mère?

    a. Elle grondait les enfants.
                                    b. Elle pleurait.
    c. Elle éclatait de rire.
                                    d. Elle revoyait les heures passées.

E

M. Lepic arrive de Paris ce matin même. Il ouvre sa malle. Des cadeaux en sortent pour grand frère Félix et sœur Ernestine, de beaux cadeaux, dont (comme c'est drôle!) ils ont rêvé toute la nuit. Ensuite M. Lepic, les mains derrière son dos, regarde malicieusement Poil de Carotte et lui dit:

—Et toi, qu'est-ce que tu aimes le mieux: une trompette ou un pistolet?

En vérité, Poil de Carotte est plutôt prudent que courageux. Il a toujours entendu dire qu'un garçon de son âge ne peut jouer sérieusement qu'avec des armes, des sabres, des engins de guerre.

—J'aime mieux un pistolet, dit-il hardiment, sûr d'avoir deviné ce que son père avait choisi.

Il va même un peu plus loin et ajoute:

—Il est inutile de le couvrir; je le vois!

—Ah! dit M. Lepic embarrassé, tu aimes mieux un pistolet! tu as donc bien changé?

Tout de suite Poil de Carotte répond:

—Mais non, mon papa, c'était pour rire. Sois tranquille, je les déteste, les pistolets. Donne-moi vite ma trompette, que je te montre comme ça m'amuse de souffler dedans.

—D'après Jules Renard

1. A quoi Félix et Ernestine avaient-ils pensé pendant la nuit?

 a. à des choses drôles   *b.* à ce qu'ils allaient recevoir
 c. au cadeau de leur frère   *d.* au voyage de leur père

2. Qu'est-ce que M. Lepic a fait du cadeau de Poil de Carotte?

 a. Il l'a remis dans la malle.   *b.* Il l'a caché derrière lui.
 c. Il l'a donné aussitôt à son fils.   *d.* Il l'a laissé tomber par terre.

3. Pourquoi le garçon a-t-il dit qu'il préférait un pistolet?

 a. Il voulait faire plaisir à son père.   *b.* Il aimait jouer à la guerre.
 c. Il avait demandé un pistolet.   *d.* Il comptait le donner à son frère.

4. Pourquoi le garçon a-t-il l'air de changer d'avis?

 a. Il doit accepter l'instrument malgré lui.   *b.* Il est allé trop loin.
 c. Il veut faire un mauvais tour à son père.   *d.* Il se rend compte qu'il s'est trompé.

F

Il y a quarante ans environ, un Français dont on n'a pu me dire le nom, mais qui appartenait à une famille noble et riche, aborda en Amérique, après avoir été forcé de quitter son pays en révolution. Notre émigré était jeune et bien portant; il ne souffrait jamais de l'estomac. Il avait de plus une femme qu'il aimait de tout son cœur. Du reste, il manquait du premier sou pour vivre. Un ami auquel il s'adressa lui offrit de lui prêter quelque argent, au moyen duquel il pourrait se procurer les choses les plus nécessaires à la vie et s'établir dans quelque coin où la terre ne serait pas chère. Dans ce temps-là l'ouest de l'État de New-York était encore inculte; les bois qui le couvraient n'étaient encore habités que par les tribus indiennes de la confédération des Iroquois. Sa jeune femme eut le courage de vouloir le suivre dans ce désert. Ils arrivèrent sur les bords du lac Onéida. Pour un peu de poudre et de plomb, ils achetèrent des Indiens la terre qui se trouve au milieu de ses eaux. Jamais Européen ni peut-être humain n'avait imaginé d'en faire sa demeure. Il fallut couper des arbres, bâtir une cabane et lutter contre tous les besoins de la vie. Les premiers temps furent difficiles à passer mais, la seconde année, la tâche leur devint plus facile.

—D'après A. de Tocqueville

1. Pourquoi le Français quitta-t-il son pays?

    a. Il avait besoin d'argent.   *b.* Il préférait demeurer en Amérique.

    c. Sa femme voulait partir.   *d.* La situation politique était dangereuse.

2. A l'heure de son départ,

    a. il était sur le point de se marier   *b.* il se sentait malade

    c. il était en bonne santé   *d.* il possédait beaucoup d'argent

3. A cette époque, la partie occidentale de l'État de New-York

    a. ressemblait à un jardin royal   *b.* était couverte d'eau

    c. était sauvage   *d.* produisait de beaux fruits

4. Sa femme tenait à

    a. accompagner son mari   *b.* attendre son mari en France

    c. offrir de l'argent à son mari   *d.* rejoindre plus tard son mari

5. Où le Français s'établit-il enfin?

    a. sur la rive d'un lac   *b.* dans un désert aride

    c. sur une montagne boisée   *d.* dans une île

G

François Rabelais, raconte-t-on, se trouva un jour à Lyon sans argent pour payer son hôtel. En même temps, il se voyait dans l'impossibilité de continuer son voyage jusqu'à Paris où il devait se rendre auprès du roi. Rabelais, toujours ingénieux, employa alors le stratagème suivant: il fit écrire, par un jeune garçon, des étiquettes qu'il lui fit placer sur de petites enveloppes. Ces étiquettes portaient les mots: poison pour le roi, poison pour la reine, poison pour le jeune prince. L'enfant effrayé courut prévenir l'aubergiste. Celui-ci s'empressa d'appeler la police. On vint aussitôt arrêter notre homme.

Rabelais fut conduit à Paris sous bonne escorte, et aux frais de l'État. Arrivé dans la capitale, il demanda qu'on le menât immédiatement devant le roi. François Ier reconnut immédiatement le prétendu criminel qu'on lui présentait. Il devina qu'il s'agissait de quelque nouvelle aventure de Rabelais. Il se fit conter l'histoire et en rit beaucoup avec le héros de l'aventure. C'est dans cette anecdote qu'il faudrait, selon certains auteurs, voir l'origine d'une expression bien connue: le quart d'heure de Rabelais. On appelle ainsi le moment embarrassant où l'on doit tirer de l'argent de sa poche pour payer ses dettes, et, par extension, tout moment fâcheux.

—D'après Claude Augé

1. Pourquoi Rabelais allait-il à Paris?

    a. Il voulait empoisonner le roi et sa   *b.* Le roi l'y avait invité.
        famille.   *d.* Il n'avait jamais vu la capitale.

    c. Il cherchait de l'argent.

2. Que fit le jeune garçon?

    a. Il avertit l'hôtelier.   *b.* Il détruisit les étiquettes.

    c. Il courut chez le roi.   *d.* Il appela la police.

3. Comment Rabelais trouva-t-il le moyen de voyager à Paris?

    a. Il vendit ses services.   *b.* On l'y amena de force.

    c. Rabelais tira de l'argent de sa poche.   *d.* L'aubergiste lui prêta de l'argent.

. Quelle fut la réaction du roi?

 a. Il se fâcha. *b.* Il s'amusa.
 c. Il fut frappé de stupeur. *d.* Il se tut.

. "Le quart d'heure de Rabelais" veut dire

 a. quinze minutes d'attente *b.* un moment favorable
 c. du temps pour se reposer *d.* une occasion désagréable

H

Pendant les beaux soirs d'automne, on voit souvent le ciel traversé d'une belle étoile
lante (shooting star). Une superstition nous dit que voir l'étoile filante porte bonheur;
ne autre nous dit que tout souhait fait sur une étoile filante est réalisé. Mais laissons de
ôté la superstition et parlons de la science.

Les étoiles filantes ne sont pas des étoiles! Elles sont des morceaux de pierre que la terre
ncontre dans les espaces interplanétaires. On appelle ces morceaux, en termes techniques,
es aérolithes.

Ces aérolithes tombent sur notre globe à une telle vitesse qu'ils entrent en combustion et
eviennent lumineux en traversant l'atmosphère. Ils se consument avant d'arriver à la terre.

Parfois, cependant, les morceaux sont si grands qu'ils tombent jusqu'à la terre. Le plus
ros dont la chute a été observée est tombé dans l'état d'Arkansas en 1930. Il pesait à peu
rès 68 kilogrammes.

Heureusement il est tombé dans un endroit peu habité. S'il était tombé en ville, il y
urait eu une vraie catastrophe!

. Que croient les superstitieux à la vue d'une étoile filante?

 a. que c'est un désastre *b.* que c'est un signe de bonne chance
 c. que le temps va bientôt changer *d.* que quelque chose d'important va arriver

. Qu'est-ce que c'est qu'un aérolithe?

 a. une masse tombant de l'espace céleste *b.* une comète qui émet de la lumière
 vers la terre
 c. un morceau de notre terre qui traverse *d.* une étoile brillante qui tombe du ciel
 le ciel

. Qu'est-ce qui rend lumineuses les étoiles filantes?

 a. la chaleur du soleil *b.* la masse d'air qui nous environne
 c. la lumière du ciel *d.* la force de la gravité

. D'ordinaire, que deviennent les étoiles filantes?

 a. Elles s'enfoncent dans la terre. *b.* Elles s'unissent les unes aux autres.
 c. Elles continuent leur vol vers une autre *d.* Elles se détruisent.
 planète.

. Qu'est-ce qui arrive de temps en temps?

 a. Les étoiles filantes consument des *b.* On observe ces "étoiles" que filent
 villes. lentement vers la terre.
 c. Les étoiles filantes arrivent à la terre. *d.* Les étoiles filantes sont composées de
 sable.

I

Un jour je voyageais en Calabre en compagnie d'un jeune homme. Calabre est un pay
de gens qui en veulent surtout aux Français.

Dans les montagnes un chemin étroit et rude nous égara. Nous cherchâmes tant qu'il fi
jour notre chemin à travers ces bois; il était nuit quand nous arrivâmes près d'une maiso
fort noire. Nous y entrâmes. Là nous trouvâmes toute une famille de charbonniers à table
où du premier mot on nous invita à dîner. Nos hôtes avaient bien mine de charbonniers
mais la maison, vous l'auriez prise pour un arsenal. Ce n'étaient que fusils, armes à feu
épées, couteaux. Tout me déplut, et je vis que je déplaisais aussi. Imaginez un peu! che
nos plus grands ennemis, si loin de tout secours humain!

Le souper fini, on nous laissa. Nos hôtes couchaient en bas, nous dans une chambre e
haut. Mon camarade se coucha. Moi, j'étais déterminé à veiller. La nuit s'était déj
passée, quand j'entendis au-dessous de moi notre hôte et sa femme parler et se disputer
J'entendis le mari dire: "Eh bien! voyons, faut-il les tuer tous deux?" A quoi la femm
répondit: "Oui," et je n'entendis plus rien. En quelle peine je me trouvais, imaginez-le, s
vous pouvez.

Dès que le jour parut, toute la famille vint nous éveiller. On nous servit un déjeuner for
propre et fort bon. Deux poulets rôtis se trouvaient sur la table. En les voyant, je compri
enfin le sens de ces terribles mots: "Faut-il les tuer tous deux?"

—D'après P. L. Courier

1. En général, quelle est l'attitude des habitants de Calabre envers les Français?

    a. Ils les estiment.   *b.* Ils les plaignent.
    c. Ils sont jaloux d'eux.   *d.* Ils ne les aiment pas.

2. Pourquoi les deux Français sont-ils entrés dans la maison?

    a. Ils cherchaient des renseignements.   *b.* Ils s'étaient perdus.
    c. On les y avait invités.   *d.* Ils avaient admiré l'extérieur de la maison.

3. L'auteur avait décidé

    a. de ne pas s'endormir   *b.* d'écouter à la porte
    c. de partir tout de suite   *d.* de se coucher tard

4. Qu'est-ce qui a étonné les deux voyageurs?

    a. l'air des charbonniers   *b.* le bon souper
    c. l'intérieur de la maison   *d.* leur chambre à coucher

5. Que prouve la fin de l'histoire?

    a. L'auteur s'était trompé.   *b.* L'auteur rêvait.
    c. L'auteur avait trop bu.   *d.* L'auteur avait raison.

J

Deux étudiants allaient à pied à l'Université de Salamanque. Se sentant las et ayan
soif, ils s'arrêtèrent au bord d'une fontaine qu'ils rencontrèrent au bord de la route. Là, il
aperçurent par hasard auprès d'eux, sur une pierre par terre, quelques mots déjà effacé
par les pieds des troupeaux qui venaient boire à cette fontaine. Ils jetèrent de l'eau sur l
pierre pour la laver et ils lurent ces paroles: ICI EST ENFERMÉE L'AME DE PIERR
GARCIA.

Le plus jeune des étudiants dit en riant:

—Rien n'est plus plaisant. Une âme enfermée. Je voudrais savoir qui a pu faire une épitaphe si drôle.

En achevant ces paroles, il se leva pour s'en aller. Son compagnon, plus judicieux, dit en lui-même:

—Il y a là-dessous quelque chose de mystérieux; je veux demeurer ici pour en trouver la solution.

Sans perdre de temps, celui-ci se mit à creuser avec son couteau tout autour de la pierre. Il fit si bien qu'il l'enleva. Il trouva dessous une bourse de cuir qu'il ouvrit. Il y avait dedans cent ducats, avec une carte sur laquelle étaient écrites ces paroles: "Sois mon héritier, toi qui as eu assez d'esprit pour comprendre l'inscription."

L'étudiant, ravi de cette découverte, remit la pierre comme elle était auparavant, et reprit le chemin de Salamanque avec l'âme de Pierre Garcia.

—D'après Le Sage

1. Les deux étudiants

    a. se sentaient malades   *b.* voulaient manger
    c. venaient de se rencontrer   *d.* étaient fatigués

2. La pierre s'était usée à cause des

    a. soldats   *b.* bêtes sauvages
    c. enfants   *d.* animaux domestiques

3. Le plus jeune étudiant a trouvé l'inscription

    a. très agréable   *b.* fort amusante
    c. pleine de sentiment   *d.* effrayante

4. Pourquoi l'autre étudiant n'est-il pas parti avec son ami?

    a. Il voulait résoudre le mystère.   *b.* Il était superstitieux.
    c. Il n'en pouvait plus.   *d.* Il savait ce qui était caché sous la pierre.

5. A qui Pierre Garcia voulait-il léguer ses biens?

    a. à un pauvre   *b.* à un homme religieux
    c. à une personne d'intelligence   *d.* à un étudiant de l'université

K

J'imagine qu'un Parisien ne traverse jamais une petite ville de province sans envier le bonheur de ceux qui l'habitent. On sort d'une capitale bruyante où toutes les physionomies expriment la hâte, le trouble, et la fièvre; où tout le monde est dans la rue, faute de place dans les maisons; où l'on serre les coudes sur le trottoir, faute de place dans les rues; où chacun parle vite et court, au lieu de marcher, parce que le temps y vaut de l'or. On se voit transporté comme par miracle dans un pays différent, quoique voisin, et qui semble peuplé d'autres hommes. Les rues paraissent plus larges, parce qu'elles sont à moitié désertes; mieux aérées, parce que la foule ne s'y dispute pas une bouffée d'air. Les maisons ont beau être petites, mal bâties et incommodes dans le fond, on voit qu'on y vivrait plus à l'aise, par cela seul que les familles n'y sont pas entassées l'une sur l'autre, et que personne n'entend sur la tête le bruit des pas du voisin. La vie des habitants, ou du moins ce qu'on en voit, a quelque chose de calme, de reposé, de placide. Vous trouverez à la lenteur aisée de leurs mouvements que le ciel a fait pour eux des heures de cent et quelques minutes et des années de six à sept cents jours.

—D'après E. About

1. Selon cet auteur, quels gens sont heureux?

    a. ceux qui sont occupés   *b.* les Parisiens
    c. les habitants des provinces   *d.* ceux qui ont peu à faire

2. Pourquoi y a-t-il tant de personnes dehors dans la grande ville?

    a. On fait des emplettes.   *b.* Tout le monde travaille dur.
    c. Les maisons sont trop petites.   *d.* Les habitants de la ville aiment les places
                                        publiques.

3. On est toujours pressé dans la capitale

    a. parce que le temps est précieux   *b.* parce qu'il y fait beau temps
    c. parce qu'il n'y a pas assez de place   *d.* parce que le temps change subitement

4. Quel facteur contribue au confort des provinces?

    a. Les rues sont plus larges.   *b.* Les familles sont moins serrées.
    c. Les voisins sont plus gentils.   *d.* Les maisons sont mieux construites.

5. Le résultat des différences entre la ville et les provinces est que

    a. les habitants des provinces peuvent   *b.* les villageois visitent souvent les
        accomplir plus que ceux des villes   provinces
    c. les provinciaux gagnent peu d'argent   *d.* la vie de province semble plus longue

L

Elle était grillée comme une cage de lions. Au fond, sous des quartiers de mouton, M. Lafolie sommeillait. Il avait commencé de travailler au petit jour et la fatigue amollissait ses membres vigoureux. Les bras nus et croisés, son fusil encore pendant à son côté, les jambes écartées sous le tablier blanc, taché de sang, il balançait lentement la tête. Sa face rouge étincelait et les veines de son cou se gonflaient sous le col de sa chemise rose. Il respirait la force tranquille. M. Bergeret disait de lui qu'il donnait quelque idée des héros homériques parce que son genre de vie ressemblait au leur et qu'il versait comme eux le sang des victimes.

M. Lafolie sommeillait. Près de lui sommeillait son fils, grand et fort comme lui. Le garçon dormait la tête dans ses mains sur le marbre. Dans une cage de verre, à l'entrée de la boutique, se tenait droite, les yeux lourds, gagnée aussi par le sommeil, Mme Lafolie, grasse, la chair tout imbibée du sang des animaux. Cette famille avait un aspect de royauté barbare.

                                          —D'après Anatole France

1. M. Lafolie s'était mis au travail

    a. de bonne heure le matin   *b.* la veille de ce jour-là
    c. tard dans l'après-midi   *d.* le soir

2. Pourquoi disait-on que M. Lafolie ressemblait à un héros de l'antiquité?

    a. Il avait les muscles bien développés.   *b.* Il avait l'air distingué.
    c. Il savait tuer.   *d.* Il pouvait exécuter des ordres.

3. Le portrait de cette famille donne l'impression .

    a. de tragédie   *b.* de force brutale   *c.* d'intelligence   *d.* de bonheur

4. Dans ce magasin,

    a. tout le monde était accablé de fatigue   *b.* il faisait chaud
    c. on voyait plusieurs cages d'animaux   *d.* on venait de gagner beaucoup d'argent

5. Cette scène a lieu dans

　　a. une boulangerie　*b.* une pharmacie　*c.* une épicerie　*d.* une boucherie

<h1 style="text-align:center">M</h1>

Me voilà en route! La locomotive est déjà à cent cinquante kilomètres de Paris!... La vue des villages qui fuient devant moi ressuscite tout mon passé d'enfant. Maisonnettes coiffées de tuiles rouges, basses-cours où traînent de gros troncs d'arbres; jardinets plantés de soleils; barrières contre lesquelles les bébés appuient leurs nez crottés et leurs fronts pour regarder le train; cette simplicité, cette grossièreté, ce silence me rappellent la campagne où je buvais la liberté et le vent, étant tout petit.

Dans les femmes courbées aux champs, je crois reconnaître mes tantes, les paysannes; et je me lève malgré moi quand j'aperçois le miroir d'un étang ou d'un lac. Je regarde courir l'eau des ruisseaux et je suis le vol noir des corbeaux dans le bleu du ciel. Tout parle à ma mémoire: ce mur bâti de pierres posées au hasard; et ce bois sombre qui me rappelle la forêt de sapins où il faisait si triste et où j'aimais à m'enfoncer pour avoir peur!

Ah! je sens que je suis bien un morceau de toi, un éclat de tes rochers, pays pauvre qui embaume les fleurs, terre de vignes et de volcans! Ces paysans, ces paysannes qui passent, ce sont mes frères en veste de laine, mes sœurs en tablier rouge....

—D'après J. Vallès

1. Le sentiment dominant de ce passage est

　　a. la joie de voyager　　　　　　　　*b.* l'amour de la campagne
　　c. l'amour de l'auteur pour son pays　*d.* la honte de l'auteur d'être né dans cette
　　　　natal　　　　　　　　　　　　　　　　région

2. On note dans le passage le souvenir ému de l'écrivain

　　a. de son enfance　　　　　　　　　*b.* du travail
　　c. des chemins de fer　　　　　　　*d.* des bébés

3. L'auteur exprime une chaude sympathie pour

　　a. les ouvriers en général　　　　　*b.* les touristes
　　c. les pères de famille　　　　　　　*d.* les habitants de sa terre

4. L'auteur est né dans une famille

　　a. riche　*b.* paysanne　*c.* ambulante　*d.* noble

5. Un des produits de la terre décrite par l'auteur est

　　a. le beurre　*b.* le vin　*c.* la dentelle　*d.* le cidre

<h1 style="text-align:center">N</h1>

Comme je sortais de mon église, une fillette que je ne connaissais point vint me chercher en toute hâte pour me mener auprès d'une pauvre vieille qui se mourait. Je fis monter l'enfant dans la voiture, après avoir cherché une lanterne, car je pensai ne pas pouvoir être de retour avant la nuit.

Le soleil se couchait et nous marchions depuis longtemps dans l'ombre, lorsque enfin ma jeune guide m'indiqua du doigt une maison que j'aurais cru inhabitée si je n'avais pas remarqué un peu de fumée qui s'en échappait. J'attachai le cheval à un pommier voisin, puis rejoignis l'enfant dans la pièce obscure où la vieille venait de mourir.

Une femme encore jeune était à genoux près du lit. Je lui demandai si la vieille avait des enfants. Alors, elle se releva, prit une chandelle et me montra, assise devant la cheminée, une fille d'une quinzaine d'années.

—Cette fille aveugle, répondit-elle. La servante m'a dit qu'elle est une nièce. C'est tout ce qui reste de la famille, paraît-il. Il sera nécessaire de la mettre à l'orphelinage.

En entendant ces mots tristes, je décidai de prendre chez moi cette enfant malheureuse.

—D'après André Gide

1. La jeune guide

    a. était très pressée   *b.* portait une chandelle
    c. était une amie du prêtre   *d.* était la petite-fille de la vieille

2. Qu'est-ce qui indiquait que la maison était habitée?

    a. la cheminée   *b.* la porte   *c.* les fenêtres   *d.* le jardin

3. A quoi le prêtre a-t-il lié la voiture?

    a. à une planche   *b.* à un roc
    c. à un arbre   *d.* à une porte de la maison

4. Quand les deux sont arrivés à la maison,

    a. la vieille n'était pas là   *b.* la vieille était déjà morte
    c. la nièce de la vieille priait   *d.* la vieille était sur le point de mourir

5. Pourquoi le prêtre plaignait-il la fille de quinze ans?

    a. Elle ne pouvait pas entendre.   *b.* Elle pleurait à chaudes larmes.
    c. Elle n'avait plus de parents.   *d.* Elle était bien malade.

O

Je revois avec une singulière précision une poupée qui, lorsque j'avais huit ans, s'étalait dans une méchante boutique de la rue de la Seine. Comment il arriva que cette poupée me plut, je ne sais. J'étais très fier d'être un garçon; je méprisais les petites filles et j'attendais avec impatience le moment (qui, hélas! est venu) où une barbe piquante me garnirait le menton. Je jouais aux soldats et, pour nourrir mon cheval à bascule, je ravageais les plantes que ma pauvre mère cultivait sur sa fenêtre. C'était là deux jeux mâles, je pense! Et pourtant, j'eus envie d'une poupée. Les Hercules ont de ces faiblesses.

Celle que j'aimais était-elle belle au moins? Non. Je la vois encore. Elle avait une tache de vermillon sur chaque joue, des bras mous et courts, d'horribles mains de bois et de longues jambes. Je me rappelle bien que, tout bambin que j'étais, je sentais à ma manière que cette poupée manquait de grâce, qu'elle était grossière. Mais je l'aimais malgré cela. Je la voulais. Mes soldats et mes tambours ne m'étaient plus de rien. Cette poupée était tout pour moi.

J'imaginais des ruses de sauvage pour obliger Virginie, ma bonne, à passer avec moi devant la boutique de la rue de Seine. J'appuyais mon nez à la vitre et il fallait que ma bonne me tirât par le bras. "Monsieur Sylvestre, il est tard et votre maman vous grondera." M. Sylvestre se moquait bien alors des gronderies. Mais sa bonne l'enlevait comme une plume, et M. Sylvestre cédait à la force.

J'étais malheureux. Une honte irréfléchie mais irrésistible m'empêchait d'avouer à ma mère l'objet de mon amour. De là mes souffrances.

—D'après Anatole France

1. Pourquoi le petit garçon aimait-il la poupée?

    a. L'auteur refuse de nous le dire.   *b.* L'auteur en ignore la raison.
    c. L'auteur préfère ne pas en parler.   *d.* L'auteur ne s'en souvient plus.

2. Quel jour le garçon souhaitait-il?

    a. le jour où il pourrait se raser   *b.* le jour où il serait soldat
    c. le jour de son mariage   *d.* le jour où il aurait un cheval

3. La poupée était

    a. délicate   *b.* presque humaine   *c.* jolie   *d.* laide

4. Le garçon

    a. avait l'intention de voler la poupée   *b.* avait peu de patience
    c. passait souvent devant la vitrine du   *d.* craignait les réprimandes
        magasin

5. Pourquoi le garçon souffrait-il?

    a. Ses parents le grondaient souvent.   *b.* La poupée coûtait cher.
    c. Sa bonne le battait.   *d.* Il ne pouvait pas parler de la poupée à sa
                                          mère.

P

    Son corps était de moyenne taille, un peu gros, épaissi par l'âge, sauf les mains fines et blanches, si jolies encore. Il était habillé d'un complet de grosse laine verdâtre, veston, gilet, culotte. On aurait dit que sa tête était de marbre blanc, coloré d'un peu de rose aux lèvres et de beaucoup de bleu pâle par les veines saillantes. Physionomie autoritaire, impatiente: un nez comme une figue, gros du bout; une bouche tirée en bas, et des plissures nombreuses. Il était de la vieille Angleterre, attaché à tout usage, à son rang, à son Église, parce que tout cela, pour lui, faisait partie de la Constitution. Il refusait une nouveauté, dès qu'elle lui semblait opposée à cet ensemble. Son amitié était fidèle, son inimitié également. On ne l'avait jamais vu pleurer. Dans les quelques circonstances douloureuses qu'il avait traversées, mort de sa mère, maladie grave de sa femme après la naissance de son second fils, sir George s'était enfermé dans ses appartements, il n'avait parlé à personne, et quand il était sorti enfin, on avait remarqué qu'il avait changé, maigri, pâli, et que la souffrance morale, par conséquent, avait prise sur ce cœur très caché.

—D'après René Bazin

1. Sir George était

    a. grand   *b.* mince   *c.* petit   *d.* ni grand ni petit

2. Quel trait visible le distinguait?

    a. Il était chauve.   *b.* Il avait l'air sympathique.
    c. Il ne semblait pas vieillir.   *d.* Il avait la peau rose.

3. Quelle attitude dominait sa vie?

    a. Il aimait le progrès.   *b.* Il n'était ni conservateur ni radical.
    c. Il tenait à la tradition.   *d.* Il était hostile aux institutions du passé.

4. Sir George

    a. n'avait pas d'ennemis   *b.* savait conserver ses amis
    c. était sans amis   *d.* avait plus d'amis que d'ennemis

5. Quant aux douleurs de sa vie,

    a. elles ont été nombreuses   *b.* il les a souffertes en silence
    c. il s'en est moqué   *d.* elles l'ont attendri

295

A l'heure où j'écris ces lignes, en des jours difficiles, je ne puis dire que le monde et la vie m'aient abusé. Quand la vieillesse est arrivée, je l'ai trouvée incomparablement moins amère que vous ne le prétendiez. Je m'attendais à un sommet glacé, désert, étroit, noyé dans la brume; j'ai aperçu, au contraire, autour de moi, un vaste horizon qui ne s'était encore jamais découvert à mes yeux. Je voyais plus clair en moi-même et en chaque chose. Dans ma longue route, j'avais recueilli quelques vérités, qui, chaque jour, devenaient plus certaines.

Vous affirmez que les sentiments s'affaiblissent en vivant. Moi, je sens très bien que je vivrais un siècle, je ne m'accoutumerais jamais à ce qui me révolte aujourd'hui. Mensonges, défis à la justice, perversité tranquille, parce qu'elle se sent impunie, cela me sera aussi nouveau, aussi exécrable dans mille ans qu'aujourd'hui. De même les âmes belles que j'ai entrevues sur la terre ne s'effaceront jamais pour moi. Elles m'apparaîtront toujours telles que je les ai aperçues dans l'heure radieuse.

La vie humaine n'est point ce que vous dites; elle n'est pas une chute continue de la jeunesse à l'âge mûr, de l'âge mûr à la vieillesse. J'ai senti tout autrement l'existence. Ma jeunesse a été triste, mon âge mûr meilleur, ma vieillesse heureuse. La première lueur est devenue lumière; la lumière, vérité; la vérité, repos, paix, bonheur. Voilà quelles ont été pour moi les époques de la vie: une ascension vers la lumière.

—D'après Edgar Quinet

1. L'auteur compare la vie à

    a. un désert *b.* une montagne *c.* un glacier *d.* un nuage

2. A en croire l'opinion générale, la vieillesse serait une période où

    a. les sentiments sont presque éteints   *b.* la vie devient moins amère
    c. s'ouvre un vaste horizon   *d.* l'intelligence domine la vie

3. L'auteur dit qu'en vieillissant

    a. il se sent isolé au milieu des autres humains   *b.* il a découvert que la vie est courte
    c. il a mieux compris les défauts des hommes   *d.* il n'a pas changé d'idéal moral

4. L'auteur affirme

    a. Qu'il est d'accord avec l'opinion générale à l'égard de la vie   *b.* qu'on ne peut jamais trouver la vérité
    c. que l'âge mûr est préférable à la jeunesse   *d.* que le repos et la paix sont nécessaires à tous les âges de la vie

5. Selon l'auteur, l'âge du bonheur est

    a. l'enfance *b.* la vieillesse *c.* l'adolescence *d.* la maturité

R

Ils sont venus. Les habitants, depuis deux jours, fuyaient. Les routes de l'ouest étaient encombrées de charrettes où ils avaient entassé plus de choses que le cheval n'en pouvait traîner, parce que toutes les choses sont précieuses quand on va les quitter. L'homme marchait à la tête du cheval, poussant quelquefois une vache, dont il frappait les reins avec le manche du fouet. Dans toutes les voitures il y avait de bons matelas, à plat sur les provisions et les meubles les moins lourds, et des enfants qui étaient assis dessus. Tout cela s'arrêtait des heures, au croisement des chemins, pour laisser passer des troupes, des trains de munitions et d'approvisionnement. Et on ne savait où on allait; toute la volonté était tendue vers ce seul objet: éviter d'être pris par l'ennemi. . . . Les femmes, assises, tournaient la tête, quelquefois, du côté où était Chaumecourt, à présent déjà loin et caché par d'autres collines. Elles cherchaient pour voir si une colonne de fumée n'allait pas monter de là.

—D'après René Bazin

1. Pourquoi ces habitants étaient-ils sur la route?

   a. Ils ne voulaient pas se laisser prendre. *b.* Ils n'avaient pas de quoi vivre.
   c. Leur village avait été détruit. *d.* Leur terre n'était plus labourable.

2. Ils portaient avec eux

   a. ce qu'il fallait pour subsister *b.* tout ce qu'ils avaient possédé
   c. tous leurs meubles *d.* tout ce qu'ils pouvaient

3. Qu'est-ce qui interrompait la marche continue de la caravane?

   a. les mauvaises routes *b.* des animaux fatigués
   c. le passage de matériel militaire *d.* la nécessité du repos

4. Que faisaient les femmes de temps en temps?

   a. Elles s'occupaient des provisions. *b.* Elles regardaient dans la direction de leur
   c. Elles aidaient les chevaux à traverser village abandonné.
   les collines. *d.* Elles regardaient la fumée qui montait.

S

Quand je devins rédacteur d'une feuille rurale, ce ne fut pas sans appréhension. Mais je me trouvais dans une situation qui me forçait à chercher un salaire. Le rédacteur habituel voulait partir en vacances; j'acceptai les offres qu'on me fit, et je m'installai à sa place.

J'éprouvai avec délices la sensation d'avoir de nouveau une occupation, et je travaillai toute la semaine avec un plaisir sans mélange. Nous mîmes sous presse et j'attendis toute la journée avec une anxiété, pour voir si mes efforts allaient attirer quelque peu l'attention.

Un jour, je vis entrer un vieux monsieur, porteur d'une barbe démesurée, à la physionomie distinguée et quelque peu sévère. Je l'invitai à s'asseoir; il prit un siège. Il semblait avoir quelque chose sur le cœur. Il étala un exemplaire du journal sur ses genoux; puis, il me dit:

—C'est vous le nouveau rédacteur en chef?

Je répondis que oui.

—Aviez-vous déjà rédigé un autre journal d'agriculture?

—Non. C'est mon coup d'essai.

—Je le crois sans peine. Avez-vous quelque expérience pratique en matière d'agriculture?

—Non, je ne pense pas.

—J'en avais comme un pressentiment, fit le vieux monsieur, mettant ses lunettes et me regardant par-dessus avec des yeux indignés. Voulez-vous que je vous lise ce qui m'a donné ce pressentiment? Écoutez, c'est cet article-là, et voyez si c'est bien vous qui l'avez écrit:

"Il ne faut jamais arracher les navets (turnips); ça leur est nuisible. Il est préférable de faire grimper quelqu'un et de lui faire secouer l'arbre."

Là-dessus, le vieux monsieur se leva brusquement, déchira le journal en petits morceaux, pulvérisa plusieurs choses à coups de canne, déclara que j'étais plus ignorant qu'une vache, puis sortit comme un furieux en fermant la porte avec un fracas épouvantable. Bref, il me parut qu'il était mécontent; mais ne sachant à quelle cause attribuer son agitation, je ne pus y porter remède.

—D'après Mark Twain

1. Mark Twain a accepté sa nouvelle responsabilité

    a. comme il avait accepté toutes ses autres responsabilités
    b. malgré lui
    c. avec un certain sentiment d'inquiétude
    d. avec assurance

2. Il a pris la nouvelle place

    a. pour oublier ses problèmes
    b. parce qu'il lui fallait de l'argent
    c. parce que sa vie était monotone
    d. pour pouvoir s'offrir des vacances

3. Qu'est-ce qui faisait croire au vieux monsieur que Twain ne se connaissait pas en agriculture?

    a. Twain était venu d'une grande ville.
    b. Twain avait fait une grosse faute.
    c. Twain avait menti de parti pris.
    d. Twain était à peine devenu rédacteur.

4. Qu'est-ce que le monsieur a fait avant de sortir?

    a. Il a brisé quelques objets.
    b. Il a changé d'avis.
    c. Il a fait ses excuses.
    d. Il a frappé Twain plusieurs fois.

5. Pourquoi Twain n'a-t-il rien fait pour améliorer la situation?

    a. Il était on ne peut plus obstiné.
    b. Il ne savait que faire.
    c. La conduite de l'homme l'avait découragé.
    d. Un rédacteur en chef doit toujours dire la vérité.

T

—Morbleu! lui dis-je un jour, c'est pour la troisième fois que je vous ordonne de m'acheter une brosse! Quelle tête! Quel animal!

Il ne répondit pas un mot; il n'avait rien répondu la veille à une pareille parole. "Il est si exact!" disais-je; je n'y concevais rien.

—Allez chercher un linge pour nettoyer mes souliers, lui dis-je en colère.

Pendant qu'il allait, je me repentais de l'avoir ainsi brusqué. Mon courroux passa tout à fait lorsque je vis le soin avec lequel il tâchait d'ôter la poussière de mes souliers sans toucher à mes bas; j'appuyai ma main sur lui en signe de réconciliation. "Quoi! dis-je alors en moi-même, il y a des hommes qui nettoient les souliers des autres pour de l'argent?" Ce mot d'argent fut un trait de lumière qui vint m'éclairer. Je me ressouvins tout à coup qu'il y avait longtemps que je n'en avais point donné à mon domestique.

—Joannetti, lui dis-je en retirant mon pied, avez-vous de l'argent?

Un demi-sourire de justification parut sur ses lèvres à cette demande.

—Non, monsieur; j'ai dépensé tout ce qui m'appartenait pour vos petites emplettes.

Il sourit encore. Il se laissa maltraiter injustement plutôt que d'exposer son maître à rougir de sa colère. Que le ciel le bénisse!

—Tiens, Joannetti, tiens, lui dis-je, cours acheter la brosse.

—Mais, monsieur, voulez-vous rester ainsi avec un soulier blanc et l'autre noir?

—Va, te dis-je, acheter la brosse; laisse, laisse cette poussière sur mon soulier.

Il sortit; je pris le linge et je nettoyai délicieusement mon soulier gauche, sur lequel je laissai tomber une larme de repentir.

—D'après Xavier de Maistre

1. Pourquoi l'auteur est-il irrité contre son domestique?

    a. Le domestique n'a pas obéi à son ordre.
    b. Le domestique est paresseux.
    c. Le domestique ne lui répond pas.
    d. Le domestique a une mauvaise mémoire.

2. La colère du maître diminue

    a. quand Joannetti garde le silence

    c. quand le maître voit la diligence avec
laquelle son domestique travaille

    b. quand le domestique ne se fâche·pas

    d. quand Joannetti lui sourit

3. De quoi le maître se rend-il compte?

    a. de ce qu'il n'a pas payé son domestique

    c. de la négligence de son domestique

    b. de ce qu'il rougit de colère

    d. de ce que son domestique rit de lui

4. Pourquoi le domestique hésite-t-il à sortir?

    a. Il a trop d'autres choses à faire.

    c. Son maître a été si bon pour lui.

    b. Il n'a pas fini sa tâche.

    d. Il préfère se servir du linge.

5. Qu'est-ce que le maître fait à la fin?

    a. Il s'excuse auprès de son domestique.

    c. Il regrette ce qu'il a fait.

    b. Il se sert de la brosse.

    d. Il adresse une parole blessante à
Joannetti.

A GUIDE TO THE COLLEGE BOARD ACHIEVEMENT TEST IN FRENCH

The scope of the College Board Achievement Test in French is a wide one. The questions are graded, ranging from easy to difficult. The test is designed to measure the candidate's mastery of both the spoken and the written language. Although the types of questions may vary from year to year, the following types illustrate what the candidate may generally expect.

SITUATION QUESTIONS

These questions are intended to test familiarity with the spoken language used in conversation or everyday situations.

In each of the sample situations below, underline the appropriate remark that is suggested by the initial statement.

1. Sachant qu'il allait revoir bientôt ses amis, il leur a dit en partant:

(A) De rien. (B) A tout à l'heure. (C) D'aujourd'hui en huit. (D) A tout prix. (E) A la bonne heure.

2. La voisine a regardé l'enfant mignon. Puis elle a dit à la mère:

(A) Ainsi soit-il. (B) Quel beau crépuscule! (C) Tant pis pour vous! (D) C'est un aspirateur. (E) Qu'il est sage!

3. Un voisin dont la maison a pris feu entre chez moi en criant:

(A) Un peu à droite! Un peu à droite! (B) Aidez-moi, je vous en prie! (C) On n'est pas en retard? (D) Soyez le bienvenu. (E) Ce n'est rien, ça passera.

4. Heureuse de voir la belle piscine, elle a dit:

(A) J'ai envie de danser toute la nuit. (B) Si nous allions à la nage? (C) Il y a longtemps que je n'ai mangé. (D) Allons faire une promenade tout de suite. (E) Que c'est joli, ce vêtement!

5. A la douane, le douanier nous a demandé:

(A) Faut-il payer d'avance? (B) Et comme boisson, messieurs? (C) Avez-vous tout ce qu'il vous faut? (D) A quoi bon attendre? (E) Avez-vous quelque chose à déclarer?

6. Le petit était sur le point de traverser la chaussée. Par conséquent, sa mère lui a conseillé:

(A) Fais attention aux voitures! (B) Ote le chapeau. (C) Marche dans les égouts. (D) Peigne-toi. (E) Fais la queue!

7. Après avoir déjeuné, M. Lebrun a appelé le garçon et lui a dit:

(A) Ayez la bonté de me donner la paille. (B) Veuillez m'apporter des cendres. (C) Où est mon pourboire? (D) L'addition, s'il vous plaît. (E) Apportez-moi une nappe.

8. Puisque l'homme était sur le point de se noyer, il a crié:

(A) Au feu! (B) Au plaisir! (C) Au secours! (D) De bonne heure! (E) A merveille!

9. La jeune fille s'approche timidement du guichet et demande:

(A) Quel âge avez-vous? (B) A quelle heure peut-on déjeuner? (C) Est-ce que j'ai fait beaucoup de fautes? (D) Est-ce ici où l'on prend les billets? (E) Quelle est la leçon de demain?

10. J'étais enchanté de voir arriver le facteur, surtout quand il m'a dit:

(A) Votre seau est maintenant vide. (B) Je vais toucher un chèque. (C) Il n'y a pas de chauffage central. (D) Cette maison est à vendre. (E) Voici votre courrier.

11. Nous attendions Guillaume pendant une heure. Tout à coup le téléphone a sonné, et j'ai reconnu la voix de Guillaume. Il a expliqué:

(A) Je suis en panne. (B) Je n'ai pas de cuiller. (C) Je prends de l'embonpoint. (D) Je dois me moucher. (E) Je vous suis très reconnaissant.

12. Elle m'a passé le veau en disant:

(A) Ce costume vous ira bien. (B) Comment trouvez-vous cette plante? (C) Servez-vous, je vous en prie. (D) Prenez garde à la peinture. (E) Lavez le plancher, s'il vous plaît.

13. Nous flânions sur le quai. J'ai demandé à un bouquiniste:

(A) Avec quoi fait-on ce pain? (B) Avez-vous des chaussures noires à me montrer? (C) C'est combien ce pot de fleurs? (D) Pouvez-vous me vendre un paquet de cigarettes? (E) Puis-je regarder ce livre d'occasion?

14. Quand un train est sur le point de partir, on crie:

(A) Déchirez les billets! (B) En voiture! (C) Baissez le store! (D) Entrez, s'il vous plaît. (E) Sauvez-vous!

15. Martin avait été très gentil envers moi. Je lui ai dit:

(A) Je vous en veux. (B) Vous m'avez donc trahi! (C) Je vous en sais bon gré. (D) Sauve qui peut. (E) Comme vous êtes bête!

16. C'est la fin de l'entracte, et la pièce est très amusante. Vous dites à votre camarade:

(A) La pièce va commencer tout de suite. (B) Qu'allons-nous faire maintenant? (C) Allons reprendre nos places. (D) Voulez-vous aller fumer une cigarette? (E) Si nous allions au cinéma?

17. Le monsieur, ayant porté son linge chez la blanchisseuse, lui a dit:

(A) J'ai besoin d'une taille de cheveux. (B) Il faut laver ces chemises à l'eau tiède. (C) Nous aimons le fromage que vous vendez. (D) Cette montre ne marche pas bien. (E) Voulez-vous développer ces pellicules?

18. Quand elle a éternué, tout le monde a dit:

(A) Encore des plaintes! (B) Ni nous non plus. (C) Ne dites pas de mensonges. (D) A vos souhaits! (E) Soyez la bienvenue!

19. Il est évident qu'elle n'en peut plus. Comment le savez-vous?

(A) Elle tient à se reposer. (B) Elle veut aller chez le coiffeur. (C) Elle bavarde sans cesse. (D) Elle préfère sortir. (E) Elle mange de bon appétit.

20. L'homme ne peut pas atteindre le toit de sa maison pour le peindre. Il appelle son fils et lui dit:

    (A) Va me chercher une échelle. (B) Donne-moi ce balai. (C) Où est la pelle? (D) Apporte-moi un pinceau. (E) Amène-moi un témoin.

21. Le visiteur a regardé avec soin l'horaire. Il voulait savoir:

    (A) s'il allait pleuvoir. (B) le prix du repas. (C) pourquoi le moteur ne fonctionnait pas. (D) le nom du chef-d'œuvre. (E) l'heure de départ de son train.

22. Pendant les orages, la jeune fille se cachait en annonçant:

    (A) Je n'aime pas les foules. (B) La fumée me gêne. (C) Les éclairs me font peur. (D) Je ne veux pas prendre un coup de soleil. (E) Ces animaux m'effrayent.

23. Sa réponse m'a prouvé qu'il comprenait ce que j'avais expliqué. Voici ce qu'il a dit:

    (A) Je me moque de vous. (B) J'y suis. (C) Plaît-il? (D) Je peux m'en passer. (E) Je fais la sourde oreille.

24. Pourquoi ont-ils dû retourner à Paris?

    (A) Il était défendu de doubler. (B) Il n'y avait pas assez de carrefours. (C) Le pont n'était pas assez étroit. (D) Ils s'étaient trompés de chemin. (E) Il n'y avait pas de passage à niveau.

25. La dame est entrée dans un magasin pour acheter une paire de gants. Avant de lui montrer des gants, la vendeuse lui a demandé:

    (A) Avez-vous des vertiges? (B) Quelle est votre pointure? (C) Préférez-vous la natation? (D) De quelle couleur est votre menton? (E) Aimez-vous votre métier?

GRAMMAR QUESTIONS

    These questions of correct usage test your ability to express yourself with reasonable accuracy in French. You are generally given an incomplete sentence in French and are asked to underline the correct answer. The completed sentence must correspond to the English equivalent given. Occasionally a whole sentence is to be translated.

1. We are leaving for Canada.

    Nous partons _____ Canada.

    (A) pour (B) au (C) pour le (D) en

2. I shall do it without his knowing it.

    Je le ferai sans _____.

    (A) qu'il le sait (B) qu'il le sache (C) le sachant (D) qu'il le saura

3. What happened?

    _____ est arrivé?

    (A) Qu'est-ce qui (B) Qu' (C) Qu'est-ce qu' (D) Qui est-ce qui

4. We shall dine as soon as she returns.

    Nous dînerons aussitôt qu'elle _____.

    (A) revienne (B) revient (C) soit revenue (D) reviendra

5. Whose hat is this?

.... est ce chapeau?

(A) A qui (B) Dont (C) De qui (D) Duquel

6. If he were to do it, what would they say?

S'il ...., qu'en diraient-ils?

(A) était le faire (B) le ferait (C) le faisait (D) le fasse

7. He sees the skyscrapers of New York.

Il voit les .... de New-York.

(A) gratte-ciel (B) grattes-ciel (C) gratte-ciels (D) grattes-ciels

8. Where is the house you had built?

Où est la maison que ....?

(A) vous avez faite construire   (B) vous aviez construit

(C) vous aviez à construire   (D) vous avez fait construire

9. The merchant bought five hundred pens.

Le marchand a acheté cinq .... stylos.

(A) centaines (B) cents (C) cent (D) centièmes

10. You should have seen her hat!

Vous .... voir son chapeau!

(A) devez (B) avez dû (C) devriez (D) auriez dû

11. Butter costs four francs a pound.

Le beurre coûte quatre francs .... livre.

(A) la (B) par (C) une (D) le

12. Do you know what we need?

Savez-vous .... nous avons besoin?

(A) ce que (B) qu'est-ce que (C) ce dont (D) que

13. I have fewer than eleven.

J'en ai moins ....

(A) d'onze (B) que onze (C) qu'onze (D) de onze

14. We are not the ones who spoke.

Ce n'est pas nous qui .... parlé.

(A) aient (B) avons (C) ayons (D) ont

15. How long had you been studying?

Depuis quand ....?

(A) avez-vous étudié (B) étudiiez-vous (C) aviez-vous étudié (D) étudiez-vous

16. She has hardly any friends.

    (A) Elle n'a guère d'amis.   (B) Elle a à peine d'amis.

    (C) Elle n'a pas à peine des amis.   (D) Elle n'a guère des amis.

17. Here are the gifts that they sent each other.

    Voici les cadeaux qu'elles se sont _____.

    (A) envoyé   (B) envoyés   (C) envoyée   (D) envoyées

18. I permitted her to sew.

    (A) Je l'ai permise de coudre.   (B) Je lui ai permis de coudre.

    (C) Je lui ai permise de coudre.   (D) Je l'ai permis de coudre.

19. We are always happy at home.

    On est toujours heureux chez _____.

    (A) lui   (B) eux   (C) soi   (D) on

20. Most children like snow.

    _____ enfants aiment la neige.

    (A) La plupart des   (B) Le plus d'   (C) Le plus des   (D) La plupart d'

21. Go away, Gerald.

    _____, Gérard.

    (A) Vas-en   (B) Va-t'en   (C) Va-t-en   (D) Vas-t'en

22. The maid thanks them for it.

    La bonne _____ remercie.

    (A) leur en   (B) le leur   (C) les y   (D) les en

23. I saw them smoking cigarettes.

    Je les ai _____ des cigarettes.

    (A) vus fumer   (B) vu en fumant   (C) vus fumants   (D) vu fumer

24. We are looking for a child who writes well.

    Nous cherchons un enfant qui _____ bien.

    (A) écrit   (B) écrira   (C) écrive   (D) écrivit

25. They finally left the country.

    Ils ont fini _____ quitter le pays.

    (A) de   (B) par   (C) à   (D) après

Another type of grammar question has recently been included in the French examination. This question eliminates all use of English. It consists of a complete sentence in French with one or more words underlined. Of the five choices that follow, four may be substituted for the underlined words to form sentences that are grammatically correct but different in meaning from the original sentence. You are asked to choose the one answer that does *not* fit grammatically into the original sentence.

26. Nous avons beaucoup à faire ce matin.

    (A) mille choses   (B) tant   (C) des emplettes   (D) rien du tout   (E) une malle

27. Je suis enchanté <u>qu'il arrive</u>.

    (A) de vous revoir (B) qu'il ne pleut pas (C) des résultats (D) qu'elles soient arrivées (E) qu'ils parlent français

28. <u>Dès que</u> vous l'aurez fini, faites-le-moi savoir.

    (A) Lorsque (B) Si (C) Aussitôt que (D) Quand (E) Après que

29. Ma sœur a acheté <u>une jolie robe</u>.

    (A) de viande fraîche (B) des bas de nylon (C) trop de farine (D) plusieurs douzaines d'œufs (E) des petits pois

30. Nous y sommes arrivés <u>en même temps</u>.

    (A) ensemble (B) à temps (C) en retard (D) le lendemain (E) à la bonne heure

31. Ils lui ont <u>dit</u> de rester à la maison.

    (A) demandé (B) conseillé (C) prié (D) permis (E) commandé

32. <u>Obéit-il</u> à ses parents?

    (A) Répond-il (B) Ressemble-t-il (C) Écoute-t-il (D) Songe-t-il (E) Désobéit-il

33. Savez-vous ce dont <u>il a besoin</u>?

    (A) elle se servira (B) j'ai peur (C) elle se plaint (D) nous avons ri (E) il s'attendait

34. <u>Il est possible</u> qu'elle vende la voiture.

    (A) Il est probable (B) Son mari désire (C) Il faut (D) Nous regrettons (E) Il se peut

35. J'y <u>vais</u>.

    (A) suis (B) tenais (C) ai assisté (D) doute (E) jouerais

36. <u>Nous préférons</u> rester en ville.

    (A) Je devrai (B) Nous sommes bien aises (C) Sa mère l'a fait (D) Il vaut mieux (E) Elles espèrent

37. Il était <u>deux heures</u>.

    (A) minuit moins quart (B) une heure précise (C) midi et demi (D) sept heures cinq (E) onze heures et quart

38. Georges danse <u>chaque soir</u>.

    (A) tant bien que mal (B) de temps en temps (C) d'une façon magnifique (D) avec sa fiancée (E) davantage que moi

39. Je ne sais pas <u>pourquoi il a échoué</u>.

    (A) ce qui est dans le tiroir (B) les routes françaises (C) patiner (D) la leçon pour aujourd'hui (E) qui a écrit cette lettre

40. C'était <u>inutile</u>.

    (A) le meilleur (B) facile à faire (C) celle de Louis (D) poète (E) hier lundi

41. Philippe <u>sait</u> qu'il pleuvra ce soir.

    (A) croit (B) espère (C) dit (D) doute (E) pense

42. Le <u>matin</u> il se levait tard.

    (A) D'ordinaire   (B) Le février   (C) Le samedi   (D) Quand il pleuvait   (E) En hiver

43. Je <u>viens de</u> lui écrire une lettre.

    (A) m'attends à   (B) venais de   (C) refuse à   (D) n'ose   (E) ne veux pas

44. Quand nous sommes sortis, il faisait <u>chaud</u>.

    (A) nuit   (B) du soleil   (C) beau temps   (D) doux   (E) vent

45. J'ai <u>commencé</u> à lire le roman.

    (A) Elle s'était amusée   (B) Il a décidé   (C) Je passerai l'après-midi   (D) Tu as réussi   (E) Je n'hésiterais pas

46. <u>Espérez-vous</u> qu'il le fasse?

    (A) N'est-il pas évident   (B) Souhaitent-ils   (C) Pourquoi craignez-vous   (D) Croit-elle   (E) Doutent-ils

47. Je <u>dois</u> lui parler; elle désobéit toujours.

    (A) Il vous faudra   (B) On a beau   (C) Il est impossible   (D) J'ai à   (E) Nous comptons

48. Qu'est-ce qui <u>fait ce bruit</u>?

    (A) vous voulez dire   (B) arrive   (C) est tombé   (D) se passait   (E) les inquiète

49. Elles n'ont pas <u>l'intention de</u> le faire.

    (A) honte de   (B) assez d'argent pour   (C) de quoi   (D) envie de   (E) temps de

50. Il ne sortira pas sans <u>ses amis</u>.

    (A) faire ses adieux   (B) argent   (C) que je le voie   (D) mangeant   (E) l'avoir vu

VOCABULARY QUESTIONS

Although all questions are, in a sense, vocabulary questions, there are generally some questions that aim directly at testing mastery of vocabulary. Sometimes the candidate is asked to select an acceptable definition of a word; at other times, he is to select a word or phrase that completes a statement in a meaningful way.

Underline the correct definition.

1. ronfler

    (A) satisfaire sa soif   (B) faire du bruit en dormant   (C) envahir un pays   (D) bousculer une personne   (E) punir beaucoup

2. poil

    (A) éponge de mer   (B) troupeaux d'animaux   (C) esclave arabe   (D) cheveux fins sur la peau des animaux   (E) lieu où l'on fait le feu

3. méridional

    (A) qui vient du Midi   (B) saillant   (C) qui s'éloigne peu à peu   (D) entêté   (E) qui mérite une récompense

4. verve

    (A) carafe de cidre (B) grand immeuble (C) plante verte (D) chaleur d'imagination (E) punition sévère

5. drôle

    (A) habile (B) élu (C) lointain (D) bizarre (E) pénible

6. nouer

    (A) nier une dette (B) veiller sur (C) lier avec un nœud (D) enfoncer une porte (E) renoncer à quelque chose

7. vitre

    (A) panneau de verre d'une fenêtre (B) coquille (C) ce qu'on mange (D) mauvais tour (E) exclamation de surprise

8. autrefois

    (A) au début (B) ailleurs (C) il y a bien longtemps (D) à cette heure (E) autrement

9. brouillard

    (A) branche d'un arbre (B) qui fait du bruit (C) brume (D) lampe de poche (E) toile de coton

10. volaille

    (A) explosion d'un volcan (B) avion moderne (C) action de prendre par force (D) distance qu'on parcourt en volant (E) oiseaux de basse-cour

11. équipage

    (A) hommes embarqués pour le service d'un navire (B) matériel (C) canotage (D) épée militaire (E) appareil cinématographique

12. interdire

    (A) parler sans cesse (B) échouer (C) refuser de faire quelque chose (D) défendre (E) interrompre

13. foudre

    (A) manque de savoir (B) instrument de musique (C) façade de maison (D) décharge électrique aérienne (E) beau papillon

14. vacarme

    (A) fromage de lait (B) bruit tumultueux (C) animal de ferme (D) costume de bal (E) exclamation de surprise

15. traîner

    (A) tirer après soi (B) fumer excessivement (C) attraper le train (D) essuyer avec une serviette (E) avaler

16. poumon

    (A) horloge (B) espèce de poisson (C) animal des forêts (D) organe de la respiration (E) wagon-lit

17. redouter

    (A) soupçonner (B) ne pas croire (C) craindre fort (D) avoir du doute (E) rebrousser chemin

18. épuisé

    (A) qui a des cornes (B) en forme de sphère (C) avec une expression douce (D) suivant (E) privé de ses ressources

19. auparavant

    (A) avant une autre chose (B) par conséquent (C) également (D) cependant (E) de parti pris

20. carnet

    (A) partie d'un meuble (B) viande (C) ouverture pour sortir (D) petit livre de notes (E) terreur soudaine ·

21. rosée

    (A) belle fleur (B) gouttelettes d'eau (C) trou profond (D) partie supérieure d'une salle (E) endroit pittoresque

22. naufrage

    (A) travail quotidien (B) perte d'un bateau en mer (C) tempête (D) petit manteau (E) instrument pour mesurer

23. teint

    (A) coloris du visage (B) abri portatif (C) nuance de couleurs (D) plus âgé qu'un autre (E) appliqué avec effort

24. désormais

    (A) de temps à autre (B) à peine (C) en revanche (D) à partir du moment actuel (E) d'une autre façon

25. frémir

    (A) venir de loin (B) éviter (C) trembler d'émotion (D) étouffer (E) fixer la valeur

Underline the word or phrase that completes the sentence in a meaningful way.

26. Puisqu'elle portait des vêtements noirs, nous savions qu'elle était en

    (A) nage (B) grève (C) ville (D) deuil (E) honte

27. Ils ont admiré les belles fleurs sans marcher sur la

    (A) pelouse (B) chair (C) ride (D) chaumière (E) nappe

28. Une personne qui se fâche se met en

    (A) nuage (B) orgueil (C) crainte (D) peur (E) colère

29. Pour prendre des billets, il faut faire la

    (A) place (B) queue (C) promenade (D) ligne (E) malle

30. Un rêve pénible est un

    (A) asile (B) œillet (C) matelas (D) cauchemar (E) oreiller

31. La pluie les a _____ de se promener sur l'avenue.

(A) empêchés (B) évités (C) exigés (D) entourés (E) écrasés

32. La fenêtre _____ sur le jardin.

(A) rend (B) donne (C) face (D) marche (E) porte

33. Si vous avez chaud, _____ ce tricot.

(A) frottez (B) ôtez (C) mettez (D) habillez (E) chatouillez

34. Ce qui est évident _____ aux yeux.

(A) jette (B) voit (C) monte (D) regarde (E) saute

35. Cette eau n'est ni chaude ni froide; elle est

(A) raide (B) éteinte (C) maigre (D) tiède (E) foncée

36. Si elle n'a pas assez de sucre, elle peut m'en

(A) prêter (B) lier (C) emprunter (D) gâter (E) lâcher

37. Mon frère a de la chance; il _____ hier soir.

(A) l'a échappé belle (B) s'est ennuyé (C) a lavé la vaisselle (D) s'est peigné (E) a trempé ses vêtements

38. En me quittant, il m'a _____ la main.

(A) apporté (B) empressé (C) serré (D) bouleversé (E) accablé

39. Au contraire, je l'aime bien; je ne lui en _____ pas.

(A) peux (B) vois (C) tiens (D) hais (E) veux

40. Si tu comptes m'aider dans la cuisine, prends ce

(A) poing (B) tablier (C) seuil (D) caillou (E) puits

41. En entendant ce chanteur remarquable, nous savions que l'oiseau était

(A) une mouette (B) un pic (C) un rossignol (D) un moineau (E) un paon

42. Nous sommes entrés dans la charcuterie pour acheter des

(A) aiguilles (B) saucissons (C) balais (D) puces (E) bagues

43. Les jeunes gens avaient décidé de dormir

(A) à la belle étoile (B) à tout à l'heure (C) à travers champs (D) à l'envers
(E) à perte de vue

44. En route, nous sommes descendus à _____ pour nous reposer.

(A) un coude (B) une bêtise (C) une auberge (D) un talon (E) une marée

45. Les souliers du petit étaient sales parce qu'il avait marché dans la

(A) peau (B) flèche (C) mairie (D) boue (E) ficelle

46. François n'aura pas de difficulté; il sait bien se _____ d'affaire.

(A) mettre (B) tirer (C) pousser (D) prendre (E) lever

47. Un ivrogne est un homme qui

(A) mange avec avidité (B) a la tête dépouillée de cheveux (C) mendie dans la rue
(D) boit trop d'alcool (E) ne peut pas entendre

48. Le miel est produit par

(A) l'abeille   (B) l'araignée   (C) le homard   (D) le matelot   (E) la poule

49. On fabrique des machines dans cette

(A) averse   (B) roue   (C) ampoule   (D) lutte   (E) usine

50. Nous entendons constamment le bruit des camions parce que nous demeurons

(A) sur-le-champ   (B) à l'abri du vent   (C) au rez-de-chaussée   (D) près de la plage   (E) au-dessus des arbres

READING COMPREHENSION QUESTIONS

The reading passages are generally about 100 to 300 words in length. Each passage is followed by a series of questions. Some of the questions are factual, designed to test ability to extract the information given. Others deal with the total meaning of the passage or with a detail essential to full understanding of the author's point of view. Some questions may ask for inferences concerning mood, the author's attitude, or the feelings of the characters presented.

The passages may also be used to test *vocabulary in context*—idiomatic phrases or syntactical constructions which cannot be tested by ordinary grammar questions.

The first two reading passages that follow and questions 1-13 are reprinted with permission from the 1962 edition of *A Description of the College Board Achievement Tests*, published by the College Entrance Examination Board. This booklet, which contains many illustrative examples of the different kinds of questions that are used in the Achievement Tests, is revised annually and is supplied without cost to high schools for distribution to students before they take the tests. The booklet may also be obtained on request by writing to either of the College Entrance Examination Board addresses: Box 592, Princeton, New Jersey, or Box 27896, Los Angeles 27, California.

Par une ironie du sort, ce critique d'art qui s'était nourri, avec une admiration infatigable, de la magnificence du travail humain, devint l'esclave d'un péché tout contraire: la gourmandise. Le corps aussi a ses besoins. Flon, dont le peu de fortune et le goût du bric-à-brac lui imposaient un régime au rebours de ses goûts raffinés, avait tranché la question en allant tous les jours dîner en ville. Sa petite célébrité de connaisseur d'art, à une époque où ce talent manquait, lui valait, aussi bien que son noble visage romain et son port majestueux, un couvert chez des gens pour qui le prix de vivres n'entrait pas en ligne de compte.

Mais ce qui n'avait été qu'un expédient devint bientôt une nécessité tyrannique et malsaine. Peu à peu les beaux traits devinrent flasques, l'allure d'empereur était parfois torturée par des crises de goutte. J'ose même assurer que Flon modifia parfois ces opinions sur l'art pour complaire à Mme la marquise, dont le faisan était renommé. Au début, le célibataire avait généreusement payé cette aumône gastronomique par ses propos savants, mais il n'avait pas suivi le progrès des arts avec le même intérêt qu'il accordait aux mets. Quand je l'ai connu, vers '58, ses opinions sur la peinture étaient vieux jeu. On attendait ses visites avec un manque d'impatience qui tournait à la froideur. Rien d'étonnant si, enfin, il se trouvait de plus en plus souvent dans la douloureuse obligation de prendre un pot-au-feu dans une gargote du quartier.

1. L'ironie consiste en ce que Flon

(A) mourait de faim
(B) oubliait l'heure des repas
(C) a cessé de peindre
(D) faisait seulement semblant d'aimer l'art
(E) avait laissé son vice dominer sa personnalité

2. Flon avait un problème à résoudre parce qu'il

    (A) était trop intelligent
    (B) ne pouvait se payer les choses qu'il aimait
    (C) restait trop enfermé chez lui
    (D) avait mauvais appétit
    (E) ne savait pas faire la cuisine

3. Pour mettre fin à ses difficultés, Flon

    (A) avait décidé de se nourrir aux dépens des autres
    (B) avait vendu sa collection d'art
    (C) s'était marié avec une dame riche
    (D) était devenu connaisseur d'art
    (E) s'était mis au régime

4. L'inconvénient de la situation pour Flon, c'est que

    (A) Flon ne connaissait pas bien ses hôtes
    (B) ses hôtes voulaient qu'il fasse la cuisine
    (C) cette vie nouvelle devait l'asservir à son vice
    (D) les repas offerts n'étaient pas bons
    (E) Flon était traité avec trop de respect

5. Flon récompensait ses hôtes

    (A) en leur parlant d'art
    (B) en renonçant à sa carrière de peintre
    (C) avec le peu d'argent qu'il avait
    (D) en faisant leur portrait
    (E) en leur léguant sa collection

6. La vie mondaine de Flon

    (A) perfectionna son goût
    (B) le maintint en bonne santé
    (C) dura jusqu'à sa mort
    (D) lui assura les loisirs nécessaires à sa carrière
    (E) finit par détruire son intégrité professionelle

7. Avec le passage du temps, Flon

    (A) se plongea dans l'étude de l'art
    (B) perdit contact avec le monde de l'art
    (C) resta miraculeusement jeune
    (D) chercha les oeuvres les plus rares
    (E) abandonna les marquises

8. Vers la fin de ce passage, l'auteur raconte que

    (A) les hôtes de Flon cherchaient en vain à l'éviter
    (B) les goûts de Flon devinrent plus simples
    (C) Flon se contentait de son travail
    (D) Flon fut oublié par les riches
    (E) Flon préférait les restaurants

—Vous êtes venu de bien loin pour voir une ermite, me dit Mme S.; soyez le bienvenu. Je reçois peu d'étrangers, *un ou deux à peine* par année; mais votre lettre m'a plu, et j'ai désiré connaître une personne qui aimait comme moi Dieu, la nature, et la solitude. Quelque chose, d'ailleurs, me disait que nos étoiles étaient amies et que nous nous conviendrions mutuellement. Je vois avec plaisir que mon pressentiment ne m'a pas trompée, et vos traits que je vois maintenant et le seul bruit de vos pas, pendant que vous traversiez le corridor, m'en ont assez appris sur vous que je ne me repente pas d'avoir voulu vous voir.

9. *un ou deux à peine*

    (A) one or two with difficulty
    (B) one or two who are troubled
    (C) one or two nevertheless
    (D) not more than one or two
    (E) only one or two unfortunately

10. Mme S. a invité l'auteur

    (A) parce qu'elle le connaissait depuis longtemps
    (B) parce qu'elle avait souvent entendu parler de lui
    (C) parce qu'il était venu de loin
    (D) parce qu'elle avait deviné par sa lettre qu'il lui serait sympathique
    (E) parce qu'elle n'aurait pu faire autrement

11. Le pressentiment de Mme S. lui a dit

    (A) qu'ils étaient prédestinés à se plaire l'un à l'autre
    (B) que ses amies conviendraient à son visiteur
    (C) qu'elle allait recevoir une lettre de l'étranger
    (D) que l'auteur allait arriver
    (E) que son visiteur aimait Dieu, la nature, et la solitude

12. Avant de parler, l'auteur a déjà fait une bonne impression par la façon dont il

    (A) regarde Mme S.
    (B) est habillé
    (C) sourit
    (D) s'incline devant Mme S.
    (E) marche

13. On devine que ces deux personnes vont parler surtout

    (A) de l'astronomie
    (B) de la philosophie
    (C) de leurs amis
    (D) des voyages
    (E) des affaires

Je ne conçois qu'une manière de voyager plus agréable que d'aller à cheval, c'est d'aller à pied. On part à son moment, on s'arrête *à sa volonté,* on fait tant et si peu d'exercice qu'on veut. On observe tout le pays; on examine *tout ce qui nous flatte;* on s'arrête à tous les points de vue. Si j'aperçois une rivière, je la suis; un bois touffu, je vais sous son ombre; une grotte, je la visite. Partout où je me plais, j'y reste; à l'instant que je m'ennuie, je m'en vais. Je n'ai pas besoin de choisir des chemins tout faits, des routes commodes; je passe partout où un homme peut passer; je vois tout ce qu'un homme peut voir; et, ne dépendant que de moi-même, *je jouis de* toute la liberté dont un homme peut jouir.

J'ai peine à comprendre comment un philosophe peut se résoudre à voyager autrement, et s'arracher à l'examen des richesses que la terre prodigue à sa vue. Qui est-ce qui, ayant un peu de goût pour l'histoire naturelle, peut se résoudre à passer un terrain sans l'examiner, des cailloux sans chercher des fossiles?

Combien de plaisirs différents on rassemble par cette agréable manière de voyager! J'ai toujours vu ceux qui voyageaient dans de bonnes voitures bien douces, rêveurs, tristes, grondants, et souffrants; et les *piétons* toujours gais, légers et contents de tout.

14. *à sa volonté*

    (A) at the proper time
    (B) to rest
    (C) when one wishes
    (D) at one's destination
    (E) at one's goal

15. *tout ce qui nous flatte*

    (A) everything that weighs upon us
    (B) everything that surrounds us
    (C) everything that strikes us
    (D) everything that is visible to us
    (E) everything that delights us

16. *je jouis de*

    (A) I enjoy
    (B) I need
    (C) I use
    (D) I realize
    (E) I possess

17. *piétons*

    (A) peddlers
    (B) travelers
    (C) pious ones
    (D) pedestrians
    (E) horsemen

18. L'auteur dit

    (A) que la meilleure façon de voyager est à cheval
    (B) qu'il ne monte jamais à cheval
    (C) qu'il est agréable de voyager à cheval
    (D) qu'il n'aime pas l'exercice
    (E) qu'il fait peu d'exercice

19. Quand l'auteur voyage,

    (A) il s'ennuie souvent
    (B) il visite ce qui lui plaît
    (C) il s'amuse partout
    (D) il préfère les routes commodes
    (E) il dépend d'un guide

20. En voyageant à pied,

    (A) on n'a pas le temps de s'arrêter
    (B) on observe peu
    (C) on est souffrant
    (D) on court beaucoup de risques
    (E) on a l'occasion d'examiner le paysage

21. L'auteur a remarqué que

    (A) les philosophes préfèrent rester chez eux
    (B) les gens qui voyagent en voiture sont souvent de mauvaise humeur
    (C) seulement les gens riches ont assez de liberté
    (D) les voitures confortables font trop de bruit
    (É) d'ordinaire les philosophes choisissent les chemins tout faits

IRREGULAR VERBS

INFINITIVE	PRESENT PARTICIPLE	PAST PARTICIPLE	PRESENT INDICATIVE	PASSÉ SIMPLE	FUTURE	PRESENT SUBJUNCTIVE
aller	allant	allé (*with* être)	je vais tu vas il va nous allons vous allez ils vont	j'allai	j'irai	j'aille tu ailles il aille nous allions vous alliez ils aillent
s'asseoir	s'asseyant	assis	je m'assieds tu t'assieds il s'assied nous nous asseyons vous vous asseyez ils s'asseyent	je m'assis	je m'assiérai je m'assoirai	je m'asseye
atteindre	(*See* peindre)					
avoir	ayant	eu	j'ai tu as il a nous avons vous avez ils ont	j'eus	j'aurai	j'aie tu aies il ait nous ayons vous ayez ils aient
battre	battant	battu	je bats tu bats il bat nous battons vous battez ils battent	je battis	je battrai	je batte

314

Infinitive	Present Participle	Past Participle	Present	Passé Simple	Future	Subjunctive
boire	buvant	bu	je bois tu bois il boit nous buvons vous buvez ils boivent	e bus	je boirai	je boive tu boives il boive nous buvions vous buviez ils boivent
conduire	conduisant	conduit	je conduis tu conduis il conduit nous conduisons vous conduisez ils conduisent	je conduisis	je conduirai	je conduise
connaître	connaissant	connu	je connais tu connais il connaît nous connaissons vous connaissez ils connaissent	je connus	je connaîtrai	je connaisse
construire	(See conduire)					
courir	courant	couru	je cours tu cours il court nous courons vous courez ils courent	je courus	je courrai	je coure
couvrir	(See ouvrir)					
craindre	craignant	craint	je crains tu crains il craint nous craignons vous craignez ils craignent	je craignis	je craindrai	je craigne

315

IRREGULAR VERBS (Continued)

INFINITIVE	PRESENT PARTICIPLE	PAST PARTICIPLE	PRESENT INDICATIVE	PASSÉ SIMPLE	FUTURE	PRESENT SUBJUNCTIVE
croire	croyant	cru	je crois tu crois il croit nous croyons vous croyez ils croient	je crus	je croirai	je croie tu croies il croie nous croyions vous croyiez ils croient
décrire	(*See* écrire)					
devoir	devant	dû, due dus, dues	je dois tu dois il doit nous devons vous devez ils doivent	je dus	je devrai	je doive tu doives il doive nous devions vous deviez ils doivent
dire	disant	dit	je dis tu dis il dit nous disons vous dites ils disent	je dis	je dirai	je dise
dormir	dormant	dormi	je dors tu dors il dort nous dormons vous dormez ils dorment	je dormis	je dormirai	je dorme

Infinitive	Present participle	Past participle	Present	Past historic	Future	Subjunctive
écrire	écrivant	écrit	j'écris tu écris il écrit nous écrivons vous écrivez ils écrivent	j'écrivis	j'écrirai	j'écrive
envoyer	envoyant	envoyé	j'envoie tu envoies il envoie nous envoyons vous envoyez ils envoient	j'envoyai	j'enverrai	j'envoie tu envoies il envoie nous envoyions vous envoyiez ils envoient
éteindre	(*See* peindre)					
être	étant	été	je suis tu es il est nous sommes vous êtes ils sont	je fus	je serai	je sois tu sois il soit nous soyons vous soyez ils soient
faire	faisant	fait	je fais tu fais il fait nous faisons vous faites ils font	je fis	je ferai	je fasse
falloir	----------	fallu	il faut	il fallut	il faudra	il faille
joindre	joignant	joint	je joins tu joins il joint nous joignons vous joignez ils joignent	je joignis	je joindrai	je joigne

IRREGULAR VERBS (Continued)

INFINITIVE	PRESENT PARTICIPLE	PAST PARTICIPLE	PRESENT INDICATIVE	PASSÉ SIMPLE	FUTURE	PRESENT SUBJUNCTIVE
lire	lisant	lu	je lis tu lis il lit nous lisons vous lisez ils lisent	je lus	je lirai	je lise
mentir	(See sentir)					
mettre	mettant	mis	je mets tu mets il met nous mettons vous mettez ils mettent	je mis	je mettrai	je mette
mourir	mourant	mort (with être)	je meurs tu meurs il meurt nous mourons vous mourez ils meurent	je mourus	je mourrai	je meure tu meures il meure nous mourions vous mouriez ils meurent
naître	naissant	né (with être)	je nais tu nais il naît nous naissons vous naissez ils naissent	je naquis	je naîtrai	je naisse

Infinitive	Present Participle	Past Participle	Present	Past Historic	Future	Subjunctive
offrir	offrant	offert	j'offre tu offres il offre nous offrons vous offrez ils offrent	j'offris	j'offrirai	j'offre
ouvrir	ouvrant	ouvert	j'ouvre tu ouvres il ouvre nous ouvrons vous ouvrez ils ouvrent	j'ouvris	j'ouvrirai	j'ouvre
paraître	paraissant	paru	je parais tu parais il paraît nous paraissons vous paraissez ils paraissent	je parus	je paraîtrai	je paraisse
partir	partant	parti (*with* être)	je pars tu pars il part nous partons vous partez ils partent	je partis	je partirai	je parte
peindre	peignant	peint	je peins tu peins il peint nous peignons vous peignez ils peignent	je peignis	je peindrai	je peigne
plaindre	(*See* craindre)					

IRREGULAR VERBS (Continued)

INFINITIVE	PRESENT PARTICIPLE	PAST PARTICIPLE	PRESENT INDICATIVE	PASSÉ SIMPLE	FUTURE	PRESENT SUBJUNCTIVE
plaire	plaisant	plu	je plais tu plais il plaît nous plaisons vous plaisez ils plaisent	je plus	je plairai	je plaise
pleuvoir	pleuvant	plu	il pleut	il plut	il pleuvra	il pleuve
pouvoir	pouvant	pu	je peux (puis) tu peux il peut nous pouvons vous pouvez ils peuvent	je pus	je pourrai	je puisse
prendre	prenant	pris	je prends tu prends il prend nous prenons vous prenez ils prennent	je pris	je prendrai	je prenne tu prennes il prenne nous prenions vous preniez ils prennent
produire	(See conduire)					
recevoir	recevant	reçu	je reçois tu reçois il reçoit nous recevons vous recevez ils reçoivent	je reçus	je recevrai	je reçoive tu reçoives il reçoive nous recevions vous receviez ils reçoivent

Infinitive	Present Participle	Past Participle	Present	Past Historic	Future	Present Subjunctive
rire	riant	ri	je ris tu ris il rit nous rions vous riez ils rient	je ris	je rirai	je rie tu ries il rie nous riions vous riiez ils rient
savoir	sachant	su	je sais tu sais il sait nous savons vous savez ils savent	je sus	je saurai	je sache
sentir	sentant	senti	je sens tu sens il sent nous sentons vous sentez ils sentent	je sentis	je sentirai	je sente
servir	servant	servi	je sers tu sers il sert nous servons vous servez ils servent	je servis	je servirai	je serve
sortir	sortant	sorti (*with* être)	je sors tu sors il sort nous sortons vous sortez ils sortent	je sortis	je sortirai	je sorte
souffrir	(*See* offrir)					

IRREGULAR VERBS (Continued)

INFINITIVE	PRESENT PARTICIPLE	PAST PARTICIPLE	PRESENT INDICATIVE	PASSÉ SIMPLE	FUTURE	PRESENT SUBJUNCTIVE
suivre	suivant	suivi	je suis tu suis il suit nous suivons vous suivez ils suivent	je suivis	je suivrai	je suive
se taire	se taisant	tu	je me tais tu te tais il se tait nous nous taisons vous vous taisez ils se taisent	je me tus	je me tairai	je me taise
tenir	tenant	tenu	je tiens tu tiens il tient nous tenons vous tenez ils tiennent	je tins tu tins il tint nous tînmes vous tîntes ils tinrent	je tiendrai	je tienne tu tiennes il tienne nous tenions vous teniez ils tiennent
traduire	traduisant	traduit	je traduis tu traduis il traduit nous traduisons vous traduisez ils traduisent	je traduisis	je traduirai	je traduise

Infinitif	Participe présent	Participe passé	Présent	Passé simple	Futur	Subjonctif
valoir	valant	valu	je vaux tu vaux il vaut nous valons vous valez ils valent	je valus	je vaudrai	je vaille tu vailles il vaille nous valions vous valiez ils vaillent
venir	venant	venu (*with* être)	je viens tu viens il vient nous venons vous venez ils viennent	je vins tu vins il vint nous vînmes vous vîntes ils vinrent	je viendrai	je vienne tu viennes il vienne nous venions vous veniez ils viennent
vivre	vivant	vécu	je vis tu vis il vit nous vivons vous vivez ils vivent	je vécus	je vivrai	je vive
voir	voyant	vu	je vois tu vois il voit nous voyons vous voyez ils voient	je vis	je verrai	je voie tu voies il voie nous voyions vous voyiez ils voient
vouloir	voulant	voulu	je veux tu veux il veut nous voulons vous voulez ils veulent	je voulus	je voudrai	je veuille tu veuilles il veuille nous voulions vous vouliez ils veuillent

PATTERNS OF ORTHOGRAPHIC-CHANGING VERBS

INFINITIVE	PRESENT PARTICIPLE	PAST PARTICIPLE	PRESENT INDICATIVE	PASSÉ SIMPLE	FUTURE	PRESENT SUBJUNCTIVE
mener	menant	mené	je mène tu mènes il mène nous menons vous menez ils mènent	je menai	je mènerai	je mène tu mènes il mène nous menions vous meniez ils mènent
appeler	appelant	appelé	j'appelle tu appelles il appelle nous appelons vous appelez ils appellent	j'appelai	j'appellerai	j'appelle tu appelles il appelle nous appelions vous appeliez ils appellent
jeter	jetant	jeté	je jette tu jettes il jette nous jetons vous jetez ils jettent	je jetai	je jetterai	je jette tu jettes il jette nous jetions vous jetiez ils jettent
espérer	espérant	espéré	j'espère tu espères il espère nous espérons vous espérez ils espèrent	j'espérai	j'espérerai	j'espère tu espères il espère nous espérions vous espériez ils espèrent

employer	employant	employé	j'emploie tu emploies il emploie nous employons vous employez ils emploient	j'employai	j'emploierai	j'emploie tu emploies il emploie nous employions vous employiez ils emploient
prononcer	prononçant	prononcé	je prononce tu prononces il prononce nous prononçons vous prononcez ils prononcent	je prononçai tu prononças il prononça nous prononçâmes vous prononçâtes ils prononcèrent	je prononcerai	je prononce
voyager	voyageant	voyagé	je voyage tu voyages il voyage nous voyageons vous voyagez ils voyagent	je voyageai tu voyageas il voyagea nous voyageâmes vous voyageâtes ils voyagèrent	je voyagerai	je voyage

AUDITORY COMPREHENSION

(Questions and Alternatives)

After the reading of each paragraph by the Teacher, write the *number* of the alternative that best answers each question. Base your answers only on the content of the paragraph.

1. Pourquoi cette personne aime-t-elle écouter la musique de ce compositeur?

1 On n'a pas besoin de se taire.
2 Cette musique est très douce.
3 Sa musique est brillante.
4 C'est une musique qui semble lui parler.

2. Qu'est-ce qui irrite ces hommes?

1 la circulation formidable de la capitale française
2 les demandes indiscrètes des clients
3 les conseils du Préfet de la Seine
4 la pensée d'avoir à porter un costume spécial

3. Dans quel domaine cet homme a-t-il une aptitude spéciale?

1 en peinture   2 en musique   3 en sport   4 en poésie

4. Pour quelle raison a-t-on applaudi?

1 Le roi assistait à la célébration.
2 Les princesses se joignaient au peuple.
3 Les demoiselles portaient leurs robes royales.
4 Les filles du roi dansaient avec grâce.

5. Où ce spectacle a-t-il lieu?

1 au théâtre   2 au cirque   3 aux jeux Olympiques   4 au cinéma

6. Quelle difficulté ce jeune homme a-t-il?

1 Il voudrait quitter son lycée pour chercher un emploi.
2 Quand il parle à une jeune fille, elle ne lui répond pas.
3 Il n'ose pas faire la connaissance d'une certaine personne.
4 Il a une maladie de coeur.

7. Dans quelles conditions doit-on choisir ce sport?

1 Si on est petit.
2 Si on est nerveux.
3 Si on est de nature lente.
4 Si on n'est pas sûr de soi.

8. Comment ce jeune homme trouvait-il ses classes?

1 Il ne les aimait pas.
2 Il les trouvait faciles.
3 Il devait y travailler dur.
4 Il avait beau essayer, il ne réussissait pas.

9. Quel avantage ces cartes offrent-elles?

1 Elles sont d'une beauté extraordinaire.
2 Elles ne voleront pas.
3 On ne peut pas les détruire.
4 Elles sont plus faciles à lire.

10. Qu'est-ce qui dérangeait ce chien?

1 l'odeur qu'il sentait
2 ce qu'il voyait
3 le bruit qu'il entendait
4 l'espion derrière le rideau

11. Comment cette nouveauté aidera-t-elle le golfeur?

1 Elle permettra au joueur de retrouver son sang-froid.
2 Il se fâchera moins souvent.
3 Le mauvais joueur pourra faire des progrès plus rapides.
4 Elle épargnera au golfeur beaucoup d'effort.

12. Qu'est-ce qu'on peut dire au sujet de ces trois hommes?

1 Ils se connaissent en agriculture.   3 Ils manquent de courage.
2 Ils se passionnent pour l'alpinisme.   4 Ils aiment les températures froides.

13. A quoi cette salle de classe ressemble-t-elle?

1 à un théâtre   2 à un tribunal   3 à une place publique   4 à un château

14. Selon cet article, qu'est-ce que tout le monde devrait savoir?

1 guérir un blessé
2 appeler un agent de police en cas d'urgence
3 prévenir un accident sérieux
4 soulager la douleur de quelqu'un qui s'est fait mal

15. Qu'est-ce que ces quatre hommes essayaient de faire?

1 de voler une nouvelle automobile
2 d'emporter un appareil photographique
3 de faire la connaissance d'un savant
4 d'obtenir des renseignements secrets

16. Comment cet homme d'affaires a-t-il fait de la publicité pour son produit?

1 Il a traversé un lac à la nage.   3 Il a lancé son auto dans l'eau.
2 Il a fait flotter un bouchon.   4 Il a jeté quelque matière dans le lac.

17. Pourquoi fait-on ces recherches?

1 pour retrouver un trésor perdu
2 pour augmenter nos ressources industrielles
3 pour mieux nourrir l'humanité
4 afin de retrouver des hommes disparus

18. Qu'est-ce qu'il y a de différent dans la façon de vivre de ces animaux?

1 Des animaux domestiques s'accordent avec des animaux sauvages.
2 Ils n'ont pas de cages.
3 Toutes ces bêtes ont les mêmes habitudes.
4 Leur façon de vivre ressemble à celle de leur maître.

19. Quel moyen va-t-on utiliser pour résoudre ce problème?

1 la chaleur   2 la faim   3 la soif   4 l'extinction

20. Pourquoi y a-t-il tant de familles sans foyer dans ce village européen?

1 Une avalanche inattendue y est descendue.
2 Un vent violent a abattu leur logis.
3 Le village a été inondé.
4 Des incendies ont détruit leurs maisons.

21. A quoi sert cette nouvelle méthode?

1 à empêcher des accidents   3 à exercer le corps humain
2 à sauver des vies humaines   4 à remplacer le médecin

22. Qu'est-ce que cette femme a remarqué pendant son voyage?

1 que la vie aux États-Unis coûte cher
2 que les Américains sont tout à fait aimables
3 que le pays est plus grand qu'elle ne le croyait
4 que les touristes européens manquent souvent d'intelligence

23. Qu'est-ce qui a émerveillé la foule?

1 que le chien s'efforçait de chercher l'objet
2 que l'animal pouvait accomplir le fait en marchant
3 que la bête pesait si peu
4 que l'animal ne savait pas nager

24. Selon cet article, quelle est la récompense d'avoir obtenu le baccalauréat?

1 un emploi excellent
2 une vie joyeuse
3 un meilleur salaire
4 une vie plus longue

25. Qu'est-ce que cette innovation permettra au sportif?

1 d'avancer plus rapidement
2 d'éviter les risques
3 de s'élever dans les airs
4 de devenir plus expert

26. Pourquoi le directeur va-t-il commander deux de ces machines?

1 La machine est garantie pour longtemps.
2 Le directeur veut que tout le travail soit fait.
3 L'usine est vaste.
4 Le prix des machines est bien raisonnable.

27. A quel égard cet animal est-il anormal?

1 Il a une maladie rare.
2 Il sait bien nager.
3 Il porte des vêtements.
4 Il aime se baigner.

28. Que faisait ce jeune homme juste avant sa mort?

1 Il conduisait une auto.
2 Il pilotait son avion.
3 Il participait à un match international.
4 Il se lançait vers le soleil.

29. Quelle est l'importance de cette machine?

1 On peut la reproduire facilement.
2 Elle facilite le nettoyage des fenêtres.
3 Elle vous aide à dormir.
4 Elle empêche que la pluie vous dérange.

30. Qu'est-ce qu'on affirme dans cet article?

1 que les femmes sont de meilleurs chauffeurs que les hommes
2 que les hommes causent la plupart des accidents
3 que les femmes ont peu de talent en ce qui concerne les automobiles
4 que les femmes qui conduisent se moquent des hommes

31. Pour quelle raison a-t-on fermé cette école?

1 Les clients s'en plaignaient.
2 On s'y amusait trop.
3 L'appareil nécessaire y manquait.
4 La plupart des élèves échouaient à l'examen.

32. Quelle qualité de ce musicien se révèle tout de suite?

1 sa méthode d'organisation
2 son charme
3 la façon dont il joue
4 sa connaissance de toute sorte de musique

33. Qu'est-ce que cet homme souhaite faire?

1 se faire instruire
2 cultiver son jardin
3 devenir boucher
4 étudier l'agriculture

34. Pourquoi ce rêve dérange-t-il Lili?

1 parce qu'elle perd de beaux cadeaux
2 parce qu'elle croit entendre du bruit
3 parce que la porte de sa chambre est souvent ouverte
4 parce que le Père Noël laisse tomber ses colis

35. Que désire faire cette jeune fille?

1 aller chez une amie
2 rester seule dans sa chambre

3 travailler dur
4 avoir de l'indépendance

36. A quoi ces deux personnes doivent-elles leur rencontre?

1 à leur jeunesse
2 à un navire

3 à un sport
4 aux vagues de la mer

37. Pourquoi cette école jouit-elle d'une immense popularité?

1 parce que les élèves n'ont pas besoin d'étudier
2 parce que les classes sont petites
3 parce qu'on y trouve des activités variées
4 parce que les leçons sont fort intéressantes

38. Qu'est-ce qu'on voulait prouver dans cette expérience?

1 que ce nouveau produit ne se brise pas
2 que le cristal solide ne résiste pas à toutes sortes de forces
3 que le café est aussi bon dans un verre que dans une tasse
4 que le verre et le métal ont des qualités semblables

39. A quoi rêve chacun de ces jeunes gens?

1 à posséder un hôtel pareil
2 à passer du temps dans un bel appartement
3 à devenir acteur
4 à faire la connaissance d'une princesse

40. Pourquoi recommande-t-on ce plat?

1 parce qu'il évite le travail excessif
2 parce que même les malades le trouvent délicieux
3 parce que c'est bon marché
4 parce qu'on peut le préparer pour n'importe quel repas

41. De quoi cette jeune fille se plaint-elle?

1 de ne pas plaire aux garçons
2 de suivre des cours difficiles

3 d'avoir peu d'amies
4 de n'avoir pas assez d'argent

42. A quoi pourrait servir cet objet extraordinaire?

1 à nourrir une famille nombreuse
2 à bâtir des édifices dans le village

3 à vérifier l'heure exacte
4 à prévenir les accidents

43. Qu'est-ce que ce savant a découvert?

1 un moyen de faire pousser des plantes sans eau
2 une méthode d'augmenter la résistance des plantes à la chaleur
3 une façon de stimuler la croissance de grosses feuilles
4 une technique pour acclimater les plantes aux pays froids

44. Quelle considération a influencé cette décision?

1 le manque d'ouvriers
2 la vie de famille

3 le désir de la paix
4 l'abondance de travailleurs

45. Pourquoi cet oiseau est-il si recherché?

1 parce qu'il chante à merveille
2 parce qu'on peut lui enseigner à parler
3 parce que la couleur de ses plumes est magnifique
4 parce qu'il préfère manger des insectes

46. Qu'est-ce qui a mis en colère l'automobiliste?

1 qu'on l'a blessé
2 que le poisson s'est échappé

3 qu'il a perdu son pistolet
4 qu'on a failli le tuer

47. Quel problème grave nous confronte, selon cet article?

1 le grand nombre de fabriques démodées
2 la consommation d'énergie électrique
3 l'équilibre entre l'homme et la machine
4 la création de nouvelles machines

48. Qu'est-ce qui a retardé le départ de cet avion?

1 Il fallait réparer une aile de l'avion.
2 L'avion était en panne d'essence.
3 Le pilote a découvert un nid d'oiseau.
4 Des moineaux volaient devant l'avion.

49. Pourquoi Mme Laval n'est-elle plus inquiète?

1 Elle connaît sa visiteuse.
2 Elle est trop fatiguée.
3 Sa fille la protège.
4 Elle ne croit plus aux fantômes.

50. Quel est le but de cette entreprise?

1 de venir en aide aux malades
2 d'organiser les professions en France
3 d'encourager des recherches humanitaires
4 de lancer des jeunes gens dans leur métier préféré

FRENCH THREE YEARS—JUNE 1964 (1)

Answer all parts of this examination.

Part 1

Directions (1-15): After the reading of each paragraph, write in the space provided in the separate answer booklet the *number* of the alternative that best answers *each* question. Base your answers only on the content of the paragraph. [30]

1. Pourquoi cet homme est-il venu en Amérique?
   1 pour faire fortune
   2 pour étudier les oiseaux
   3 pour retrouver ses vieux camarades
   4 pour peindre des paysages

2. Qu'est-ce qui a causé cet accident?
   1 la nuit sans étoiles
   2 le mauvais temps
   3 l'inexpérience d'un pilote
   4 un trop grand nombre de paquets lourds

3. Quelle sorte d'étudiants viennent en France?
   1 surtout les célébrités
   2 ceux qui s'intéressent particulièrement à la diplomatie
   3 ceux qui ont été choisis
   4 des jeunes de toutes origines

4. En France, qu'est-ce qui caractérise surtout la fête de Noël?
   1 l'échange de cartes de voeux traditionnels
   2 des achats de cadeaux de toutes sortes
   3 un mélange d'événements religieux et familiaux
   4 des bals

5. Quel rôle l'initiation joue-t-elle dans un groupe organisé?
   1 Elle enseigne aux jeunes à obéir à leurs aînés.
   2 Elle donne aux candidats le sens de leur grandeur.
   3 Elle symbolise la transition de l'adolescence à la maturité.
   4 Elle n'est qu'un simple jeu.

6. Comment Vernon Pick jouit-il de ses richesses?
   1 Il demeure en ville.
   2 Il profite du confort moderne.
   3 Il se promène dans une belle voiture américaine.
   4 Il mène une vie simple et solitaire.

7. Pourquoi cette jeune fille va-t-elle jouer au tennis en ville?
   1 pour le plaisir d'y conduire son auto
   2 pour des raisons sentimentales
   3 pour apprendre à conduire
   4 pour faire comme tous les gens de son temps

8. Quelle différence y a-t-il entre les stylos d'aujourd'hui et ceux d'autrefois?
   1 Ils sont plus compliqués que jamais.
   2 Ils se cassent plus facilement.
   3 Ils ne s'usent plus du tout.
   4 On les répare maintenant sans difficulté.

9. Pourquoi nos voisins du Nord désirent-ils que la Foire Internationale de 1967 ait lieu au Canada?
   1 pour établir des relations amicales entre la France et le Canada
   2 pour en tirer des profits énormes pour l'administration du pays
   3 pour aider à proclamer la solidarité d'une nation adulte
   4 pour encourager l'immigration

10. Quel avantage l'Egypte voit-elle dans l'enseignement du français?
    1 Les discussions diplomatiques seront plus profitables.
    2 Les écoliers seront forcés d'obtenir de meilleures notes.
    3 Le français remplacera l'arabe partout.
    4 Les Français se sentiront flattés.

11. Quelle fut la première victoire de Jeanne d'Arc?
    1 sa première entrevue chez Baudricourt
    2 son succès éventuel auprès du gouverneur
    3 son retour à la campagne
    4 l'encouragement reçu du clergé

12. Que serait Paris sans les gens de province?
    1 une ville d'importance secondaire   3 une région tropicale
    2 une ville qui n'aurait pas changé   4 un lieu privé de transport

13. Qu'est-ce qui a décidé cette actrice à tourner un nouveau film?
    1 son intérêt envers les jeunes personnes
    2 la soif de publicité
    3 la crise économique qui menace Monaco
    4 la peur de négliger ses talents

14. Pourquoi cet homme trouve-t-il son métier ennuyeux?
    1 Il aime faire des peintures plus artistiques.
    2 Son travail le retient trop à la maison.
    3 Il lui faut toujours recommencer.
    4 Les éditeurs sont trop difficiles à satisfaire.

15. Comment manque-t-on réellement d'humanité au cinéma?
    1 On semble jouir de la violence et du manque de pitié.
    2 On empêche les enfants d'assister aux spectacles.
    3 On risque la vie des enfants.
    4 On prive les gens de manger.

Part 2

Directions (16-20): In the spaces provided in the separate answer booklet, write in complete sentences in French the answers to the questions which will be read to you. [5]

[*Sample question:* À quelle heure vous êtes-vous couché(e) hier soir?
Answer: Hier soir je me suis couché(e) à dix heures.]

Part 3

Directions (21-40): Below *each* of the following passages you will find five questions or incomplete statements. Each statement or question is followed by four suggested answers numbered 1 through 4. Select the answer that most satisfactorily completes *each in accordance with the meaning of the passage* and write its *number* in the space provided in the separate answer booklet. [40]

a. Le jour de l'examen du certificat d'études approchait. M. Rambourg présentait neuf candidats qu'il faisait travailler de sept heures du matin à six heures du soir. Le matin, il donnait du travail pour la journée aux autres élèves en leur recommandant de ne pas lever le nez; cependant, ils avaient la permission de rire des candidats, au commandement du maître. Ce procédé devait stimuler les concurrents.

Après les dictées et les problèmes venaient les interrogations de français, d'histoire et de géographie. Les élèves savaient par coeur tous les résumés de leurs petits manuels.

M. Rambourg travailla tant que ses neuf élèves furent reçus au certificat d'études, l'un avec le numéro un, un autre avec le numéro trois. Le soir de l'examen il y avait foule à la gare pour les attendre. Les enfants sautèrent joyeusement hors des compartiments, et les parents riaient. On entourait M. Rambourg, rayonnant, on le félicitait, et dans le village en fête, on chantait la gloire du maître d'école.

21. Pour préparer ses candidats à l'examen, le professeur
 1 les obligeait à étudier énormément
 2 les laissait travailler par eux-mêmes
 3 leur permettait de perdre leur temps
 4 leur lisait des histoires drôles

22. Les autres élèves aidaient les candidats en
 1 leur posant des questions
 2 leur soufflant les réponses
 3 se moquant d'eux
 4 leur prêtant des livres

23. Cette méthode d'apprendre était surtout
 1 de tout réciter en groupe
 2 de se servir de la mémoire
 3 d'associer certaines idées générales
 4 de faire des raisonnements subtils

24. Que font les habitants du village pour partager le succès des écoliers?
 1 Ils les envoient en voyage.
 2 Ils les attendent à la maison.
 3 Ils viennent les rencontrer au train.
 4 Ils les font travailler toute la journée.

25. Quelle est l'attitude des parents envers le maître d'école?
 1 Ils lui offrent un cadeau.
 2 Ils restent indifférents.
 3 Ils le critiquent sévèrement.
 4 Ils le trouvent très bon professeur.

b. Albert Schweitzer, docteur en philosophie, en théologie, et en médecine est né en Alsace en 1875. Il devint prédicateur à l'Eglise Saint-Nicolas à Strasbourg. Pendant dix ans, de 1902 à 1912, il fut organiste de la Société Jean-Sébastien Bach. En apprenant que la Société des Missions Evangéliques à Paris avait besoin d'hommes pour son oeuvre en Afrique, il décida d'étudier la médecine pour secourir, comme médecin, la population indigène. Fondateur, en 1913, de l'hôpital de Lambaréné dans l'Afrique Equatoriale Française, il le dirige encore actuellement. En 1952 il a reçu le Prix Nobel de la Paix. Dans toutes ses activités le docteur Schweitzer s'efforce de respecter la vie. C'est pour cela qu'il soigne les malades et qu'il cherche à guérir la population indigène d'une maladie sans microbes, la peur. Les Africains sont craintifs devant les forces de la nature; il faut les calmer, leur rendre confiance. Le docteur Schweitzer nous donne le grand secret du bonheur humain: aimer et se rendre utile.

26. Le docteur Schweitzer est médecin, théologien, philosophe et
    1 avocat
    2 musicien
    3 ingénieur
    4 homme d'état

27. Selon le docteur Schweitzer qu'est-ce qu'il faut pour être heureux?
    1 recevoir des prix
    2 être renommé partout
    3 vivre en égoïste
    4 faire du bien aux autres

28. Qu'est-ce qui est arrivé à Schweitzer après beaucoup d'années en Afrique?
    1 Il a guéri presque tous les malades.
    2 Il a découvert la cause d'une maladie africaine.
    3 On lui a accordé un des plus grands honneurs du monde.
    4 La peur l'a forcé à abandonner ses projets.

29. Sur quel principe est fondée la philosophie du docteur Schweitzer?
    1 La nature nous comble de malheurs.
    2 On doit attacher une grande valeur à la vie.
    3 On trouve rarement ce qu'on cherche.
    4 La peur fait naître l'espérance.

30. Quel sentiment les Africains éprouvent-ils devant la nature?
    1 Ils ont peur.
    2 Ils sont orgueilleux.
    3 Ils restent indifférents.
    4 Ils se croient tout-puissants.

c. De gros poissons, engagés près de la plage dans une eau trop peu profonde, pris par la vague, s'en vinrent rouler jusque sur le sable sec. Les hommes de Cavelier ramassèrent ainsi, palpitants, et les ouïes battantes, plusieurs gros poissons. Volontiers le normand Sager, que Robert Cavelier avait engagé pour lui servir de serviteur, aurait crié au miracle. Mais les Indiens expliquèrent qu'il s'agissait d'un phénomène naturel et fréquent. Ils montrèrent, tout le long de la plage, les squelettes de milliers de poissons, qui, surpris par la tempête, et poussés sur les bas-fonds, avaient été dévorés par les insectes, ou par les aigles des bords des lacs.

31. Pourquoi les poissons ne pouvaient-ils plus nager?
    1 Ils étaient trop lourds.
    2 Les eaux de la mer s'élevaient.
    3 Ils s'étaient avancés trop près de la côte.
    4 Ils étaient trop fatigués.

32. Que firent les compagnons de Robert Cavelier?
    1 Ils virent sans émotion les poissons se débattre.
    2 Ils remirent les poissons à l'eau.
    3 Ils emportèrent les poissons.
    4 Ils restèrent immobiles devant ce spectacle extraordinaire.

33. L'auteur indique que le normand Sager
    1 était un grand seigneur
    2 avait déjà vu chose pareille dans son pays
    3 trouvait cet événement normal
    4 croyait aux faits surnaturels

34. Les indigènes savaient que ce fait
    1 était exceptionnel
    2 n'avait rien d'extraordinaire
    3 restait inexplicable
    4 offrait quelque chose d'anormal

35. A la suite d'une tempête, qu'est-ce qui arrivait?
    1 De nombreux poissons mouraient.
    2 Les oiseaux mangeaient les mouches.
    3 Les sauvages étaient très agités.
    4 Beaucoup d'hommes se sauvaient en criant.

    d. Un empereur du Japon avait rassemblé dans son palais vingt vases de porcelaine, les plus beaux qui fussent alors dans tout son empire. Or, il arriva qu'un officier en brisa un par inattention. L'Empereur entra dans une violente colère et ordonna que le coupable fût mis à mort. Le lendemain, au moment où la sentence allait être exécutée, un très vieux Brahmane qui marchait péniblement à l'aide d'un bâton se présenta dans le palais. —Seigneur, dit-il, je possède un secret pour réparer le vase brisé. A peine le Brahmane est-il en présence des dix-neuf vases qui restent que, d'un coup violent de son bâton, il les renverse tous sur le sol où ils se brisent en mille pièces.

    —Misérable, qu'as-tu fait? s'écrie l'Empereur.

    —J'ai fait mon devoir, répond tranquillement le Brahmane. Chacun de ces vases aurait pu coûter la vie à un de vos sujets. Qu'il vous suffise de prendre la mienne.

    L'Empereur fut frappé de la sagesse de ces paroles.

    —Vieillard, dit-il, tu as raison; tous ces vases dorés sont moins précieux que la vie d'une créature humaine.

    Et il eut pitié du maladroit officier et du courageux Brahmane.

36. Que fit le monarque quand l'officier maladroit brisa un des vases précieux?
    1 Il frappa l'officier.
    2 Il bannit l'officier du royaume.
    3 Il condamna l'officier à mourir.
    4 Il entra dans le palais.

37. Comment marchait le vieillard?
    1 difficilement
    2 rapidement
    3 sans aucune aide
    4 d'un pas léger

38. Que fit le Brahmane, à peine arrivé devant les objets d'art?
    1 Il emporta le vase brisé.
    2 Il brisa dix-neuf vases.
    3 Il brisa son bâton en mille pièces.
    4 Il renversa l'Empereur.

39. Le Brahmane convainquit l'Empereur
    1 que les vases de porcelaine sont aussi beaux que les vases dorés
    2 que l'Empereur avait raison
    3 que l'officier maladroit était courageux
    4 qu'une vie humaine vaut plus qu'un vase

40. Comment se termine cette anecdote?
    1 L'Empereur pardonna au Brahmane mais pas à l'officier.
    2 L'Empereur pardonna à tous les deux.
    3 L'Empereur félicita l'officier de son courage.
    4 L'Empereur remercia l'officier.

Part 4

    Directions (41-52): Choose *ten* of the following 12 questions. For *each* one chosen, in the space provided in the separate answer booklet write the *number* preceding the word or expression that best completes the statement. [10]

41. Jules Verne est renommé pour avoir écrit
    1 des pièces de théâtre   3 de la poésie lyrique
    2 des romans scientifiques   4 des chansons pour les petits

42. L'église qui domine Paris sur la butte Montmartre s'appelle
    1 le Sacré-Coeur   3 la Madeleine
    2 la Sainte-Chapelle   4 Saint-Germain-des-Prés

43. Le port commercial et industriel qui relie la France à l'Afrique du Nord se nomme
    1 Lyon   3 Marseille
    2 Le Havre   4 Bordeaux

44. La *Communauté* est le nom
    1 d'un bloc économique français   3 d'un parti politique
    2 d'un grand magasin   4 d'une société scolaire

45. L'île de la Méditerranée qui appartient à la France s'appelle
    1 Malte   3 la Sardaigne
    2 Crète   4 la Corse

46. En France, de grands vins sont fabriqués à
    1 Bordeaux   3 Sèvres
    2 Lille   4 Grasse

47. Une région du continent américain où le français est reconnu comme langue officielle se trouve
    1 à Détroit   3 au Canada
    2 en Louisiane   4 en Nouvelle-Angleterre

48. Un récent événement international qui a eu une grande influence sur la politique française fut
    1 le traité entre la France et l'Allemagne
    2 la perte de l'Alsace-Lorraine
    3 la choix d'une Française comme Mlle Univers
    4 l'arrivée de Lindberg à Paris

49. Pour voir des Pardons et des Menhirs on va
    1 en Bretagne   3 à Lourdes
    2 sur la Côte d'Azur   4 au Louvre

50. Un grand document français du 18ème siècle s'intitule
    1 l'Edit de Nantes   3 le Code Napoléon
    2 le Traité de Versailles   4 la Déclaration des droits de l'homme

51. De Grasse et Rochambeau ont joué des rôles importants dans
    1 l'exploration du Pacifique   3 l'Indépendance américaine
    2 les Croisades   4 la première Grande Guerre

52. Un chef-d'oeuvre du Louvre prêté par la France aux Etats-Unis s'intitule
    1 Mona Lisa   3 La Vénus de Milo
    2 Le Penseur   4 La Victoire de Samothrace

Part 5

Directions (53-57): Each of the five incomplete statements is followed by four suggested answers numbered 1 through 4. Select the answer that completes each and write its *number* in the space provided in the separate answer booklet.   [5]

53. Mon oncle achètera ces bonbons uniquement
    1 faire plaisir aux enfants   3 à faire plaisir aux enfants
    2 pour faire plaisir aux enfants   4 de faire plaisir aux enfants

54. Vous le verriez si vous
    1 seriez venus   3 veniez
    2 êtes venu   4 viendriez

55. Pierre et Marie nous rejoindront quand ils
    1 font leurs devoirs   3 ont fait leurs devoirs
    2 fassent leurs devoirs   4 auront fait leurs devoirs

56. Je regrette que tu ne
    1 puisses pas le faire   3 peux pas le faire
    2 pusses pas le faire   4 pourrais pas le faire

57. Voici les jouets que l'enfant a
    1 perdu   3 perdues
    2 perdus   4 perdue

Part 6

Directions (58): In the separate answer booklet, write a letter to a friend telling him that you are going to hold a party after school closes. The letter must consist of *nine* grammatically complete sentences in French, containing the information given in the instructions below. Together these sentences are to form a unified letter.

Be sure to include in your letter the date, the salutation and the complimentary close.   [10]

a. an invitation to the party
b. the reason for the gathering
c. when and where it will be held
d. the best way to get there
e. who the guests will be
f. what entertainment you have planned
g. the refreshments that will be served
h. how you enjoyed yourself when your friend entertained at his home
i. the kind of reply you are hoping to receive

FRENCH THREE YEARS—JUNE 1965 (1)

Answer all parts of this examination.

Part 1

Directions (1-15): After the reading of each paragraph, write in the space provided in the separate answer booklet the *number* of the alternative that best answers *each* question. Base your answers only on the content of the paragraph. [30]

1. Quel aspect de la promenade Georges aimait-il surtout?
   1 la gaieté de son compagnon   3 l'occasion de réfléchir
   2 la durée de la promenade   4 le lieu qu'il visitait

2. Qu'est-ce qui distingue le magasin *Prébac* des autres magasins?
   1 On y trouve surtout des personnes âgées.
   2 On y sert des choses gratuites.
   3 On y essaie de plaire aux jeunes gens.
   4 On y vend des articles très rares.

3. Qu'est-ce que les jeunes femmes qui travaillent comme mannequins font pour rester maigres?
   1 Elles font un peu de gymnastique.
   2 Elles vont patiner.
   3 Elles se privent de choses sucrées.
   4 Elles prennent très peu de nourriture.

4. Qu'est-ce qui est le plus cher au coeur des Canadiens français?
   1 leurs coutumes locales   3 leurs héros légendaires
   2 leur attachement à l'Angleterre 4 la langue anglaise

5. Pourquoi les devoirs de ce garçon sont-ils meilleurs?
   1 Son père n'est pas là pour lui faire commettre des erreurs.
   2 Le garçon essaie de faire plaisir à son père.
   3 Le professeur est moins strict.
   4 Les devoirs pour cette semaine sont plus faciles.

6. Qu'est-ce que les médecins pensent du "twist"?
   1 qu'il est dangereux dans certains cas
   2 que c'est une danse barbare
   3 qu'il évite quelques maladies
   4 qu'il conduit à la détérioration progressive de l'intelligence

7. Qu'est-ce qui rend la vie du fermier misérable?
   1 Sa vie est très courte.
   2 Il doit travailler beaucoup toute sa vie.
   3 Il n'a personne qui puisse l'aider.
   4 Il ne peut pas travailler quand il fait mauvais.

8. A quoi compare-t-on les deux parties d'une langue moderne?
   1 à deux langues mortes
   2 à un fleuve pendant la saison froide
   3 à la séparation entre les nations
   4 à une route sur le bord de l'eau

9. Quels touristes sont le plus facilement satisfaits?

| 1 les Anglais | 3 les Américains |
| 2 les Belges | 4 les Allemands |

10. Qu'est-ce que la plantation de ces arbres rappelle aux gens mariés?
    1 qu'il faut travailler pour réussir
    2 que leur union doit durer toujours
    3 que le temps passe vite
    4 qu'ils auront toujours de la chance

11. Comment Louis XIV a-t-il répondu à ce discours?

| 1 par une lettre très polie | 3 par une remarque amusante |
| 2 par un long discours | 4 par des mots très flatteurs |

12. Quelle méthode a-t-on trouvée pour chasser les oiseaux des monuments publics?
    1 On leur construit des nids ailleurs.
    2 On fait beaucoup de bruit.
    3 On change la couleur des édifices.
    4 On applique une substance désagréable à toucher.

13. Pourquoi le Père Noël est-il fâché?
    1 Marie passe sans lui parler.
    2 La mère n'entre pas au magasin où il travaille.
    3 Il se porte mal ce matin-là.
    4 Il croit que Marie veut le faire travailler trop tôt.

14. Pourquoi certains élèves se servaient-ils d'appareils photographiques?

| 1 pour ennuyer le professeur | 3 pour apprendre la photographie |
| 2 pour s'amuser | 4 pour prendre des notes du cours |

15. Quels bagages faut-il prendre pour voyager?
    1 ceux qui suivent la mode du pays visité
    2 ceux qui permettent un grand assortiment de vêtements
    3 ceux qui causent le moins de fatigue et de dépenses
    4 ceux qu'on ne craint pas de perdre

Part 2

Directions (16-20): In the spaces provided in the separate answer booklet write in complete sentences in French the answers to the questions which wil be read to you. [5]

[*Sample question:* A quelle heure vous êtes-vous couché(e) hier soir?
Answer: Hier soir je me suis couché(e) à dix heures.]

Part 3

Directions (21-40): Below *each* of the following passages you will find several questions or incomplete statements. Each statement or question is followed by four suggested answers numbered 1 through 4. Select the answer that most satisfactorily completes *each in accordance with the meaning of the passage* and write its *number* in the space provided in the separate answer booklet. [40]

a. Au cours d'une conférence prononcée à l'occasion de l'ouverture du troisième congrès du Spectacle pour célébrer dix ans de télévision dans son pays, l'orateur disait:

"Les gens s'ennuient; ils sont prisonniers de la vie ordinaire, prisonniers de leurs devoirs, prisonniers de leur condition. Il faut les amener quelque part sur la terre où ça ne ressemble pas tout à fait à la vie de tous les jours."

"Ils demandent à rire ou à pleurer; ils demandent qu'on les intéresse. Et je crois qu'en dix ans, la télévision au Canada français a réussi la plupart du temps à émouvoir le public et à l'intéresser malgré les erreurs trop fréquentes et les succès trop rares. Cependant, je dois dire que quelque chose a été fait dont nous devons être fiers. De tous les efforts accumulés, est née dans le monde du spectacle une fraternité entre les artistes, les artisans, les techniciens, les administrateurs qui le composent."

21. L'occasion de ce discours était
   1 une visite universitaire
   2 une représentation théâtrale
   3 un concert télévisé
   4 un dixième anniversaire

22. Pourquoi les gens s'ennuient-ils?
   1 parce que leur vie est monotone
   2 parce qu'ils sont fatigués
   3 parce qu'ils sont en prison
   4 parce qu'ils n'aiment pas la télévision

23. Le conférencier trouve qu'en somme la télévision franco-canadienne
   1 n'a point répondu aux désirs du peuple
   2 a obtenu des résultats continuellement favorables
   3 a réussi généralement malgré tous les obstacles
   4 a progressé trop lentement

24. Quel fut le résultat du travail en commun?
   1 des conversations inutiles
   2 des fautes inexcusables
   3 une collaboration plus intime parmi les travailleurs
   4 des relations regrettables parmi les participants

b. Autrefois, dans la région montagneuse où se trouve la ville de Grenoble, la saison d'hiver était la saison du repos à l'intérieur. La vie s'y concentrait dans les distractions et les travaux intellectuels; c'était la saison des représentations théâtrales et des concerts; dans les confortables logis de l'aristocratie ou de la bourgeoisie, celle des réceptions, des dîners et des bals. Mais cette animation se manifestait seulement pendant la nuit, et par les rues couvertes de neige. On se limitait aux sorties inévitables, sans songer à sortir inutilement en plein air, s'exposer à la violence du vent du nord. Tout cela changea dès que les sports d'hiver furent importés.

25. Ce passage nous apprend quelques détails sur
   1 la vie paysanne dans la vieille France
   2 l'ancienne façon de s'amuser en hiver
   3 les dangers de sortir quand il fait froid
   4 les orages dans les montagnes

26. Dans cette région, on sortait rarement de la maison à cause
   1 de la rigueur du temps
   2 de la peur des bandits
   3 de la possibilité de rencontrer des animaux sauvages
   4 des dangers d'une révolution sociale

27. Comment la situation a-t-elle changé à Grenoble?
    1 On enlève toute la neige.
    2 On essaie de s'habiller plus chaudement.
    3 On fait plus d'athlétisme.
    4 Le climat n'est plus le même dans la montagne.

   c. Vos animaux favoris s'attendent à ce que vous les aidiez à supporter les chaleurs de l'été. Quant à votre oiseau en cage, sortir dehors ne l'intéresse pas. Il est même possible que cela lui fasse peur; que des chiens, des chats, ou des oiseaux plus gros l'attaquent; ou que le soleil soit trop chaud ou trop brillant pour lui. Gardez-le plutôt dans une pièce ni trop chaude ni trop froide, sans courants d'air. Suspendez un os pour lui. Ajoutez un peu de laitue et des jaunes d'oeufs durs à sa portion de graines afin de soigner son alimentation. Nettoyez ses perchoirs tous les jours et plongez-les dans l'eau bouillante au moins deux fois la semaine. Essuyez-les bien avant de les remettre en place. Changez chaque jour le papier qui couvre le fond de sa cage et recouvrez de sable propre.

28. Si vous avez un oiseau en cage, il faut
    1 jouer avec lui chaque matin   3 le laisser voler à l'extérieur
    2 le mettre au soleil   4 lui donner très peu de liberté

29. Pour le confort de l'oiseau, il faudrait le
    1 laisser dans une salle où la température est modérée
    2 mettre près d'une fenêtre ouverte
    3 faire sortir souvent de sa cage
    4 garder avec d'autres animaux

30. Il faut donner des jaunes d'oeufs à l'oiseau pour
    1 le tenir occupé   3 lui donner de l'intelligence
    2 lui conserver sa couleur   4 le nourrir mieux

31. Il faut nettoyer les perchoirs en les
    1 frottant avec du sable   3 lavant avec du lait
    2 mettant dans un courant d'air   4 stérilisant fréquemment

32. Quant au papier qui sert de tapis, il importe
    1 de le remplacer tous les jours   3 d'employer une couleur qui plaise
    2 d'en couvrir la cage   4 de le plier en forme d'accordéon

   d. Cependant le marquis pensa bientôt à gagner un quart d'heure, fût-ce le dernier de sa vie. Il prit une petite planche de sa voiture et se battit contre les accumulations de neige qui, chassées par le vent, menaçaient de recouvrir entièrement le cheval et la voiture. Pendant dix minutes, il travailla comme un athlète sans arrêt, se disant que c'était peut-être bien inutile, mais qu'il se défendrait et défendrait son cheval jusqu' à la mort.
   Après ces dix minutes, il remercia Dieu car la neige diminuait et le vent tombait. Il travailla alors moins vite, mais sans s'arrêter.

33. Quel temps faisait-il au début de l'épisode?
    1 Il faisait une tempête de neige. 3 Le temps était très doux.
    2 Il faisait beau soleil.   4 Le temps était à la pluie.

34. Le voyageur a décidé
    1 d'abandonner la lutte   3 de se cacher derrière la voiture
    2 de se battre jusqu' à la fin   4 de retourner en arrière

35. Qu'est-ce qui arriva quelques moments plus tard?
    1 La neige devint plus intense.   3 Le temps changea finalement.
    2 Le vent souffla plus fort.   4 Le cheval mourut.

e. Il y a quelques années nous avons salué à Paris l'arrivée d'un pianiste inconnu en France, mais que nous trouvions grand. Après un travail continu, Cziffra est devenu aujourd'hui un virtuose qui a autant d'admirateurs qu'une grande étoile de music-hall et c'est bien rassurant pour la musique classique et pour le piano.

Il est agréable de fêter la même année l'anniversaire du premier concert à Paris de Cziffra et le cent cinquantenaire de Liszt dont il est le plus célèbre interprète. En cinq ans Cziffra est devenu pour le monde entier l'interprète romantique pour qui Liszt semble avoir écrit ses plus brillantes compositions musicales.

Généreux et tourmenté, ce pianiste impétueux et violent vit paisiblement dans une grande maison près de Paris, entouré de sa femme, de ses enfants, de ses six chiens et d'autant de pianos. Là, ce grand travailleur voudrait oublier le charme de l'ancienne ville de Budapest qu'il a quittée il y a moins de dix ans.

36. Au moment de son arrivée à Paris, le pianiste était
    1 célèbre dans tous les pays
    2 peu connu dans sa nouvelle patrie
    3 entouré d'amis
    4 révolté contre le sort

37. Pendant ses premières années à Paris, Cziffra a
    1 fait du cinéma   3 chanté à l'Opéra
    2 abandonné la musique   4 fait du piano

38. Le succès de Cziffra prouve que le public moderne
    1 apprécie la musique des grands compositeurs
    2 aime seulement la musique de danse
    3 préfère le concert de musique populaire
    4 s'intéresse peu aux instruments à cordes

39. Cziffra est de nos jours l'interprète de Liszt qui
    1 chante le mieux   3 est le plus âgé
    2 est le plus connu   4 reste le plus ignoré

40. La vie de ce musicien est
    1 très solitaire
    2 une chose qu'il essaie d'oublier
    3 marquée par beaucoup de travail
    4 continuellement troublée par des considérations politiques

Part 4

Directions (41-52): Choose *ten* of the following 12 questions. For *each* one chosen, in the space provided in the separate answer booklet write the *number* preceding the word or expression that best completes the statement.   [10]

41. La grandeur de la France est presque la même que celle
    1 de la Floride   3 du Vermont
    2 du Texas   4 de la ville de New-York

42. Les départements de la France sont gouvernés par des
    1 intendants   3 percepteurs
    2 maires   4 préfets

43. Un des écrivains français du 20ème siècle se nomme
    1 Balzac   3 Molière
    2 Camus   4 Voltaire

44. Le premier à bien expliquer la fermentation du lait fut
    1 Claude Bernard   3 Louis Pasteur
    2 Jean-Baptiste Lamarck   4 Marcelin Berthelot

45. "Le Roi Soleil" est le nom qu'on donnait à
    1 Louis XIV   3 Charlemagne
    2 Louis XVI   4 Saint Louis

46. La Galerie des Glaces se trouve
    1 à Baccarat   3 au Café de la Paix
    2 à Chamonix   4 au Palais de Versailles

47. Le canal de Suez fut percé par
    1 Ferdinand de Lesseps   3 Louis Blériot
    2 Gustave Eiffel   4 Robert Cavelier de La Salle

48. La Normandie est bien connue pour
    1 la construction des automobiles   3 les mines de charbon
    2 ses montagnes grandioses   4 les produits de la ferme

49. Dans la ville de Limoges on fabrique
    1 de la porcelaine   3 des sculptures
    2 des paniers   4 des tapisseries

50. "L'étendard sanglant est levé" est tiré
    1 de *Carmen*
    2 des *Contes d'Hoffman*
    3 de *La Marseillaise*
    4 du *Prélude de l'après-midi d'un faune*

51. Au petit déjeuner, les Français prennent ordinairement
    1 un apéritif   3 des croissants
    2 la bouillabaisse   4 des escargots

52. L'Edit de Nantes est un document historique qui
    1 accordait aux bourgeois des chartes d'affranchissement
    2 accordait de grandes libertés aux Protestants
    3 faisait adhérer la France à la politique de l'Autriche
    4 signalait la fin de la Guerre de Cent Ans

Part 5

Directions (53-57): Each of the five incomplete statements is followed by four suggested answers numbered 1 through 4. Select the answer that best completes each and write its *number* in the space provided in the separate answer booklet.
[5]

53. Nous commencerons à lire dès qu'il . . . .
   1 arrive   2 arrivera   3 soit arrivé   4 est arrivé

54. Montrez-moi les gants qu'elle a . . . .
   1 choisis   2 choisies   3 choisi   4 choisie

55. J'irai au cinéma après . . . mes devoirs.
   1 avoir fini   2 ayant fini   3 finir   4 finissant

56. Robert a passé ses vacances . . . Italie.
   1 dans l'   2 en   3 à   4 au

57. Il faut que vous . . . me voir demain.
   1 venez   2 viendrez   3 veniez   4 viendriez

Part 6

Directions (58) : In the answer booklet, write a composition as directed below:
[10]

A French-speaking group is visiting your school. You have been assigned to act as a guide. The principal has introduced you to the group, and before you start a tour of the school, you are going to give a brief orientation. Write at least *ten* grammatically complete sentences in French which together form a unified composition and which cover the following:

a. how happy you are to meet them
b. why you were chosen to act as guide
c. two facts about the building
d. the approximate number of pupils and teachers
e. some of the subjects taught in this school
f. some of the facilities of the school, such as the library, cafeteria, etc.
g. how most of the pupils get to school
h. the length of the school day
i. some of the activities such as sports, clubs, etc.
j. an invitation to ask questions

FRENCH THREE YEARS—JUNE 1966 (1)

Answer all parts of this examination.

Part 1

Directions (1-15): After the reading of each paragraph, write in the space provided in the separate answer booklet the *number* of the alternative that best answers *each* question. Base your answers only on the content of the paragraph. [30]

1. Qu'est-ce que De Gaulle souhaite pour la France?
   1 la supériorité absolue des armes
   2 une population nombreuse
   3 le retour vers le passé
   4 la modernisation constante

2. A quoi sert cette bibliothèque?
   1 à rassembler les Américains émigrés
   2 à combattre la propagande progressiste
   3 à faire apprécier la culture américaine à l'étranger
   4 à encourager les paysans à s'établir en Amérique

3. Qu'est-ce que cette femme a réussi à faire?
   1 à trouver le nombre de pas dans un kilomètre
   2 à inventer un instrument pour mesurer la distance
   3 à inventer une formule de mathématiques
   4 à mesurer la distance qu'elle parcourait chaque jour

4. Pourquoi ce monsieur attire-t-il l'attention du public?
   1 C'est un acteur bien connu.
   2 C'est un professeur de peinture.
   3 Il critique les pièces de théâtre.
   4 Il parle continuellement pendant la représentation.

5. Qu'est-ce que l'auteur dit à propos du fromage roquefort?
   1 Il a un goût très doux.
   2 Il est apprécié depuis des siècles.
   3 Pline en vendait.
   4 Les rois l'ont inventé.

6. Qu'est-ce qui a rendu le village de Pleumeur-Bodou célèbre?
   1 la station terrestre de communications spatiales
   2 son nom long et intéressant
   3 son bureau de poste très étrange
   4 la maison où le Président de la République est né

7. Quelle est la situation financière de la France?
   1 La France s'est rétablie financièrement.
   2 La France doit emprunter pour payer ce qu'elle doit.
   3 La France n'a pas changé depuis des années.
   4 La France a perdu tous ses marchés à l'étranger.

8. Qu'est-ce que le fabuliste La Fontaine a essayé de faire?
   1 d'amuser les enfants
   2 de donner une leçon de morale
   3 d'enseigner aux bêtes à parler
   4 de critiquer la langue française

9. Quel malheur M. Thaler a-t-il réussi à éviter?
   1 un vol à main armée
   2 une inondation
   3 la perte d'une vie
   4 la perte d'un navire

10. Qu'est-ce qui ennuie ces gens?
    1 la noblesse trop élégante
    2 le langage du temps
    3 la grandeur des logements
    4 la quantité insuffisante de charbon

11. De nos jours, que pensent certains théologiens au sujet de nos rêves?
1 Ils sont tout simplement drôles.
2 Ils se réalisent après un certain temps.
3 Ils font partie de notre culture.
4 Ils nous apportent des messages du Ciel.

12. Pourquoi a-t-on interdit le stationnement pendant la nuit?
1 pour éviter les accidents
2 pour garder la ville plus propre
3 pour protéger les automobilistes contre les voleurs
4 pour rapporter des profits à la municipalité

13. Qu'est-ce que cette anecdote prouve?
1 qu'il faut retourner souvent au même restaurant
2 qu'on doit parler très peu à table
3 que l'intérêt personnel compte pour beaucoup
4 que les auteurs manquent de courtoisie

14. Quel événement historique a-t-on commémoré à Paris en 1963?
1 l'arrivée d'un grand personnage   3 l'ouverture d'un nouveau musée
2 la construction d'une grande église   4 la fondation d'une société de savants

15. Comment Marcel Pagnol obtenait-il ce costume quand il en avait besoin?
1 Il employait la force.
2 Il le demandait à un employé de la poste.
3 Il allait chez son tailleur.
4 Il faisait paraître une petite annonce.

Part 2

Directions (16-20): In the spaces provided in the separate answer booklet, write in complete sentences in French the answers to the questions which will be read to you.   [5]

[*Sample question:* A quelle heure vous êtes-vous couché(e) hier soir?
Answer: Hier soir je me suis couché(e) à dix heures.]

Part 3

Directions (21-40): Below *each* of the following passages you will find five questions or incomplete statements. Each statement or question is followed by four suggested answers numbered 1 through 4. Select the answer that most satisfactorily completes *each in accordance with the meaning of the passage* and write its *number* in the space provided in the separate answer booklet.   [40]

a. Ma chère Marthe,
Tu peux compter sur la discrétion de l'homme qui t'apportera cette lettre; il ne sait ni lire ni écrire; c'est un des plus solides républicains de la conspiration; ton père s'est servi de lui souvent, et il regarde le sénateur comme un traître. Or, ma chère femme, le sénateur a été emprisonné par nous dans la cellule où nous avons autrefois caché nos maîtres. Le misérable n'a de nourriture que pour cinq jours, et comme il est de notre intérêt qu'il vive, dès que tu auras lu ce mot, porte-lui de quoi manger pour au moins cinq autres jours. La forêt doit être surveillée; prends autant de précautions que nous en prenions pour nos jeunes maîtres. Ne dis pas un mot à Malin, ne lui parle point et mets un de nos masques que tu trouveras sur une des marches de la cave. Si tu ne veux pas compro-

mettre nos têtes, tu garderas le silence le plus entier sur le secret que je suis forcé de te confier. Nous sommes certains de la bonne issue de cette affaire et, quand il le faudra, Malin sera notre sauveur. Enfin, dès que cette lettre sera lue, brûle-la tout de suite, car elle me coûterait la tête si l'on en voyait une seule ligne.

Je t'embrasse,
" Michu "

21. Une des raisons pour lesquelles Michu croit que la lettre est entre bonnes mains, c'est que
  1 les hommes savent garder un secret   3 le messager ne peut pas la lire
  2 l'enveloppe est solidement collée   4 le porteur refuse de conspirer

22. Où se trouve le sénateur?
  1 dans une école publique   3 à la chasse
  2 dans un endroit secret   4 au parlement

23. Dans quelle situation le prisonnier se trouve-t-il?
  1 Il est gravement malade.
  2 Il fait des travaux forestiers.
  3 Il va bientôt manquer de provisions.
  4 Il est obligé de fournir de l'argent pour la cause républicaine.

24. Marthe doit aider le sénateur en
  1 lui donnant de la nourriture   3 lui donnant de quoi écrire
  2 lui apportant son courrier   4 l'amenant chez elle

25. Marthe devra prendre la précaution de
  1 prévenir les membres de son parti politique
  2 donner moins de nourriture
  3 descendre sur la pointe des pieds
  4 se cacher la figure

26. " Michu " conseille à Marthe
  1 d'être très discrète   3 de se sauver
  2 de répondre à sa lettre   4 de payer le messager

b. Autrefois les petits Savoyards devaient quitter leurs villages cachés sous la neige épaisse des Alpes et fuir la pauvreté de leur province pour aller chercher fortune à Paris.

On les retrouvait sur les toits de la capitale et sur les bords de la Seine, occupés à nettoyer les cheminées, à soigner les chiens des Parisiens et ainsi de suite.

Quand on naissait montagnard, il était entendu qu'on serait pauvre et qu'on passerait chaque année quatre ou cinq mois dans l'obscurité d'une sorte de mort appelée hiver, entre quatre murs avec des vaches dans un chalet de pierre qui parfois n'avait d'autre fenêtre que le trou de la cheminée qu'on devait fermer avec une trappe si la neige tombait trop fort.

En une vingtaine d'années à peine cette montagne de silence et de solitude est devenue un autre monde. Les gens des villes y viennent maintenant apprendre l'art du ski sous la direction de leurs anciens nettoyeurs de cheminées.

27. Les jeunes Savoyards allaient à Paris pour
  1 éviter d'être reconnus   3 passer les vacances de Noël
  2 mieux gagner leur vie   4 faire des études

28. Que faisaient les Savoyards à Paris?
    1 Ils faisaient de petits travaux.
    2 Ils s'occupaient de haute finance.
    3 Ils travaillaient pour les bouquinistes.
    4 Ils demandaient l'aumône le long des quais.

29. On dit que pendant l'hiver, les habitants de la montagne
    1 faisaient de la peinture
    2 mouraient en grand nombre
    3 vivaient auprès de leurs animaux
    4 avaient de nombreuses occupations

30. Quand il neigeait abondamment, les gens
    1 se réfugiaient dans des palais
    2 éteignaient les lumières
    3 chassaient les bêtes
    4 fermaient toutes les ouvertures

31. Aujourd'hui, un grand nombre de Savoyards préfèrent
    1 pêcher dans la Seine
    2 enseigner un sport d'hiver chez eux
    3 éviter les visiteurs
    4 faire leur métier dans les grandes villes

c. Louis XIV avait dans l'esprit plus de justesse et de dignité que de mots spirituels et d'ailleurs on n'exige pas qu'un roi dise des choses mémorables, mais qu'il en fasse. Ce qui est nécessaire à tout homme d'importance, c'est de ne laisser sortir personne mécontent de sa présence, et de se rendre agréable à tous ceux qui l'approchent. On ne peut faire du bien à tout moment; mais on peut toujours dire des choses qui plaisent. Il s'en était fait une heureuse habitude . . . Il était, surtout avec les femmes, d'une attention et d'une politesse qui surpassaient encore l'amabilité de ses courtisans . . . Loin de dire des choses désagréables, qui sont des coups mortels dans la bouche d'un prince, il ne se permettait ni les plus innocentes ni les plus douces moqueries.

32. Ce que l'on demande d'un roi, c'est qu'il
    1 fasse de longs discours
    2 soit très difficile à satisfaire
    3 assiste à toutes les conférences
    4 accomplisse des actes extraordinaires

33. Louis XIV ne manquait jamais
    1 de faire un compliment
    2 d'adresser des reproches
    3 de parler de ses actions valeureuses
    4 de renvoyer ceux qu'il n'aimait pas

34. L'auteur dit que Louis XIV
    1 se soumettait à l'influence de ses courtisans
    2 donnait l'exemple de la courtoisie
    3 fuyait les conversations prolongées
    4 manquait de justice

35. Le roi était particulièrement galant avec
    1 les dames
    2 les princes
    3 ses serviteurs
    4 ses officiers

36. Pour ne pas humilier ceux qui l'entouraient, le roi
    1 parlait seulement des absents
    2 riait de tout
    3 ne ridiculisait personne
    4 ne critiquait que les nobles

d. Nous sommes au premier octobre. Comme professeur je viens de prendre au Secrétariat l'horaire de l'année nouvelle, et je m'arrête un instant devant ma classe pour considérer ce papier avec inquiétude. Comment ferai-je pour développer en si peu de temps mon programme? Comment les élèves, surtout, feront-ils pour l'appliquer? Heureusement pour eux, ils n'y songent pas. Ils ont bien d'autres préoccupations. Ils choisissent leurs places, se poussent les uns les autres; on entend des cris et des rires: " Dépêchons-nous! Entrons!"

Le silence se fait brusquement, un de ces silences profonds qu'explique seule la crainte ou la curiosité. Rassurez-vous. Sous la discipline moderne, et malgré l'ordre que l'on impose dans notre lycée, la crainte est le dernier sentiment que nos collégiens connaissent.

37. Dans ce passage, l'auteur décrit
   1 l'absence du maître   3 la proclamation des notes
   2 la rentrée des classes   4 le commencement des vacances

38. Ce jour-là, la plupart des élèves de cet établissement scolaire agissent
   1 sans se presser   3 avec beaucoup de tendresse
   2 avec une peur mortelle   4 avec grand bruit

39. Quel problème semble se poser tout d'abord pour ce maître?
   1 les longues heures de ses cours   3 le temps trop court
   2 le grand nombre de ses élèves   4 l'interruption de ses rêves de bonheur

40. Quelle méthode de discipline est en vigueur dans cette école?
   1 On intimide les élèves.
   2 On demande une conduite raisonnable.
   3 On exige une subordination rigoureuse.
   4 On permet aux élèves de perdre leur temps.

Part 4

Directions (41-52): Choose *ten* of the following 12 questions. For *each* one chosen, in the space provided in the separate answer booklet write the *number* preceding the word or expression that best completes the statement. [10]

41. La Bastille était
   1 un château   3 une prison
   2 un musée   4 un quai

42. En peinture, Degas et Monet font partie de l'école
   1 traditionnelle   3 impressionniste
   2 cubiste   4 symboliste

43. L'inventeur du système de lecture à l'usage des aveugles se nommait
   1 Louis Blériot   3 Louis Jouvet
   2 Louis Braille   4 Louis Napoléon

44. Le tombeau du Soldat Inconnu français se trouve
   1 aux Invalides   3 à la Place de la Concorde
   2 au Panthéon   4 sous l'Arc de Triomphe

45. Les régions de Camembert et de Brie sont connues pour
   1 le vin   3 le blé
   2 le fromage   4 la porcelaine

46. Le célèbre Pont-Neuf se trouve
   1 à Paris   3 à Nice
   2 à Nîmes   4 au Havre

47. Claude Debussy composa
    1 *Alouette*   3 *Faust*
    2 *Carmen*   4 *Clair de Lune*

48. En France, on obtient à la fin des études secondaires
    1 le certificat d'études   3 le doctorat
    2 le baccalauréat   4 la licence

49. Reims et Chartres sont connus pour leurs
    1 cathédrales   3 tapisseries
    2 plages   4 parfums

50. On va généralement à Nice le Mardi Gras pour voir
    1 un grand pardon   3 un carnaval
    2 une exposition de tableaux   4 des courses de bicyclettes

51. Le Château Frontenac et l'Université Laval se trouvent à
    1 Tours   3 Genève
    2 Bruxelles   4 Québec

52. Napoléon Ier est né en
    1 Algérie   3 Corse
    2 Bretagne   4 Italie

Part 5

Directions (53-57): Each of the five incomplete statements is followed by four suggested answers numbered 1 through 4. Select the answer that completes each and write its *number* in the space provided in the separate answer booklet. [5]

53. Mon correspondant habite
    1 à la France   2 la France   3 France   4 dans la France

54. Je doute que Robert . . . le faire.
    1 puisse   2 pourra   3 peut   4 pourrait

55. Si nous l'avions su, nous . . . voir ce film.
    1 irions   2 irons   3 serions allés   4 étions allés

56. Je voudrais boire encore
    1 café   2 le café   3 du café   4 de café

57. Ils se parlent
    1 l'un l'autre   2 l'un à l'autre   3 les uns les autres   4 les unes les autres

Part 6

Directions (58): In the separate answer booklet, write a composition in French about yourself. [10]

Write approximately *ten* grammatically complete sentences which together form a unified composition and which include information on the following *nine* subtopics: your name, your age, the place of your birth, your family, your previous schooling, your present studies, your friends, your favorite pastime and your plans for the future.

Answer all parts of this examination.

Part 1

Directions (1-15): After the reading of each paragraph, write in the space provided in the separate answer booklet the *number* of the alternative that best answers *each* question. Base your answers only on the content of the paragraph. [30]

1. Comment la ville de Fort-de-France se distingue-t-elle des autres?
   1 Il y a plus de touristes qui viennent la visiter.
   2 Tous les habitants sont des Français.
   3 Ses cours d'eau portent des noms peu ordinaires.
   4 Elle est située dans une île tropicale.

2. Pourquoi a-t-on rendu visite à Jacques?
   1 pour l'amener à l'école
   2 pour l'aider à lire le journal
   3 pour lui offrir quelque chose en causant
   4 pour lui faire garder le lit

3. Qu'est-ce qui rend le travail de l'écolier français très fatigant?
   1 L'écolier français est mal nourri.
   2 Ses nombreux compagnons d'études cherchent souvent à le ridiculiser.
   3 Ses courtes vacances ne lui permettent pas de se reposer.
   4 On lui fait étudier rapidement des sujets difficiles.

4. Pourquoi l'excès de poids est-il dangereux chez l'adolescent?
   1 Il est la cause de nombreux accidents.
   2 Il peut conduire à des problèmes très compliqués.
   3 Il force les élèves à travailler d'une façon exagérée à l'école.
   4 Il est sans aucun remède.

5. Quel est l'avantage de ce livre?
   1 Il est très complet.
   2 Il a beaucoup de rivaux.
   3 Il rend des services satisfaisants au touriste.
   4 Il permet de voyager gratuitement.

6. Qu'est-ce qu'on exige des personnes chargées de la composition du Dictionnaire?
   1 des connaissances administratives
   2 une éloquence exceptionnelle
   3 une personnalité peu commune
   4 des talents variés

7. Qu'est-ce que l'exploration de Jacques-Yves Cousteau prouvera?
   1 qu'on trouve sous l'océan des villages habités
   2 qu'il est possible de vivre longtemps sous l'eau
   3 que l'on peut construire des sous-marins très petits
   4 que l'océan est plus profond qu'on ne le croyait

8. Au commencement de sa carrière littéraire que faisait cet écrivain français pour vivre?
   1 Il distribuait des journaux.   3 Il vendait ses effets personnels.
   2 Il travaillait chez un tailleur.   4 Il enseignait aux jeunes à écrire.

9. Quel sera un des avantages de cette invention?
   1 On achètera les voitures à meilleur marché.
   2 On pourra stationner plus facilement.
   3 Les voitures pourront aller plus vite.
   4 Les jeunes gens seront forcés de conduire moins vite.

10. Pourquoi enseigne-t-on le français dans certains pays étrangers?
    1 à cause de son excellence et de son contenu culturel
    2 à cause d'un accord conclu avec la France
    3 à cause du patriotisme admirable des Français
    4 à cause du système français d'instruction publique

11. Qu'est-ce que cette étudiante a gagné?
    1 le Tour de France   3 un prix de beauté
    2 un poste à Washington   4 une médaille et de l'argent

12. Quel moyen a-t-on trouvé d'empêcher les enfants de détériorer les murs?
    1 On leur enseigne le dessin.
    2 On les fait écrire avec une substance soluble.
    3 On leur donne des images pour s'amuser.
    4 On leur fait faire leur toilette rapidement.

13. Comment un fermier de la Beauce ennuyait-il ses voisins?
    1 en sortant tard la nuit   3 en troublant leur repos
    2 en prenant leur argent   4 en gardant des oiseaux

14. Qu'est-ce que les jeux olympiques ont prouvé à propos du sport en France?
    1 que les Français sont des athlètes sans courage
    2 que les athlètes sont mal payés
    3 que l'équipement est insuffisant pour former des champions
    4 que les jeunes Français mangent trop avant de faire de l'exercice physique

15. Qu'est-ce que les chiens vagabonds semblent faire?
    1 Ils cherchent l'amitié parmi les hommes.
    2 Ils évitent les gens qui leur veulent du bien.
    3 Ils ont horreur du monde cruel où ils se trouvent.
    4 Ils ne se trouvent bien que parmi les chiens semblables à eux.

Part 2

Directions (16-20): In the spaces provided in the separate answer booklet, write in complete sentences in French the answers to the questions which will be read to you. [5]

[*Sample question:* A quelle heure vous êtes-vous couché(e) hier soir?
Answer: Hier soir je me suis couché(e) à dix heures.]

Part 3

Directions (21-40): Below *each* of the following passages you will find several questions or incomplete statements. Each statement or question is followed by four suggested answers numbered 1 through 4. Select the answer that most satisfactorily completes *each in accordance with the meaning of the passage* and write its *number* in the space provided in the separate answer booklet. [40]

a. Voltaire croyait que la doctrine et l'histoire d'un peuple aussi extraordinaire que les quakers méritaient la curiosité d'un homme raisonnable. Pour s'en instruire, il alla trouver un des plus célèbres quakers d'Angleterre, qui, après avoir été trente ans dans le commerce, avait su limiter sa fortune et ses désirs, et s'était retiré dans une campagne non loin de Londres. Il alla le chercher dans sa retraite; c'était une maison petite, mais bien bâtie et ornée de sa seule propreté. Le quaker était un vieillard frais qui n'avait jamais eu de maladie, parce qu'il n'avait jamais connu l'intempérance; Voltaire n'avait point vu dans sa vie d'air plus noble ni plus engageant que le sien. Il était vêtu, comme tous ceux de sa religion, d'un habit sans plis dans les côtés, et sans boutons sur les poches ni sur les manches, et portait un grand chapeau sur la tête. Il s'avança vers Voltaire sans faire la moindre inclinaison du corps.

21. Voltaire voulait parler à un des quakers pour
    1 le renseigner
    2 chercher à mieux comprendre leur culture
    3 acheter quelque chose
    4 célébrer une date importante

22. Le commerçant s'était retiré dans
    1 le centre de la ville
    2 une maison propre et bien construite
    3 une caverne difficile à trouver
    4 un château du Moyen Age

23. Il paraît que le quaker
    1 avait toujours été en bonne santé
    2 avait mené une vie de plaisir
    3 était un homme timide
    4 accueillait les visiteurs avec cérémonie

24. Les quakers d'Angleterre s'habillaient généralement
    1 comme à la cour   3 d'un vêtement de soirée
    2 d'une façon négligée   4 d'un costume très simple

25. Le quaker reçut le visiteur
    1 avec beaucoup de chaleur   3 d'une manière réservée
    2 en lui serrant la main   4 en faisant la révérence

b. Que sont maintenant devenus les aviateurs canadiens de la deuxième guerre mondiale? Au moment de la démobilisation, les membres d'un groupe surnommé *Alouettes*, que faisait partie de l'armée de l'air, décidèrent de former un club. Ils voulaient continuer des liens d'amitié, maintenir l'esprit de corps qu'ils avaient développé durant la guerre, et participer au maintien d'une paix durable. L'emblème des *Alouettes* évoque encore chez plusieurs les actes héroïques que des centaines de ces Canadiens accomplirent durant la dernière guerre. L'alouette agile que l'on a choisie rappelle le dynamisme, le bon esprit, et le sens des responsabilités, manifestés par les membres de ce groupe d'aviateurs.

26. Quand les membres de l'escadrille ont-ils décidé de former un club?
    1 à la fin de la guerre   3 entre les deux grandes guerres
    2 avant la guerre   4 au cours d'une mission récente

27. Un des buts de cette organisation était de
    1 conserver la santé   3 faire apprécier son courage
    2 protéger les oiseaux   4 travailler ensemble à la paix

28. Les *Alouettes* se sont acquis une si haute renommée à cause de leur
    1 nombre   2 héroïsme   3 imagination   4 originalité

29. Les aviateurs ont choisi l'alouette comme emblème parce qu'elle
    1 est originaire de leur pays   3 figure au drapeau national
    2 fait partie de leur folklore   4 possède les mêmes qualités qu'eux

    c. Madame de Charlus soupait un vendredi soir en compagnie de personnages bien connus chez Madame la Princesse de Conti. Elle portait, comme c'était la mode, une perruque de haute taille. Madame de Charlus était assise auprès du maire de Reims. On servit des oeufs à la coque; elle ouvrit le sien, et, s'avançant pour prendre du sel, mit sa coiffure en feu à la flamme d'une chandelle, sans s'en apercevoir. Le maire, qui la vit tout en feu, se précipita sur la coiffure et la jeta par terre. Madame de Charlus, dans la surprise et l'indignation de se voir sans cheveux sans savoir pourquoi, jeta son oeuf au visage du maire. Il ne fit qu'en rire et toute la compagnie l'imita en voyant la tête grise de Madame de Charlus et le visage du maire transformé en omelette. La coiffure était brûlée. Madame de Conti en fit donner une autre à Mme de Charlus et après avoir enfin compris ce qui lui était arrivé celle-ci se calma et retrouva sa bonne humeur.

30. Le repas était offert par
    1 Madame de Charlus   3 le maire de Reims
    2 Madame de Conti   4 un coiffeur renommé

31. Madame de Charlus portait une coiffure
    1 à la mode de l'époque
    2 très différente de celle des autres femmes
    3 très naturelle
    4 mal soignée

32. Que fit alors le maire?
    1 Il se contenta de regarder le feu.
    2 Il courut chercher de l'eau.
    3 Il arracha la perruque à la dame.
    4 Il tomba à la renverse.

33. Quelle fut la première réaction de la dame?
    1 Elle demeura très calme.
    2 Elle se défendit avec énergie.
    3 Elle se sauva à la cuisine.
    4 Elle demanda qu'on lui apporte son chapeau.

34. Comment cet incident finit-il?
    1 On fit venir un coiffeur.
    2 Mme de Conti fut brûlée vive.
    3 La victime rentra chez elle en colère.
    4 Mme de Charlus se remit de ses émotions.

    d. Ma chambre donnait sur la rue principale du village. L'après-midi était beau. Cependant, les gens étaient peu nombreux et pressés encore. C'était d'abord une famille allant en promenade, deux petits garçons en costume marin, la culotte au-dessous du genou, mal à l'aise dans leurs vêtements neufs, et une petite fille avec un gros ruban rose sur la tête et portant des souliers noirs vernis. Derrière eux, une mère énorme, en robe de soie marron, et le père, un petit homme assez maigre que je connaissais de vue. Il avait un chapeau de paille sur la tête et une canne à la main. En le voyant passer, j'ai compris pourquoi dans le quartier on disait de lui qu'il était distingué. Un peu plus tard passèrent les jeunes gens du village, cheveux soigneusement peignés et cravate rouge, le veston très étroit, et des souliers à bouts carrés. J'ai compris qu'ils allaient aux cinémas du centre. C'était pourquoi ils partaient si tôt vers le tramway en riant très fort.

Après eux, la rue peu à peu est devenue déserte. Les spectacles étaient partout commencés, je crois. Il n'y avait plus dans la rue que les boutiquiers et les chats.

35. L'auteur de ce passage décrit
    1 une fête au village   3 une présentation de mode
    2 une scène dans une rue   4 un film intéressant

36. Le premier groupe à passer était
    1 des matelots   3 des touristes
    2 des marchands   4 une famille de cinq

37. Comment les enfants étaient-ils habillés?
    1 avec soin   3 très pauvrement
    2 comme leur père   4 pour le sport

38. L'auteur indique que
    1 les parents étaient vêtus chaudement
    2 la mère était extrêmement élégante
    3 le père semblait très raffiné
    4 le père et la mère étaient de taille égale

39. Les jeunes gens du village étaient très gais parce qu'ils
    1 trouvaient les promeneurs amusants
    2 connaissaient tout le monde
    3 aimaient faire des emplettes
    4 se rendaient au spectacle

40. Quel aspect prenait le village pendant la représentation?
    1 Le silence s'installait dans le quartier.
    2 Les chats disparaissaient.
    3 La circulation devenait intense.
    4 La foule augmentait dans les rues.

Part 4

Directions (41-55): Choose *ten* of the following 15 questions. For *each* one chosen, in the space provided in the separate answer booklet write the *number* preceding the word or expression that best completes the statement. [10]

41. La célébration marquée par des défilés militaires, des feux d'artifice et des bals dans la rue est
    1 la Fête des Mères   3 le Six janvier
    2 la Fête de Sainte Jeanne d'Arc   4 le Quatorze juillet

42. Pour immortaliser ses succès, Napoléon choisit comme artiste le peintre
    1 Ingres   2 Degas   3 Poussin   4 David

43. La cuisine française est renommée dans le monde entier parce que
    1 c'est un art et non un passe-temps
    2 l'on sert beaucoup plus de plats que dans les autres pays

3 les chefs français cuisinent toujours avec du vin
4 les plats sont servis avec des légumes

44. L'ancien palais des Papes se trouve à
1 Avignon   2 Arles   3 Perpignan   4 Lourdes

45. Un jardin "à la française" est
1 irrégulier   2 géométrique   3 suspendu   4 monotone

46. Johnny Hallyday est le nom d'un
1 héros de roman policier   3 cycliste renommé
2 journaliste breton   4 chanteur français

47. L'ingénieur qui fit creuser le canal de Suez et entreprit celui de Panama se nommait
1 Mansard   2 De Lesseps   3 Haussman   4 Eiffel

48. Si on entend les trois coups, on se trouve
1 à un match de football   3 au théâtre
2 au café   4 à la pharmacie

49. Jeanne d'Arc remporta ses victoires pendant
1 la guerre de Cent Ans   3 la guerre de 1870
2 la Révolution de 1789   4 les guerres de religion

50. Une cause importante de la Révolution de 1789 fut
1 la perte de l'Alsace-Lorraine
2 les idées des philosophes du 18ème siècle
3 la victoire de Napoléon à Toulon
4 la révocation de l'édit de Nantes

51. Une station balnéaire qui se trouve au bord de l'Océan Atlantique s'appelle
1 Nice   2 Cannes   3 Biarritz   4 Marseille

52. La Liberté éclairant le monde, à l'entrée du port de New-York, est l'oeuvre de
1 Rodin   2 Bartholdi   3 Rude   4 Houdon

53. La plupart des châteaux de la Renaissance se trouvent dans la vallée
1 de la Garonne   2 de la Loire   3 de la Seine   4 du Rhône

54. L'Exposition internationale tenue à Montréal en 1967 marque le centenaire de la
1 Confédération canadienne   3 découverte du Canada
2 fondation de Montréal   4 prise de Québec

55. La résidence officielle du Président de la République française s'appelle
1 le Palais de l'Elysée   3 le Louvre
2 le Palais Royal   4 la Conciergerie

Part 5

Directions (56-60): Each of the five incomplete statements is followed by four suggested answers numbered 1 through 4. Select the answer that best completes each and write its *number* in the space provided in the separate answer booklet.

[5]

56. En ... dans la maison, elle a vu sa mère.
    1 entrée   2 étant entrée   3 entrant   4 entrer

57. J'ai mes grands défauts et il a
    1 les siens   2 les siennes   3 ses   4 son

58. Vers huit heures j'irai vous
    1 cherchez   2 chercher   3 cherchés   4 chercherai

59. . . . vous me dites est vrai.
    1 Tout   2 Tout ce dont   3 Tout ce que   4 Tout ce qui

60. Les élèves étudient dur
    1 réussir   2 à réussir   3 de réussir   4 pour réussir

Part 6

Directions (61): In the answer booklet, write a composition in French as directed below: [10]

You are spending the summer as the guest of a French family. You are alone in the house and have to go out for a while on an errand. In a unified composition of *ten* grammatically complete sentences, write a note explaining your absence and containing information suggested by *at least six* of the following *ten* subtopics:

the place where you are going; the nature of the errand; why this matter is so important; a problem that arose during the day; something you did around the house before leaving; people who called during the absence of your hosts; the content of the message left by them; where you will eat dinner; plans for the evening; the expected time of your return.

Answer all parts of this examination.

Part 1

Directions (1-15): After the second and final reading of each question and passage, write in the space provided in the separate answer booklet the *number* of the best suggested answer to the question. Base your choice of answers only on the content of the passage. [30]

1. Qu'est-ce que ce chien a fait?
   1 Il a fait tomber le berger.
   2 Il s'est sauvé.
   3 Il a tué des moutons.
   4 Il a sauvé la vie d'une personne.

2. Comment s'est-on aperçu que ce passager n'avait pas de billet?
   1 Il l'a dit aux passagers.
   2 Il n'allait pas à la salle à manger.
   3 Il couchait sur des chaises.
   4 Il est tombé malade.

3. Quelle découverte ce touriste a-t-il faite à l'hôtel?
   1 qu'il avait perdu son billet de retour
   2 que la marchandise venait de son pays
   3 qu'on avait vendu ses souliers
   4 qu'il avait apporté les souliers d'un autre client

4. Qui fut Serge de Diaghilev?
   1 un officier de Russie
   2 un génie de la danse
   3 un inventeur industriel
   4 un grand artiste-peintre

5. Pourquoi les théâtres pour enfants rencontrent-ils des difficultés?
   1 parce qu'ils donnent des revenus insuffisants
   2 parce qu'on trouve peu de jeunes acteurs
   3 parce que les enfants ne s'y intéressent plus
   4 parce que les salles manquent de confort

6. Que font les jardinières des neiges?
   1 Elles gardent les enfants.
   2 Elles cueillent des fleurs sauvages.
   3 Elles font de l'arithmétique.
   4 Elles s'occupent des skieurs professionnels.

7. Selon l'auteur de ce paragraphe, quel avantage un enseignement techniq présente-t-il?
   1 Il prépare certains élèves à un métier.
   2 Il complète les cours donnés au lycée.
   3 Il ouvre toutes les carrières aux étudiants.
   4 Il étend la culture générale.

8. Qu'est-ce qui fait l'originalité des oeuvres de Cornélius Postma?
   1 son âge très avancé
   2 son pays natal
   3 sa boutique très étroite
   4 la source de ses idées

9. Quel moyen emploie-t-on à Paris pour lutter plus facilement contre les incendies?
   1 On construit des habitations moins hautes.
   2 On augmente le nombre des pompiers.
   3 On se sert d'hélicoptères.
   4 On se sert de nouvelles échelles.

10. Qu'est-ce qu'on exige de ceux qui utilisent la Bibliothèque Nationale?
    1 un emploi bien payé
    2 la permission de leur curé
    3 une attestation d'études supérieures
    4 la citoyenneté française

11. Comment le Père Pire a-t-il fait usage de son prix?
    1 en le mettant au service des réfugiés malheureux
    2 en offrant des récompenses aux élèves
    3 en s'en servant pour voyager à l'étranger
    4 en l'employant pour la défense nationale

12. Qui faut-il blâmer pour les mauvaises pièces de théâtre?
    1 les comédiens   3 les directeurs
    2 les auteurs   4 les critiques

13. Quand le café peut-il empêcher de dormir?
    1 quand on le boit trop chaud   3 quand on le prend trop vite
    2 quand on n'en boit que rarement   4 quand on en prend tous les soirs

14. Qu'est-ce que le ministre de l'Education Nationale a demandé à une commission de faire?
    1 d'imposer une discipline plus ferme dans les écoles
    2 de diminuer la durée du cours élémentaire
    3 de changer la signification des mots
    4 de simplifier la manière d'écrire les mots

15. Qu'est-ce qu'il est interdit de faire à Québec?
    1 de stationner en tout temps dans les rues
    2 de porter l'uniforme en ville
    3 de poser des questions aux sergents de ville
    4 de sortir dans la rue en culotte de sport

Part 2

Directions (16-20): In the spaces provided in the separate answer booklet, write in complete sentences in French the answers to the questions which will be read to you.   [5]
[*Sample question:* Qu'est-ce que vous avez fait hier soir?
Possible answer: J'ai lu un livre.]

Part 3

Directions (21-40): Below *each* of the following passages you will find questions or incomplete statements. Each statement or question is followed by four suggested answers numbered 1 through 4. Select the answer that most satisfactorily completes *each in accordance with the meaning of the passage* and write its *number* in the space provided in the separate answer booklet.   [40]

a. Anne était une écolière vive et de belle humeur. Elle s'entendait bien avec tous ses professeurs. Cependant le vieux Monsieur Keller, professeur de mathématiques, resta fâché contre elle assez longtemps. Elle bavardait trop pendant les leçons. Il la réprimanda plusieurs fois avant de la punir. Elle dut écrire un essai sur le sujet "une jeune fille bavarde". Une bavarde! Que pouvait-on bien écrire là-dessus?

Le soir, après avoir fini ses devoirs, Anne se mit à réfléchir en mettant le bout de son stylo entre ses dents. Evidemment, elle pouvait, d'une grande écriture, et en laissant le plus d'espace possible entre les mots, écrire quelques phrases sur le sujet imposé —mais avoir le dernier mot en prouvant la nécessité de parler, c'était ce qu'elle voulait essayer de faire. Elle y réussit. Voici son argument: Le bavardage est un défaut féminin qu'elle pouvait bien s'appliquer à corriger un peu, sans s'en débarrasser tout à fait puisqu'il s'agissait d'une chose héréditaire.

21. Pourquoi Anne s'entendait-elle mal avec Monsieur Keller?
    1 Elle n'aimait pas le sujet qu'il enseignait.
    2 Elle trouvait son professeur trop âgé.
    3 Elle croyait qu'il connaissait mal les mathématiques.
    4 Elle parlait sans permission.

22. Après que M. Keller eut réprimandé Anne plusieurs fois, qu'est-ce qui se passa?
    1 Elle dut quitter la classe.
    2 Elle dut faire un devoir supplémentaire.
    3 Elle fit des efforts pour changer de conduite.
    4 Elle cessa de causer.

23. Que fit Anne avant d'écrire sa composition?
    1 Elle décida de se soumettre sans restriction.
    2 Elle se mit en colère.
    3 Elle demanda au professeur de lui pardonner.
    4 Elle médita sur le thème de sa composition.

24. Quelle décision Anne a-t-elle prise?
    1 de terminer ses exercices de classe plus vite
    2 de s'exercer à garder le silence
    3 de chercher à se justifier
    4 d'essayer d'avoir une meilleure note

25. Son raisonnement était
    1 qu'il est facile de se corriger de ses défauts
    2 qu'il vaut mieux écrire que de parler
    3 que son défaut était tout naturel
    4 que cela ne lui arriverait plus

b. Il y avait Monsieur Babor le père, grand, gros et rose, sa femme couverte de bijoux, et leur petit garçon, Paul Babor, que ses parents appelaient Trop-Beau. Il était leur fils unique, gâté plus qu'on ne saurait le dire. Dès qu'il exprimait un désir, il avait ce qu'il voulait. Et il voulait toujours quelque chose: un train électrique, une automobile à pédales, un cinématographe électrique avec films en couleur, etc. Un jour, il dit: "Je veux un bateau."

—Un bateau comment, Trop-Beau? lui demandèrent ses parents. Comme le France?

—Ou un beau yacht, peut-être?

—Ou bien un bateau de guerre avec des canons?

Mais Paul secouait la tête à chaque question de ses parents. "Non, non, non. Vous n'y êtes pas du tout." Et il était déjà en colère, il commençait à taper du pied. "Je vous dis que je veux un bateau, un bateau d'homme pour me promener sur la rivière, pour m'y asseoir et m'amuser en plein air. Voilà le bateau que je veux."

Ses parents étaient tristes. "Voyons, Paul, tu n'es pas raisonnable. Nous voulons bien te donner un bateau, mais pas pour aller sur l'eau. As-tu pensé que tu pourrais tomber à l'eau et perdre la vie? Tu ne sais même pas nager."

"Eh bien, dit Paul, vous n'avez qu'à me faire apprendre." Et il continua à insister tant et tant que ses parents finirent par capituler et lui promirent un vrai bateau.

26. Qu'est-ce qui semble montrer que les parents étaient prospères?
    1 Les parents avaient beaucoup d'enfants.
    2 La mère portait beaucoup de bagues et de colliers.
    3 Trop-Beau avait plusieurs bateaux.
    4 Le père était propriétaire de cinémas.

27. D'ordinaire lorsque Trop-Beau demandait quelque chose, les parents
    1 refusaient obstinément   3 perdaient patience
    2 ne promettaient rien   4 cédaient à la longue

28. Paul Babor voulait un bateau
    1 à pédales   3 de commerce
    2 à vapeur   4 de sport

29. Les parents craignaient que leur fils
    1 ne se fâchât   3 n'allât trop loin
    2 ne tombât à l'eau   4 ne perdît son temps

30. Pour avoir le bateau le fils eut besoin
    1 de mieux étudier   3 de demander plusieurs fois
    2 d'entrer dans la marine   4 de promettre d'être obéissant

c. Les chasseurs ont souvent constaté que l'imagination du renard, lorsqu'il s'agit de trouver sa nourriture, n'a pas de limites. Voilà pourquoi beaucoup de personnes croient que la fable du corbeau et du renard est vraie.

Dans certaines fermes d'Europe, on avait autrefois l'habitude de laisser les poules coucher dehors, même l'hiver, perchées sur les branches des arbres. A partir du mois de décembre, quand la neige enveloppait la campagne, les fermiers constataient la disparition des poules pendant la nuit. Comment le renard faisait-il descendre les poules de leur arbre? Ils ont monté la garde. A une heure du matin ils ont aperçu le renard sous l'arbre. Il lève la tête pour s'assurer que les poules sont là. Avec ses pattes, il commence à gratter le tronc de l'arbre, faisant ainsi un petit bruit. Puis il "aboie" doucement. Après une dizaine de minutes lorsqu'il est certain que les poules sont réveillées, il commence à courir autour de l'arbre, d'abord lentement, puis de plus en plus vite. Bientôt une poule, qui a suivi ses tours, perd l'équilibre — ayant certainement le vertige — et tombe. Le renard s'arrête, l'attrappe et, en un clin d'oeil, s'enfuit.

31. On croit que la fable du corbeau et du renard est
    1 une anecdote qui ridiculise les paysans
    2 une invention des villageois
    3 un conte en vers basé sur des faits
    4 un récit inventé par des amateurs de chasse

32. Autrefois, les poules passaient la nuit
    1 dans une cabane   3 en ville
    2 en plein air   4 au dortoir

33. Quel problème les poules causaient-elles aux fermiers?
    1 Elles s'envolaient de la cour.
    2 Elles disparaissaient mystérieusement en hiver.
    3 Elles se perdaient dans la forêt.
    4 Elles les empêchaient de dormir.

34. En apercevant les poules endormies, que faisait le renard?
    1 Il grimpait les chercher.   3 Il leur faisait peur.
    2 Il marchait sans bruit.   4 Il les réveillait peu à peu.

35. Comment le renard réussissait-il à prendre les poules?
    1 Il leur faisait perdre l'équilibre.   3 Il se cachait au pied d'un arbre.
    2 Il leur faisait signe de descendre.   4 Il faisait semblant de dormir.

d. On peut prendre un repas en voiture, au restaurant, en pique-nique ou chez soi. A Montréal, on peut aussi, à midi, prendre son repas au théâtre, formule nouvelle qui attire chaque jour les hommes d'affaires, les employés, les acheteurs ou les visiteurs du gratte-ciel Place Ville-Marie.

Un restaurant-théâtre! Voilà, direz-vous, une façon bien peu orthodoxe de rendre hommage à l'art dramatique. La formule, cependant, a déjà fait fortune en attirant à l'heure du déjeuner une foule de clients-spectateurs à qui l'on offre, outre les sandwichs et le café que l'on achète dans le foyer du théâtre, des pièces en un acte représentées trois ou quatre fois par jour entre midi et deux heures et demie.

Ces pièces, de grande qualité, ont une durée de 25 à 40 minutes. Les spectateurs sont autorisés à prendre dans leur fauteuil le repas de leur choix, à condition de ne plus manipuler, après le lever du rideau, le papier qui enveloppe ce repas.

Ce Théâtre de la Place est dû à la double initiative d'un étudiant de 23 ans et d'une jeune comédienne. "Nous souhaitons, dit le jeune homme, un théâtre destiné au public le plus nombreux, composé de spectacles de qualité à un prix à la portée de toutes les bourses." En réalisant ce souhait, on a amené aux guichets de ce théâtre des dizaines de milliers de gens qui travaillent dans les bureaux ou font leurs achats dans les boutiques du grand complexe.

"Faites du bon théâtre professionnel en un lieu qui convient au grand public, et vous le verrez accourir à vous," prédisaient les directeurs du théâtre-lunch qui, se voyant forcés de refuser l'entrée à des centaines de personnes, purent constater jusqu'à quel point ils avaient raison.

36. Que fait-on de neuf pour attirer plus de clients vers ce théâtre?
    1 On organise des repas en plein air.
    2 On permet aux gens de manger à leur place.
    3 On leur sert de la nourriture gratis.
    4 On leur fait visiter un édifice à multiples étages.

37. Quand les représentations ont-elles généralement lieu?
    1 au début de l'après-midi   3 avant midi
    2 au cours de la soirée   4 aux heures de bureau

38. Qu'est-ce qu'il est défendu de faire après le lever du rideau?
    1 de quitter sa place   3 de faire du bruit avec son papier
    2 de boire ou de manger   4 d'écrire des lettres

39. Qu'est-ce que les organisateurs du Théâtre de la Place ont tenté de faire?
    1 de donner du travail à un grand nombre d'acteurs
    2 de présenter des oeuvres dramatiques supérieures et à bon marché
    3 d'encourager les collégiens à jouer la comédie
    4 d'aider les marchands à vendre leur marchandise

40. Qu'est-ce qui a fait le succès de l'entreprise?
    1 les suggestions faites par le public 3 l'exclusion des indésirables
    2 les réunions des hommes d'affaires   4 le choix de l'endroit et des pièces

Part 4

Directions (41-55): Choose *ten* of the following 15 questions. For *each* one chosen, in the space provided in the separate answer booklet write the *number* preceding the word or expression that best completes the statement. [10]

41. On dit que presque tous les Français sont des gourmets parce qu'ils
    1 connaissent la bonne cuisine
    2 cuisinent avec de l'huile
    3 mangent beaucoup à chaque repas
    4 dînent tard

42. A la fin de la Guerre Franco-Allemande de 1870, la France perdit
    1 la Picardie et la Champagne
    2 la Savoie et la Bourgogne
    3 l'Alsace et la Lorraine
    4 les Flandres et la Franche-Comté

43. *France-Amérique* et *Paris-Match* sont des noms
    1 d'équipes de football
    2 de chants patriotiques
    3 de publications françaises
    4 de syndicats de travailleurs

44. La région qui s'étend le long de la Méditerranée entre Marseille et la frontière italienne s'appelle
    1 le jardin de la France
    2 le carrefour de l'Europe
    3 la Côte d'Or
    4 la Côte d'Azur

45. La cathédrale de Reims est un exemple d'architecture
    1 baroque
    2 romane
    3 gothique
    4 byzantine

46. L'artiste français qui reçut récemment une médaille du maire de New-York pour sa contribution au monde artistique fut
    1 Picasso
    2 Matisse
    3 Cocteau
    4 Chagall

47. L'homme d'état français qui a été surnommé "Le Tigre" est
    1 Edouard Daladier
    2 Georges Clemenceau
    3 René Coty
    4 Léon Blum

48. Au temps des Romains l'Ile de la Cité s'appelait
    1 la Cité Universitaire
    2 le Quartier Latin
    3 Montmartre
    4 Lutèce

49. Au commencement du repas du soir les paysans canadiens-français mangent le plus souvent
    1 de la soupe aux pois
    2 des pommes de terre frites
    3 des croissants
    4 du caviar

50. Pour visiter les châteaux de Chenonceaux et de Chambord on se rend dans la vallée
    1 de la Loire
    2 de la Seine
    3 du Rhône
    4 du Rhin

51. Les départements de la France sont administrés par un
    1 député
    2 préfet
    3 doyen
    4 percepteur

52. La Basilique du Sacré-Coeur se trouve
    1 sur la Rive Gauche
    2 sur la Butte Montmartre
    3 Place de l'Opéra
    4 en face de l'Hôtel-de-Ville

53. Deux dialectes parlés dans le Midi de la France sont
    1 le normand et le breton
    2 le picard et le flamand
    3 l'auvergnat et le bourguignon
    4 le gascon et le provençal

54. L'impressionnisme et le cubisme sont deux façons de s'exprimer en
    1 musique
    2 architecture
    3 peinture
    4 littérature

55. Le Président de la France actuelle est élu par
    1 le suffrage universel
    2 le parlement
    3 les ministres
    4 les chefs des départements

Part 5

Directions (56-60): Each of the five incomplete statements or questions is followed by four suggested answers numbered 1 through 4. Select the answer that completes each and write its *number* in the space provided in the separate answer booklet.   [5]

56. Je t'ai prêté mon stylo. Maintenant . . . tu veux?
    1 qu'est-ce que   2 quoi   3 qu'est-ce qui   4 qui est-ce qui

57. Je vous attendrai pourvu que vous . . . avant cinq heures.
    1 revenez   2 reveniez   3 reviendrez   4 reviendriez

58. C'est le tiroir . . . j'ai mis le cahier.
    1 dans lequel   2 dans laquelle   3 dont   4 que

59. Voilà l'Alsacienne que j'ai
    1 rencontré   2 rencontrées   3 rencontrée   4 rencontrés

60. Dès que tu comprendras, tu me le
    1 diras   2 dis   3 disais   4 dirais

Part 6

Directions (61): In the answer booklet, write a composition in French as directed below: [10]

You have recently received a very lovely gift. In a unified composition of *ten* grammatically complete sentences, write a description of the circumstances attending the receipt of this gift and containing information suggested by *at least six* of the following *ten* subtopics:

what you received; when it was given to you; who gave it to you; on what occasion it was given to you; how you reacted; a description of the gift; where the gift was purchased; why you like it; how you plan to use it; how you intend to show your appreciation.

FRENCH-ENGLISH VOCABULARY

abeille (f.), bee
abord: d'abord, at first, first
abricot (m.), apricot
acheter, to buy
acier (m.), steel
addition (f.), check
adresse (f.), address
affaire (f.), affair, matter
affaires (f. pl.), business
agent (m.) de police, police-
man
aile (f.), wing
aimable, kind
aliment (m.), food
Allemagne (f.), Germany
allemand, German
allumette (f.), match
alors, then
alouette (f.), lark
alpinisme (m.), mountain
climbing
âme (f.), soul
amitié (f.), friendship
amour (m.), love
an (m.), year
ancien, old, ancient
André, Andrew
âne (m.), donkey
Angleterre (f.), England
année (f.), year
anniversaire (m.) de naissance, birthday
Antoine, Anthony
appartenir, to belong
appeler, to call; s'appeler,
to be called
apporter, to bring
apprendre, to learn
approcher: s'approcher
(de), to approach
après-midi (m.), afternoon
argent (m.), silver, money
armée (f.), army
armoire (f.), closet
arracher, to pull out
arrêter, to stop
arrivée (f.), arrival
arriver, to arrive; happen
ascenseur (m.), elevator
assez (de), enough
assiette (f.), plate
assis, seated
attendre, to wait (for)

attraper, to catch
aussitôt que, as soon as
autant (de), as much, as
many
avant, before
avenir (m.), future
aveugle, blind
avion (m.), airplane
avis (m.), opinion
avocat (m.), lawyer

bagages (m. pl.), baggage
bague (f.), ring
bain (m.), bath
baisser, to lower
balle (f.), ball
banc (m.), bench
barbe (f.), beard
bas (m.), stocking
bas, basse, low
bataille (f.), battle
bateau (m.), boat
bâtiment (m.), building
bâtir, to build
bâton (m.), stick
beau, bel, belle, beautiful,
fine, handsome
beaucoup (de), much,
many
beauté (f.), beauty
bébé (m.), baby
bénir, to bless
beurre (m.), butter
bibliothèque (f.), library
bientôt, soon
bière (f.), beer
bijou (m.), jewel
billet (m.), ticket
blanchisserie (f.), laundry
blé (m.), wheat
blesser: se blesser, to get
hurt
bœuf (m.), ox, beef
boire, to drink
bois (m.), wood
boîte (f.), box
bonbon (m.), candy
bonheur (m.), happiness
bonne (f.), maid
bonté (f.), goodness, kindness

bord (m.) de la mer, sea-
shore
bouche (f.), mouth
boucher (m.), butcher
boucherie (f.), butcher
store
boulanger (m.), baker
boulangerie (f.), bakery
bouteille (f.), bottle
boutique (f.), shop
bras (m.), arm
brave, brave, fine
briller, to shine
brique (f.), brick
brosse (f.), brush
brosser, to brush
bruit (m.), noise
brun, brown
bureau (m.), desk; office
bureau (m.) de poste, post
office

cadeau (m.), gift, present
camarade (m.), comrade
camion (m.), truck
campagne (f.), country
canapé (m.), sofa
canif (m.), penknife
cantique (m.), carol, hymn
car, for, because
carte (f.), map, card, menu
cas (m.), case
casquette (f.), cap
casser, to break
causer, to chat
cave (f.), cellar
Cendrillon, Cinderella
cercle (m.), club
cerise (f.), cherry
cesser, to stop
chambre (f.) à coucher,
bedroom
champ (m.), field
chance (f.), luck
chanter, to sing, crow
chapitre (m.), chapter
chaque, each
charbon (m.), coal
chasse (f.), hunting
chat (m.), cat
chauffer, to warm, heat
chaussette (f.), sock

chef (*m.*), head, leader

chemin (*m.*), road

chemin (*m.*) **de fer**, railroad

cheminée (*f.*), chimney, fireplace, mantelpiece

chemise (*f.*), shirt

chêne (*m.*), oak

chercher, to look for

cheval (*m.*), horse

cheveux (*m. pl.*), hair

chèvre (*f.*), goat

chien (*m.*), dog

chiffre (*m.*), number

choisir, to choose

choix (*m.*), choice

chose (*f.*), thing

chou (*m.*), cabbage

choux de Bruxelles, Brussels sprouts

ciel (*m.*), sky, heaven

cinéma (*m.*), movie theatre, movies

circulation (*f.*), traffic

cirque (*m.*), circus

citoyen, citoyenne, citizen

citron (*m.*), lemon

clair, light

clef (*f.*), key

client, cliente, customer

cloche (*f.*), bell

cochon (*m.*), pig

cœur (*m.*), heart

coiffeur (*m.*), barber, hairdresser

coin (*m.*), corner

colis (*m.*), package, parcel

collier (*m.*), necklace

colline (*f.*), hill

combien (de), how much, how many

comme, like, as

complet (*m.*), suit

compter, to count, intend

comte (*m.*), count

concierge (*m.* or *f.*), superintendent, doorman

conduire, to lead, drive

confiance (*f.*), confidence

connaissance (*f.*), acquaintance

conseil (*m.*), advice

conte (*m.*), short story

content, glad, pleased

coq (*m.*), rooster

corbeille (*f.*), basket

corps (*m.*), body

corriger, to correct

côte (*f.*), coast

côté (*m.*), side

coton (*m.*), cotton

cou (*m.*), neck

coucher: se coucher, to go to bed, lie down, set

couper, to cut

cour (*f.*), court, courtyard

courir, to run

courrier (*m.*), mail

cours (*m.*), course

court, short

couteau (*m.*), knife

coûter, to cost

coutume (*f.*), custom

couvrir, to cover

craie (*f.*), chalk

crier, to shout

croire, to believe

croix (*f.*), cross

cuiller (*f.*), spoon

cuisine (*f.*), kitchen

cuisinier, cuisinière, cook

cuivre (*m.*), copper

dame (*f.*), lady

debout, standing

défense de . . ., forbidden to . . . , no . . .

déjà, already

déjeuner (*m.*), lunch

demander, to ask, ask for

demeurer, to live

dent (*f.*), tooth

dépêcher: se dépêcher, to hurry

déranger, to disturb

derrière, behind

dès que, as soon as

dessiner, to draw

devant, in front of

devenir, to become

devoir, to owe, have to

devoirs (*m. pl.*), homework

dictée (*f.*), dictation

dire, to say, tell

directeur (*m.*), principal

disque (*m.*), record

doigt (*m.*), finger

domestique (*m.* or *f.*), servant

dos (*m.*), back

douche (*f.*), shower

douleur (*f.*), pain

doux, douce, sweet, mild, gentle

douzaine (*f.*), dozen

drapeau (*m.*), flag

dur, hard

eau (*f.*), water

éclairer, to light

écolier, écolière, schoolboy, schoolgirl

écouter, to listen (to)

écrivain (*m.*), writer

effacer, to erase

église (*f.*), church

élevé, high; bred

empêcher, to prevent

emplette (*f.*), purchase

emprunter, to borrow

enchanté, delighted

encore, still, yet, again

endroit (*m.*), place, spot

enlever, to remove

ennuyer: s'ennuyer, to get bored

enseigner, to teach

ensemble, together

ensuite, next, afterwards

entendre, to hear

entrée (*f.*), entrance

envelopper, to wrap

envoyer, to send

épais, thick

épaule (*f.*), shoulder

épicerie (*f.*), grocery store

épicier (*m.*), grocer

épingle (*f.*), pin

escalier (*m.*), staircase

escargot (*m.*), snail

espace (*m.*), space

espèce (*f.*), kind, sort

espérer, to hope

espoir (*m.*), hope

essayer, to try, try on

essence (*f.*), gasoline

est (*m.*), east

FRENCH-ENGLISH VOCABULARY

et . . . et . . . , both . . .
and . . .
étage (*m.*), story, floor
état (*m.*), state
été (*m.*), summer
éternuer, to sneeze
Étienne, Stephen
étiquette (*f.*), label
étoile (*f.*), star
étrange, strange
étranger, foreign
être (*m.*), being
étroit, narrow
étude (*f.*), study
explication (*f.*), explanation
expliquer, to explain

fabrique (*f.*), factory
fâcher: se fâcher, to get
angry
façon (*f.*), manner, fashion
facteur (*m.*), postman
faible, weak
farine (*f.*), flour
faute (*f.*), mistake
fauteuil (*m.*), armchair
faux, fausse, false
féliciter, to congratulate
femme (*f.*), woman, wife
fer (*m.*), iron
ferme (*f.*), farm
fermier (*m.*), farmer
fête (*f.*), holiday, celebra-
tion
feu (*m.*), fire
feuille (*f.*), leaf, sheet (of
paper)
fidèle, faithful
fier, proud
fièvre (*f.*), fever
figure (*f.*), face
fille (*f.*), daughter
fils (*m.*), son
fin (*f.*), end
flâner, to stroll
fleuve (*m.*), river
fois (*f.*), time
foncé, dark
fontaine (*f.*), fountain,
spring
forêt (*f.*), forest
forgeron (*m.*), blacksmith

fort, strong
foule (*f.*), crowd
fourchette (*f.*), fork
frais, fraîche, fresh, cool
fraise (*f.*), strawberry
François, Francis, Frank
Françoise, Frances
fréquemment, frequently
fromage (*m.*), cheese
front (*m.*), forehead
fumer, to smoke

gagner, to win, earn
gant (*m.*), glove
garder, to keep
gare (*f.*), railroad station
gâteau (*m.*), cake
gâter, to spoil
Gautier, Walter
geler, to freeze
genou (*m.*), knee
gens (*m. pl.*), people
gentil, gentille, nice, kind
glace (*f.*), ice, ice cream;
mirror
glisser, to slip, slide
gloire (*f.*), glory
gomme (*m.*), eraser
gorge (*f.*), throat
goût (*m.*), taste
goûter, to taste
grâce à, thanks to
gras, fat
gratte-ciel (*m.*), skyscraper
grave, serious
gris, gray
gronder, to scold
gros, big, stout
guérir, to cure
guerre (*f.*), war
guichet (*m.*), ticket window

habiller: s'habiller, to dress
(oneself), get dressed
habitant (*m.*), inhabitant
habiter, to live in
habits (*m. pl.*), clothes
habitude (*f.*), habit
haricots verts (*m. pl.*),
string beans
haut, high, loud

haut-parleur (*m.*), loud-
speaker
herbe (*f.*), grass
hiver (*m.*), winter
honte (*f.*), shame
horloge (*f.*), clock
hors-d'œuvre (*m.*), appetiz-
er(s)
hôtel (*m.*) de ville, city hall
huile (*f.*), oil

idiotisme (*m.*), idiom
île (*f.*), island
image (*f.*), picture
immeuble (*m.*), apartment
house
imperméable (*m.*), raincoat
infirmière (*f.*), nurse
ingénieur (*m.*), engineer
interrompre, to interrupt
inutile, useless
invité (*m.*), guest

jambe (*f.*), leg
jambon (*m.*), ham
jaune, yellow
Jeanne, Jean, Joan, Jane
jeter, to throw
jeu (*m.*), game
jeune fille (*f.*), girl
jeunesse (*f.*), youth
joue (*f.*), cheek
jouet (*m.*), toy
jour (*m.*) de congé, day off
journal (*m.*), newspaper
journée (*f.*), day
juge (*m.*), judge
jupe (*f.*), skirt
jus (*m.*), juice
jusque, up to

kilogramme, kilo (*m.*), kilo-
gram

là-bas, over there
laid, ugly
laine (*f.*), wool
laisser, to leave, let
lait (*m.*), milk

langue (*f.*), tongue, language

lapin (*m.*), rabbit

large, wide

laver, to wash; se laver, to get washed

lecteur (*m.*), reader

lecture (*f.*), reading

léger, light

légume (*m.*), vegetable

lendemain (*m.*), next day

lever, to raise; se lever, to get up

lèvre (*f.*), lip

libre, free

lieu (*m.*), place

linge (*m.*), linen

lire, to read

lit (*m.*), bed

livre (*f.*), pound

loi (*f.*), law

loin, far

longtemps, a long time

lourd, heavy

lumière (*f.*), light

lune (*f.*), moon

lunettes (*f. pl.*), eyeglasses

lycée (*m.*), high school

magasin (*m.*), store

magnifique, wonderful

main (*f.*), hand

malade (*m.* or *f.*), patient

maladie (*f.*), sickness, illness

malheureux, unhappy

malle (*f.*), trunk

manière (*f.*), manner, way

manteau (*m.*), coat, wrap

marchand (*m.*), merchant, storekeeper

marché (*m.*), market; bon marché, cheap

marcher, to walk

mari (*m.*), husband

marine (*f.*), navy

marron (*m.*), chestnut

méchant, wicked, naughty

médaille (*f.*), medal

mêler, to mix

même, same, even, very

ménage (*m.*), household

mendiant (*m.*), beggar

mener, to lead

mensonge (*m.*), lie

menton (*m.*), chin

mer (*f.*), sea

merveille: à merveille, marvelously

métier (*m.*), trade, profession

métro (*m.*), subway

mettre, to put, put on; se mettre (à), to begin

meubles (*m. pl.*), furniture

midi (*m.*), noon; south

milieu (*m.*), middle

minuit (*m.*), midnight

moins, less, fewer

mois (*m.*), month

moitié (*f.*), half

monde (*m.*), world

monnaie (*f.*), change

montre-bracelet (*f.*), wrist watch

morceau (*m.*), piece

mort (*f.*), death

mot (*m.*), word

mouche (*f.*), fly

mouchoir (*m.*), handkerchief

mourir, to die

mousquetaire (*m.*), musketeer

mouton (*m.*), sheep

muet, silent, mute

mur (*m.*), wall

nager, to swim

naissance (*f.*), birth

naître, to be born

nappe (*f.*), tablecloth

neige (*f.*), snow

neiger, to snow

nettoyer, to clean

neuf, neuve, new

neveu (*m.*), nephew

nez (*m.*), nose

nid (*m.*), nest

Noël, Christmas

noir, black

nom (*m.*), name

nombre (*m.*), number

nommer, to name

nord (*m.*), north

note (*f.*), mark, bill

nouvelle (*f.*), item of news, novelette

nuage (*m.*), cloud

occasion (*f.*), opportunity

œil (*m.*), eye

œuf (*m.*), egg

œuvre (*f.*), work

oiseau (*m.*), bird

ombre (*f.*), shade, shadow

or (*m.*), gold

oreille (*f.*), ear

oreiller (*m.*), pillow

orphelin (*m.*), orphan

ôter, to take off, remove

oublier, to forget

ouest (*m.*), west

ouvrage (*m.*), work

ouvrier, ouvrière, worker

pain (*m.*), bread

paix (*f.*), peace

palais (*m.*), palace

panier (*m.*), basket

pantalon (*m.*), trousers

paquebot (*m.*), steamship, liner

Pâques, Easter

paquet (*m.*), package

paraître, to appear

parapluie (*m.*), umbrella

pardessus (*m.*), overcoat

paresseux, lazy

parfois, sometimes

parole (*f.*), word

partager, to share

partie (*f.*), part

partout, everywhere

passer, to pass, spend (time); se passer, to happen

patin (*m.*), skate

patiner, to skate

patrie (*f.*), fatherland

pays (*m.*), country

paysan (*m.*), peasant

peau (*f.*), skin

pêche (*f.*), peach; fishing

pêcheur (*m.*), fisherman

peigner, to comb

FRENCH-ENGLISH VOCABULARY

peintre (*m.*), painter
pendant, during
pendule (*f.*), clock
pensée (*f.*), thought
perdre, to lose
permettre, to permit
personne (*f.*), person
petit déjeuner (*m.*), breakfast
petit pain (*m.*), roll
petits pois (*m. pl.*), green peas
peu, little, few
peuple (*m.*), people
peur (*f.*), fear
peut-être, perhaps, maybe
pharmacie (*f.*), drugstore
photographie, photo (*f.*), photograph
phrase (*f.*), sentence
pièce (*f.*), play; room; coin
pierre (*f.*), stone
Pierre, Peter
pire, worse
pis, worse
piscine (*f.*), swimming pool
place (*f.*), seat; place, public square
plafond (*m.*), ceiling
plage (*f.*), beach
plaisir (*m.*), pleasure
plancher (*m.*), floor
plein, full
pleurer, to cry
pleuvoir, to rain
plombier (*m.*), plumber
pluie (*f.*), rain
plusieurs, several
poche (*f.*), pocket
poésie (*f.*), poetry
poire (*f.*), pear
poisson (*m.*), fish
politesse (*f.*), courtesy
pomme (*f.*), apple
pomme (*f.*) de terre, potato
pont (*m.*), bridge
porter, to wear, carry; se porter, to feel
poste (*f.*), post office
poste (*m.*) d'essence, gas station
potage (*m.*), soup
poule (*f.*), hen

poulet (*m.*), chicken
poupée (*f.*), doll
pourboire (*m.*), tip
pouvoir, to be able
précis, sharp (of time)
premier ministre, prime minister
presque, almost
prêt, ready
prêter, to lend
prier, to pray
prix (*m.*), price; prize
prochain, next
profond, deep
promenade (*f.*), walk, ride
promener: se promener, to take a walk
promettre, to promise
propre, clean; own
prune (*f.*), plum
puis, then, afterwards
pupitre (*m.*), desk

quai (*m.*), pier, quay
quart (*m.*), quarter
quartier (*m.*), neighborhood, district
quel, quelle, which? what? what a . . . !
quelque, some, any
quelquefois, sometimes
quelques, some, a few
quelqu'un, someone
queue (*f.*), tail, line
quitter, to leave

raconter, to relate, tell
ramasser, to pick up, collect
ranger, to arrange, put in order
Raoul, Ralph
rappeler: se rappeler, to remember
ravi, delighted
recevoir, to receive
reconnaître, to recognize
réfléchir, to reflect, think
regarder, to look (at)
règle (*f.*), rule, ruler
regretter, to be sorry

reine (*f.*), queen
remarquer, to notice
remercier, to thank
remettre, to postpone
remplir, to fill
renard (*m.*), fox
rencontrer, to meet
rendez-vous (*m.*), appointment
rendre, to give back, return
renseignements (*m. pl.*), information
rentrer, to go in again, return (home)
repas (*m.*), meal
repasser, to iron
rester, to stay, remain
retourner, to go back, return
retrouver, to find (again)
réunion (*f.*), meeting
réussir, to succeed
rêve (*m.*), dream
réveille-matin (*m.*), alarm clock
réveiller: se réveiller, to wake up
revenir, to come back, return
revue (*f.*), magazine
rez-de-chaussée (*m.*), ground floor
rhume (*m.*), cold
rideau (*m.*), curtain
rire, to laugh
rive (*f.*), bank (of a body of water)
rivière (*f.*), river, stream
roi (*m.*), king
roman (*m.*), novel
roman policier, detective story
rompre, to break
rôti (*m.*), roast
rougir, to blush
route (*f.*), road
royaume (*m.*), kingdom
ruban (*m.*), ribbon
russe, Russian

sable (*m.*), sand
sabot (*m.*), wooden shoe

sac (*m.*), bag
saisir, to seize
saison (*f.*), season
sale, dirty
salon (*m.*), living room, parlor
saluer, to greet
sang (*m.*), blood
santé (*f.*), health
savant (*m.*), scientist
savon (*m.*), soap
sec, sèche, dry
secours (*m.*), help
séjour (*m.*), stay, sojourn
sel (*m.*), salt
semblable, similar
serviette (*f.*), napkin
servir, to serve; se servir (de), to use
seulement, only
siècle (*m.*), century
siffler, to whistle
soie (*f.*), silk
soif: avoir soif, to be thirsty
soigner, to take care of
soin (*m.*), care
soirée (*f.*), evening party
sommeil: avoir sommeil, to be sleepy
songer (à), to think (of)
sonner, to ring
sortie (*f.*), exit
sot, foolish, silly
sou (*m.*), sou
soulier (*m.*), shoe
sourd, deaf
sourire, to smile
souris (*f.*), mouse
sous, under
souvenir: se souvenir (de), to remember
stationner, to park

stylo (*m.*) à bille, ballpoint pen
sucre (*m.*), sugar
sud (*m.*), south
suivre, to follow
sûr, sure, certain
surtout, especially

tableau (*m.*), picture
tableau noir (*m.*), blackboard
tailleur (*m.*), tailor
taire: se taire, to be quiet
tant (de), so much, so many
tapis (*m.*), rug
tasse (*f.*), cup
tempête (*f.*), storm
temps (*m.*), time; weather
terre (*f.*), land, earth
timbre (*m.*), stamp
tiroir (*m.*), drawer
toit (*m.*), roof
tonnerre (*m.*), thunder
tort: avoir tort, to be wrong
tour (*f.*), tower
tour (*m.*), turn; trip
tourner, to turn
tousser, to cough
tout, all, whole, every
traduire, to translate
tramway (*m.*), streetcar
tranche (*f.*), slice
travail (*m.*), work
tricot (*m.*), sweater
tristesse (*f.*), sadness
tromper, to deceive
trop (de), too, too much, too many
trottoir (*m.*), sidewalk
trouver, to find; se trouver, to be situated
T.S.F. (*f.*), radio

usine (*f.*), factory
utile, useful

vacances (*f. pl.*), vacation
vache (*f.*), cow
veau (*m.*), veal
veille (*f.*), eve
vent (*m.*), wind
vérité (*f.*), truth
verre (*m.*), glass
vers, toward
vert, green
veston (*m.*), jacket
vêtement (*m.*), garment; (*pl.*), clothing
viande (*f.*), meat
vide, empty
vie (*f.*), life
vieillard (*m.*), old man
vieillesse (*f.*), old age
vieux, vieil, vieille, old
vif, vive, lively
vigne (*f.*), vine
vin (*m.*), wine
visage (*m.*), face
vite, quickly
vitesse (*f.*), speed
vivre, to live
voisin, voisine, neighbor
voiture (*f.*), car, carriage
voix (*f.*), voice
voleur (*m.*), thief
voyager, to travel
vrai, true
vue (*f.*), view

wagon (*m.*), car (of a train)

yeux (*m. pl.*), eyes

ENGLISH-FRENCH VOCABULARY

able: be able, pouvoir
abroad, à l'étranger
accompany, accompagner
acquaintance, la connaissance
active, actif, active
actor, l'acteur (*m.*)
actress, l'actrice (*f.*)
address, l'adresse (*f.*)
afternoon, l'après-midi (*m.*)
afterwards, ensuite
again, encore, encore une fois
ago, il y a
airplane, l'avion (*m.*)
all, tout, toute, tous, toutes
almost, presque
alone, seul
Alps, les Alpes (*f.*)
already, déjà
also, aussi
always, toujours
American, américain
ancient, ancien, ancienne
angry: get angry, se fâcher
announce, annoncer
answer, répondre (à); la réponse
apartment, l'appartement (*m.*)
appear, paraître
applaud, applaudir
apple, la pomme
arm, le bras
armchair, le fauteuil
around, autour de
as: as . . . as, aussi . . . que
as much (many), autant (de)
ask, ask for, demander
astonish, étonner
attentive, attentif, attentive
aunt, la tante
automobile, l'automobile (*f.*)
autumn, l'automne (*m.*)

bad, mauvais
badly, mal
baker, le boulanger
ball, la balle
beach, la plage

beautiful, beau, bel, belle
become, devenir
bed, le lit; **go to bed,** se coucher
before, avant
begin, commencer
believe, croire
bell, la cloche
belong to, être à
below, sous
best, le meilleur (*adj.*); le mieux (*adv.*)
bicycle, la bicyclette
big, grand; gros, grosse
bird, l'oiseau (*m.*)
birthday, l'anniversaire (*m.*) de naissance
black, noir
blackboard, le tableau noir
blue, bleu
blush, rougir
boat, le bateau
body, le corps
bore, ennuyer
born: be born, naître
borrow, emprunter
bottle, la bouteille
box, la boîte
bread, le pain
break, casser, rompre
bridge, le pont
bring, apporter
brown, brun
brush oneself, se brosser
build, bâtir
burn, brûler
bus, l'autobus (*m.*)
butcher, le boucher
butter, le beurre
buy, acheter

cake, le gâteau
call, appeler
candy, bonbons (*m. pl.*)
card, la carte
carry, porter
castle, le château
cat, le chat
cathedral, la cathédrale
ceiling, le plafond
certainly, certainement
chair, la chaise

chalk, la craie
charming, charmant
chat, causer
cheese, le fromage
child, l'enfant (*m.* or *f.*)
chocolate, le chocolat
church, l'église (*f.*)
city, la ville
classroom, la salle de classe
clean, nettoyer; propre
clock, l'horloge (*f.*), la pendule
close, fermer
coffee, le café
cold, froid
collect, ramasser
come back, revenir
come down, descendre
come in, entrer
come up, monter
complain, se plaindre
cool, frais, fraîche
correct, corriger
cost, coûter
count, compter
country, le pays; la campagne
cover, couvrir
cross, traverser; la croix
cruel, cruel, cruelle
cry, pleurer
cup, la tasse
cure, guérir
curious, curieux
curtain, le rideau
cut, couper

dance, danser
dare, oser
daughter, la fille
dear, cher, chère
deceive, tromper
decide, décider
deep, profond
defend, défendre
desk, le bureau, le pupitre
dictation, la dictée
die, mourir
dirty, sale
disappear, disparaître
discover, découvrir
disobey, désobéir (à)

7

doctor, le médecin, le docteur

dog, le chien

dollar, le dollar

downstairs, en bas

downtown, en ville

dozen, la douzaine

drawer, le tiroir

dream, rêver; le rêve

dressed: get dressed, s'habiller

drink, boire

drive, conduire

dry, sec, sèche

each, chaque

early, de bonne heure

earn, gagner

easily, facilement

eat, manger

egg, l'œuf (*m.*)

elevator, l'ascenseur (*m.*)

empty, vide

enemy, l'ennemi (*m.*)

enjoy oneself, s'amuser

enormous, énorme

enough, assez (de)

erase, effacer

error, la faute, l'erreur (*f.*)

especially, surtout

European, européen, européenne

every, tout, toute, tous, toutes

everybody, tout le monde

everywhere, partout

examination, l'examen (*m.*)

exercise, l'exercice (*m.*)

expensive, cher, chère

explain, expliquer

eye, l'œil (*m.*); **eyes,** les yeux

face, la figure, le visage

fall, tomber

false, faux, fausse

family, la famille

famous, célèbre

far, loin

farm, la ferme

fat, gras, grasse; gros, grosse

favorite, favori, favorite

feather, la plume

few, peu (de); **a few,** quelques

fewer, moins (de)

fill, remplir

find, trouver

fine, beau, bel, belle

fire, le feu

first, premier, première; **at first,** d'abord

fish, le poisson

fishing, la pêche

flag, le drapeau

flower, la fleur

follow, suivre

foolish, sot, sotte

foot, le pied

foreign, étranger, étrangère

forget, oublier

fountain pen, le stylo

franc, le franc

free, libre

Frenchman, le Français

fresh, frais, fraîche

full, plein

future, l'avenir (*m.*)

game, le jeu

garden, le jardin

gay, gai

general, général; le général

generally, généralement

generous, généreux

gentle, doux, douce

gentleman, le monsieur

gently, doucement

George, Georges

German, allemand

gift, le cadeau

girl, la jeune fille

give back, rendre

glad, content

glass, le verre

glove, le gant

go away, partir, s'en aller

go back, retourner

go down, descendre

go in, entrer (dans)

go out, sortir

go up, monter

gold, l'or (*m.*)

gradually, peu à peu

grandfather, le grand-père

grass, l'herbe (*f.*)

gray, gris

green, vert

hair, le cheveu, les cheveux

hand, la main

handkerchief, le mouchoir

handsome, beau, bel, belle

happen, arriver, se passer

happy, heureux

hard, dur

have to, devoir

head, la tête

hear, entendre

heart, le cœur

heavy, lourd

Helen, Hélène

help, aider

Henry, Henri

high, haut

hold, tenir

homework, les devoirs (*m. pl.*)

hope, espérer

horse, le cheval

hot, chaud

hotel, l'hôtel (*m.*)

hour, l'heure (*f.*)

how much (many), combien (de)

hurry, se dépêcher

hurt, blesser, faire mal (à); **to get hurt,** se blesser

husband, le mari

immediately, tout de suite, immédiatement

industrious, diligent

ink, l'encre (*f.*)

interesting, intéressant

interrupt, interrompre

Italian, italien

jewel, le bijou

Joan, Jeanne

John, Jean

keep, garder
key, la clef
kind, aimable; gentil, gentille
king, le roi
kitchen, la cuisine
knife, le couteau
know, savoir, connaître
know how, savoir

lady, la dame
lake, le lac
large, grand
last, dernier, dernière
late, en retard, tard
laugh, rire
lawyer, l'avocat (*m.*)
lazy, paresseux
lead, mener, conduire
learn, apprendre
leave, partir, sortir; laisser, quitter
left, gauche
lend, prêter
less, moins
library, la bibliothèque
lie, mentir
lie down, se coucher
life, la vie
lift, lever
light, léger, légère; clair; lumière (*f.*)
lightly, légèrement
like, aimer
listen (to), écouter
little, petit, peu
live, demeurer
live in, habiter
lively, vif, vive
long, long, longue
(a) long time, longtemps
look at, regarder
look for, chercher
lose, perdre
loud, haut
low, bas, basse

maid, la bonne
many, beaucoup (de)
map, la carte
mark, la note

market, le marché
maybe, peut-être
meal, le repas
meat, la viande
meet, rencontrer
memorize, apprendre par cœur
meter, le mètre
middle, le milieu
midnight, minuit (*m.*)
mild, doux, douce
milk, le lait
mistake, la faute, l'erreur (*f.*)
money, l'argent (*m.*)
month, le mois
moon, la lune
mountain, la montagne
movies, le cinéma
much, beaucoup (de)
mute, muet, muette

name, le nom
narrow, étroit
naturally, naturellement
naughty, méchant
near, près (de)
necessary, nécessaire
need, avoir besoin (de)
neighbor, le voisin, la voisine
nephew, le neveu
new, neuf; nouveau
newspaper, le journal
next, prochain; ensuite
nice, gentil, gentille
night, la nuit
noon, midi (*m.*)
nose, le nez
notebook, le cahier
notice, remarquer

obey, obéir (à)
October, octobre (*m.*)
offer, offrir
often, souvent
old, vieux, ancien
open, ouvrir
opportunity, l'occasion (*f.*)
overcoat, le pardessus
own, propre

package, le colis
palace, le palais
paper, le papier
Parisian, parisien, parisienne
park, le parc
patient, le (la) malade
pay, pay for, payer
peasant, le paysan, la paysanne
perfect, parfait
perhaps, peut-être
permit, permettre
Peter, Pierre
pick up, ramasser
picture, l'image (*f.*), le tableau
piece, le morceau
pity, plaindre
plane, l'avion (*m.*)
play, jouer
pleasant, agréable
pleased, content
pocket, la poche
polite, poli
poor, pauvre
pound, la livre
prefer, préférer, aimer mieux
present, le cadeau
pretty, joli
price, le prix
princess, la princesse
prize, le prix
promise, promettre
pronounce, prononcer
proud, fier, fière
punish, punir
put, put on, mettre

quarter, le quart
queen, la reine
quickly, vite, rapidement

rain, pleuvoir; la pluie
raise, lever
read, lire
ready, prêt
really, vraiment
receive, recevoir
recognize, reconnaître

red, rouge
reflect, réfléchir
relate, raconter
remain, rester
repeat, répéter
republic, la république
resemble, ressembler (à)
rest, se reposer
return, retourner, revenir, rentrer; rendre
return home, rentrer
rich, riche
ride, la promenade
ring, sonner
river, le fleuve
road, le chemin, la route
roll, le petit pain
round, rond
rug, le tapis
ruler, la règle
run, courir
Russian, russe

sad, triste
salt, le sel
say, dire
scold, gronder
sculptor, le sculpteur
sea, la mer
season, la saison
seated, assis
see, voir
seize, saisir
seldom, rarement
sell, vendre
send, envoyer
sentence, la phrase
serious, sérieux
serve, servir
several, plusieurs
shave (oneself), se raser
shine, briller
shoe, le soulier
short, court
show, montrer
sick, malade
silent, muet, muette
silk, la soie
silly, sot, sotte
sing, chanter
sit down, s'asseoir

situated: be situated, se trouver
sky, le ciel
sleep, dormir
slow, lent
snow, neiger; la neige
so much (many), tant (de)
soldier, le soldat
someone, quelqu'un
something, quelque chose
sometimes, quelquefois
son, le fils
song, la chanson
soon, bientôt
south, le sud, le midi
Spanish, espagnol
spring, le printemps
stamp, le timbre
station, la gare
stay, rester
still, encore
store, le magasin
story, l'histoire (f.)
strange, étrange
street, la rue
strong, fort
succeed, réussir
suddenly, tout à coup
sugar, le sucre
summer, l'été (m.)
sure, sûr
sweet, doux, douce
swim, nager

take off, ôter
tall, grand
tea, le thé
teach, enseigner
tell, dire
than, que
then, alors, puis, ensuite
thick, épais, épaisse
thing, la chose
think, penser, réfléchir
throw, jeter
ticket, le billet
tie, la cravate
tip, le pourboire
tired, fatigué
together, ensemble
tonight, ce soir
too, aussi; trop

too much (many), trop (de)
tooth, la dent
toward, vers; envers
tower, la tour
translate, traduire
travel, voyager
traveler, le voyageur, la voyageuse
tree, l'arbre (m.)
trip, le tour, le voyage
truly, vraiment
trunk, la malle
truth, la vérité
try, try on, essayer
turn, le tour

ugly, laid
umbrella, le parapluie
uncle, l'oncle (m.)
under, sous
understand, comprendre
unfortunate, malheureux
unhappy, malheureux
United States, les États-Unis (m. pl.)
up: get up, se lever
upstairs, en haut
use, employer, se servir (de)
useful, utile
useless, inutile

vacation, les vacances (f. pl.)
vegetable, le légume
violin, le violon
visit, visiter, faire visite (à)
voice, la voix

wait, wait for, attendre
waiter, le garçon
wake up, se réveiller
walk, marcher; la promenade; take a walk, faire une promenade, se promener
wall, le mur
want, désirer, vouloir
war, la guerre
warm, chaud

10

ENGLISH-FRENCH VOCABULARY

wash, laver; **get washed,** se
  laver
watch, la montre
water, l'eau (*f.*)
weak, faible
wear, porter
week, la semaine
what?, what a . . . !, quel,
  quelle
which?, quel, quelle
white, blanc, blanche

whole, tout
wicked, méchant
wide, large
wife, la femme
win, gagner
wine, le vin
winter, l'hiver (*m.*)
without, sans
woman, la femme
wood, le bois
wooden shoe, le sabot

wool, la laine
work, travailler; le travail
world, le monde
write, écrire
writer, l'écrivain (*m.*)

year, l'an (*m.*), l'année (*f.*)
yellow, jaune
yet, encore